JN041949

Marian Salzman

The New Megatrends

Seeing Clearly in the Age of Disruption

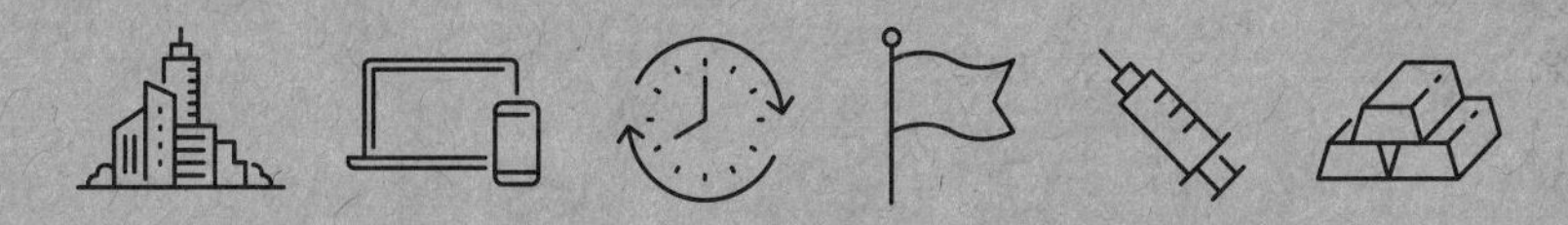

マリアン・ソールツマン　江口泰子 訳

2038年のパラダイムシフト

［人生・社会・技術］

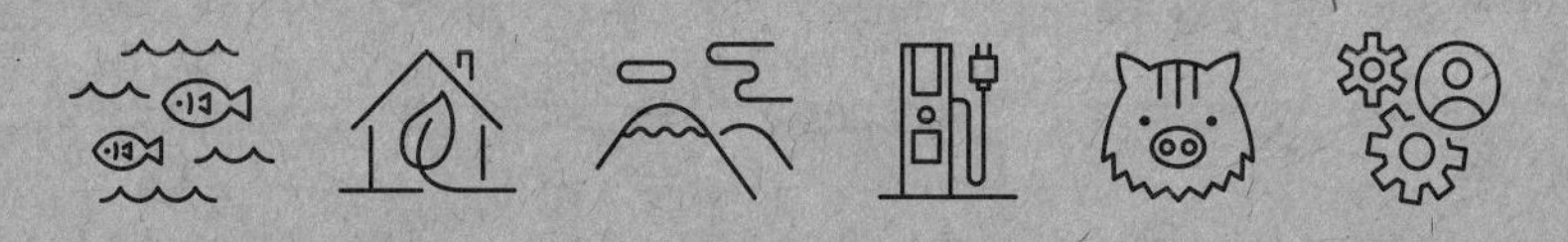

早川書房

2038年のパラダイムシフト

——人生・社会・技術

THE NEW MEGATRENDS

Seeing Clearly in the Age of Disruption

by

Marian Salzman

Translated by

Taiko Eguchi

First published 2024 in Japan by

Hayakawa Publishing, Inc.

This book is published in Japan by

arrangement with

Currency, an imprint of Random House,

a division of Penguin Random House LLC

through Japan Uni Agency, Inc., Tokyo.

装幀／山之口正和（OKIKATA）

五〇年にわたって、私には無限の可能性があると信じさせてくれた人たちへ
——その通りだった。そして、それ以上だった。

序　文

本書を、タイムトラベラーのガイドブックだと思ってもらえばいい。

まずは、いまから二十数年前の世紀の変わり目にお連れしよう。古いものが崩壊した当時の重大なできごとについて、いま一度詳しく考えよう。そのあとで、現在の「グレート・リセット」の世界へとお連れする。約二十年という期間を観察のための枠組みとし、世界情勢、テクノロジー革新、社会運動、パンデミックが合わさっていろいろなトレンドをつくり出し、私たちのアイデンティティを変え、未来をかたちづくり、過去をつくり直していることについて探検していこう。

少し前のできごとがいまの動向にどんな影響を及ぼし、明日を決めるのか、ぜひ知りたいのではないだろうか。あなたが起業家かリーダーなら、文化的な変化が明るい未来か危機のどちらをもたらすのかを予測して、いち早く対応し、優位に立ちたいのではないだろうか。迫り来る大惨事が魔法のように消えるふりなどせず、容赦ない厳然たる現実に向き合う覚悟はできているだろうか。もしそうなら、本書はあなたのための一冊だ。

いまの世界は不満が蔓延し、システム崩壊の脅威にさえ曝されている。本書の目的は、世界がいまの状況に陥るに至った要因について、あなたの理解を助けることだ。そしてまた、重要なことに、手遅れになる前に事態を好転させる方法について、深い洞察を提供することだ。本書では未来予測の最終地点を二〇三八年と設定する。理由はイントロダクションで述べるとして、その枠内であれば、SFのような眉唾ものの領域に踏み込むことなく、充分な裏づけのある未来予測が可能だろう。

　本書では全体にわたって、文化、ビジネス、消費者の三つのトレンドに注目し、その三つを実例と標識として用い、前例のない変化、さらにはかつてない混乱に満ちたグローバルな未来へとあなたを導こう。そのトレンド目撃のもとになるのは、長期のトレンドスポッター、専門のコミュニケーター、人間観察者として、ふたつの大陸、三つの街で暮らし、あちこちを移動して暮らす私の体験である。「トレンド」という言葉には表面的な意味合いが伴う。エンターテインメントやファッション、流行語など、目まぐるしく変わる欲望の対象を指して使われる時がそうだ。本書はそれらの領域の奥深くまで探るが、それが本来の目的ではない。今日、未来をまともに予測するためには、気候変動、テクノロジーの活用、両極化という、より深刻な問題であり、文化のあらゆる面にトリクルダウンする人生の側面を避けては通れない。「備えあれば憂いなし。準備万端で戦いに臨めば勝ったも同然だ」。そう述べたセルバンテスは正しい。

　私がよく訊かれるのは、四〇年近くもトレンド関連の仕事を続けたのはどういうわけか、という質問だ。そう訊かれて気づいたことがある。この仕事が、体力勝負の没頭と予期せぬ（時にはありがたくない）遠まわりの旅であることだ。一九八〇年代は、金融がとつぜん規制緩和された「ビッグバン」の時代だった。その時代に、私はグローバリズムと金融緩和について学んだ。一九九〇年代初めには、ごく限られた人たちのものだった「情報スーパーハイウェイ」をヒッチハイクし、サイバー空間初の市場調査会社を立ち上げた。オランダで暮らし、働いていた時に私が遭遇した、その次の大きなできごとは、欧州連合（ＥＵ）の創立であり、コンセンサスに基づいて意思決定を行なう「ポルダー・モデル」と呼ばれる方法に対する大きな注目だった。私は一九九八年にニューヨークに戻った（とはいえ、事務所とチームはその後の数年間はそのままとし、オランダとの関係が完全に切れることはなかった）。二〇〇一年九月、ニューヨークにあるロフトで私が目の当たりにしたのは、三キロメートルほど先でワールドトレードセンターが崩壊する姿だった（旅客機がタワーに激突し、両親に電話をかけたあとすぐに、私はアムステルダムの事務所で働くエグゼクティブ・アシスタントに連絡をとった。彼女はいまでも、その時の私の恐怖と不安をありありと覚えているという）。メトロセクシュアリティ（メトロセクシュアルとは、美容やファッション、ライフスタイルなどに強い美意識とこだわりを持つ、メトロポリタン＝都会に住む、ヘテロセクシュアル＝ストレートの男性）に関する私の鋭い消費者リサーチは、世界中のメディアで大々的に取り上げられた。その後、「ベンチャー・フォー・アメリカ」（起業家の養成と雇用の創出を目的とした非営利団体）の立ち上げに際して、プロモーションを手伝った。創設者のアンドルー・ヤンは、二〇二〇年にアメリカ合衆国大統領選に民主党から立候補した時、思いがけない選挙キャンペーンを展開し、アメリカの大半に、さらにはアメリカ国外にも、ユニバーサル・ベーシック・インカム（ＵＢＩ）の概念を初めて披露した。

かつて私は友人に〝フォレスト・ガンプ系〟と呼ばれていた。実際、目の前で展開する歴史の複数の撚(よ)り糸に絡めとられたガンプ系の人間は多い。だが私と彼らとの違いは、撚り糸を絡まったままにしないことだ。トレンドアナリストという私の仕事は、そのもつれをほどいて整理し、ロードマップに書き直し、理路整然とした方法で前へ進む手伝いをすることだ。

本文に進む前に注意書きをひとつ。本書では可能性の高いものから低いものまでさまざまなシナリオを提示し、そのプロセスやその後の進展を考えて話題があちこちに飛ぶが、それは私のスタイルだ。話がジグザグに展開するのは、複雑化するいまの時代の反映だ。この五〇年間、アメリカは数えきれないほど多くの文化的ムーブメントを生み出してきた。私が常に注意深く見守るのはアメリカの状況だが、本書では実際、グローバルな予測について述べていく。トレンドスポッティングの魅力の多くは、トレンドを見つけ出す途中の光景に、どっぷりと浸りきることにある。だが、時にはちょっと楽しい脇道に逸れたとしても、本書の最後にはじっくり考えるに値する目的地へと——闘って手に入れる可能性に満ちた未来へと——読者のみなさんをお連れすると約束しよう。

目次

＊訳注は小さめの〔　〕で示した。

イントロダクション――トレンドスポッティング

二〇年前へ遡る旅を始める前に、まずはトレンドスポッターという少々変わった私の職業について、その方法や歴史、重要性について明らかにしておきたい。

トレンドスポッティングは、世の流行をつくり出したり、文化的ムーブメントに影響を与えたりする仕事ではない。名前から想像がつく通り、新たな変化を見つけ出して理解し、次に何が起きるかを予測し、読み取った知識や情報を使って、私生活か仕事関係かにかかわらず、どう行動すれば優位に立てるかを知らせる仕事である。もっとセクシーな説明を期待していたかもしれないが、残念ながら、私の仕事は摩訶不思議（まかふしぎ）なお告げや神秘主義とは何の関係もない。タロットカードは使わない。植物でこしらえた秘薬を飲んで幻覚を見ることもなければ、高次の存在と交信する特殊能力も持ち合わせていない。魔術的なことについて言えば、うまいやり方というものは実のところ、ほとんどない。

それでいて、私は未来について多少のところはわかる。

トレンドと思われるできごとやパターンを観察し、整理して、将来を先読みする。言ってみれば、海図を丹念に読み込み、海や空のシグナルを読み取る船乗りに近い。まずは過去をじっと覗き込み、それがどのように現在につながったのかを見極める。文化的な歴史家と未来学者の合体版がトレンドスポッターだ。その目標は、過去から学んで望みうる最良の未来に導くことである。

ここまで読んで、あなたはこんなふうに思っているかもしれない。それのどこがそんなに特別なのか。誰だって現在や未来のことを考える時には、過去の情報をもとにするんじゃないのか、と。残念ながら、そうではない。多くの人は、理想化した過去に基づいて現在を評価する。異性愛の白人男性が絶対的な権威を誇っていた過去に、目を向ける人がいる。当時の移民やマイノリティは「分をわきまえて」おり、女性が働く場所は夫と暮らす家のなかだった。あるいは、人びとが土地に根づき、自然のリズムとともに暮らし、個人が責任感と清廉潔白な道徳心を持っていた過去を思い描く人もいる。そのような過去は、現実には、少なくとも彼らの頭のなかにあるかたちでは存在しない。テクノロジーが発達していなかった時代、生活はいまほど慌ただしくなく、もっとのんびりしていたという理由だけで、必ずしも当時の暮らしがもっとシンプルで、もっと充実し、ずっと公正か幸せだったわけではない。薔薇色の眼鏡をかけて「古き良き時代」を覗き込めば、当時の問題を簡単に見落としてしまう。もっと明瞭に見通すためには、トレンドスポッターはバイアスを振り払って過去と向き合い、未来を読み取らなければならない。過去を掘り起こして正確に見つめない限り、薔薇色であれ、どんな色であれ、不正確な色に染まっていない未来を導き出すことはできない。

世の動向をきちんと理解したい人は、接続した複雑な世界に私たちが暮らしていることを知っている。トレンドアナリストは、次に何が来るかについて確信が持てず、よく不安に陥る。私たちは誰も、ロボットがグルメな食事を料理したり、金星に生えるカネのなる木から現金が転がり込んだりする未来を期待してはいない。それでも、金銭面やキャリア面で有利な決断が下せるのなら大歓迎だ。私たちが求めているのは、ツールや手がかり、ものごとの本質を見抜く力であり、人生に影響を与えそうな――可能性の高いものから低いものまで――さまざまなシナリオを覗き見ることだ。そうすれば、いまから未来に影響を与えられるかもしれない。未来の行方を決める力を正確に見つけ出せれば、その軌跡をいまから修正できる。

結局のところ、ほとんどの人は次のような問いの答えを求めている。「それは私に何の役に立つのか」。そう聞いただけでは、自分勝手な問いのように思えるが、実際はそうでもない。もちろん、個人やビジネスの利益の話とも言える。たとえば、最新トレンドの波に乗るためにぴったりのスタートアップを立ち上げるとか、競合を出し抜いて、消費者の重要な変化を先取りするうまい意思決定を行なうとか。美容ブログの訴求力を活用して、「グロシエ」という化粧品ブランドを立ち上げたエミリー・ワイスがそうだ。あるいは、植物性原料の代替肉市場の拡大を見越して、「ビヨンド・ミート」を創業したイーサン・ブラウンもそうだ。とはいえ、未来を垣間見ることには個人やビジネスの利益だけではなく、社会的な重要性もある。何もかも呑み込んでしまう混乱と困難だらけの世界で変化に備えることは、感情面でも実際面でも重要な利益があるのだ。

＊＊＊

過去をじっくりと振り返る時、重要なのはふたつのレンズで覗き見ることだ。ひとつは、統計や事象などの量的なレンズ。もうひとつは質的なレンズ。後者のレンズを使って、過去のできごとを色づけている感情的なフィルター――視点やものごとの捉え方――を探り出す。そのふたつのレンズによるインプットが現在の体験を特徴づけるとともに、これが共通の過去だと集団的に思えるものをつくり出す――もちろん、過去に対するふたりの個人の捉え方が完全には一致しないこともあるだろう。私たちの思考や判断は、人種、富、ジェンダー、文化、人生経験などさまざまな要因の影響を必ず受けている。過去の歩みを知って初めて、トレンドスポッターは前を見る。だからこそ、本書も役に立つ。

本書で紹介する考えは、必然的に私のパーソナリティ、体験、たどってきた道筋の影響を受けている。間近に何が迫っているのかについて、私は好奇心が旺盛だ。その尽きることのない好奇心は、人口約一万一〇〇〇人のニュージャージー州リバーエッジで過ごした子ども時代から、私の性格の特徴だった。リバーエッジは、ハドソン川を挟んでマンハッタンの対岸に位置する。だが、そこの住民はニューヨークの文化の影響をあまり受けていない。少なくとも強烈には。そして、私は一九六〇~七〇年代をその町で過ごした。いまでも、リバーエッジはアメリカの郊外のスナップ写真そのままだ。あるいは、ともかくも教育水準の高い、将来有望な白人の多い郊外の典型である。

ティーンエイジャーの頃、私はそんな郊外から出て行くことばかり考えていた。マイカーの相乗り、放課後のスポーツ活動、丁寧に刈り取られた芝生、毎年夏に開かれるご近所どうしの野外パーティ。こんなマンネリ生活に戻るもんか、と決めていた。大学卒業後はまっすぐマンハッタンへ向かい、広告業界で働いた。三〇年かけてキャリアを築いた。共著も含めて十数冊の本を出し、一〇年ほどグローバル規模のPR会社を経営した。途中で、ティーンエイジャーの頃の自分が驚くような行動に出た。ニューヨークを離れて、あちこちの郊外に移り住んだのだ。二〇一〇年、アリゾナとコネチカットに居を構える、弁護士で法学部教授の男性を人生のパートナーに選んで、その二カ所を住所に加えた。そして、二〇一八年初めに選んだ三つ目の住所は、スイス西部のヴォー州だった。多国籍企業のグローバル・コミュニケーションを統括するトップの座に就いたのだ。

とはいえ、私の住所はあちこちであるとともにどこでもない。パンデミックの前、私はホテルの部屋や飛行機のなかでよく仕事をし、自分がどこにいて、どこへ向かっているのかわからなくなることがあった。頻繁に飛行機で移動する人たち（そしてパンデミックのあいだは、リモートワークの人たち）の多くがそうであるように、何年ものあいだ、私も世界と、あちこちの大陸の人や企業と画面越しにつながっていた。どこに住んでいるのかと聞かれると、つい「クラウドのなか」と答えたくなった。半分はジョークだが半分は事実で、かなり哀しかった。

私は旅から多くの情報を得る。空港と地元のスーパーマーケットが、ひらめきと洞察の素晴らしい供給源だと気づいたのは、ずいぶん前のことである。さらに、私の人生経験もすべて、トレンドスポッティングの役に立っている。なかでもおそらく、三度の手術がそうだ（手術は、おそらく今後も受けることになるだろう）。典型的な異型性髄膜腫（ずいまくしゅ）を摘出したのだ。まるで良性のものがあるとでも言うように、「良性の脳腫瘍」と呼ばれるタイプだ。手術のおかげで、私はもう少し辛抱強くなった（とはいえ、とても得意分野にはなりそうもない）。ほかの人に、もっと権限を委譲できるようになった（辛抱よりは、ほんの少しだけ得意分野だ）。そして、トレンドスポッティングにとって重要なことに、人生の予測不可能性に対処する最善の方法についても、考え方を授けてくれた。

主観と客観を総合すること。それこそが、トレンドスポッティングと分析において、際限ない魅力のひとつだ。データや事実に基づく観察の科学だけではない。トレンドスポッティングと分析は、重要なライフイベントから親密な会話まで、その人独自のかなりパーソナルな体験を活用する技術なのだ。トレンドスポッティングの技術を普及させた次の男性が、その格好の例である。ジョン・ネイスビッツは一九二九年にソルトレイクシティで生まれた。ウォール街大暴落の九カ月前である[1]。彼の父は配達トラックの運転手、母は裁縫師だった。だから、裕福な少年時代を送ったとはとても言えないだろう。ハイスクールを卒業後に海兵隊に入隊し、退役軍人支援プログラムを利用して大学に進んだ。結婚し、妻が妊娠中に貯金が底をつき、イーストマン・コダックの重役のスピーチライターの仕事に就いた。その後もＰＲの仕事を転々とした。政府の仕事に就いた時には、リンドン・Ｂ・ジョンソン大統領の「偉大な社会」政策の影響について研究した。リサーチの一環として、五〇紙の地方新聞を購入した。当時を振り返って、彼は述べている。「アメリカで何が起きているのか、三時間かけて知った時には心底、茫然としたものだよ[2]」。その時の体験に触発されて、ネイスビッツはコンサルテーションの仕事を始めた。ところが事業は失敗し、まもなく離婚して破産する。だが、アメリカ社会に影響を与えるだろう重要な変化について講演活動を続け、一冊の本にまとめた。それが『メガトレンド――10の社会潮流が近未来を決定づける！』（三笠書房）である。

ネイスビッツのメッセージは、晴れわたる青空の楽観論だった。アメリカの労働者階級の日々は終わり、脱工業化社会の経済と六〇年代のカウンターカルチャーの価値観（とりわけ個人主義、フェミニズム、スピリチュアリズム）によって、経済的な繁栄と文化的な自由を謳歌する黄金時代が幕開けする、と彼は書いていた。一九八二年発売の『メガトレンド』は、レーガン大統領の選挙コマーシャル「アメリカの朝」（再選を狙った一九八四年の選挙CM。インフレ抑制、好景気、雇用改善などレーガン政権四年間の実績を強くアピールした）のおうむ返しだった。『メガトレンド』は、《ニューヨークタイムズ》紙で二年にわたってベストセラー入りし、五七カ国で一四〇〇万部を売り上げた。ホワイトハウスに頻繁に呼ばれ、英国のマーガレット・サッチャー首相の友人になった。こうしてトレンドスポッティングは、メディアの必需品となった。

五〇紙の地方新聞を読み込んだのがほかのリサーチャーであれば、ネイスビッツとはまったく違う状況を読み取っていたかもしれない。ネイスビッツが地方紙に青空の楽観論を見つけたのは、彼が苦労の多い少年時代を過ごし、若い頃に挫折を味わい、成功を摑みたいという大いなる野望を抱いていたからだ、と私は指摘する。彼は前方に澄みわたる青空を見つけた。その前兆があったからだが、それだけではない。彼が明るい前兆を、どうしても読み取りたかったからである。

私が晴れわたる青空の下で育ったことを自覚したのは、同じ世代の人たちと同じように、思わぬできごとによって激しい衝撃を受けた時だった。一九九九年、ジョン・F・ケネディの息子とその妻、彼女の姉の三人が自家用機の墜落事故で命を落としたのだ（その二年後の九月一一日、同時多発テロが起きて、ケネディJr.の悲劇が薄れてしまうことになるとは思いもしなかった）。ケネディJr.はブラウン大学の私の二年後輩で、私たちには共通の友人もいた。大学時代の友だちも私も、彼の神々(こうごう)しさに魅了された。仲間の多くにとって、右か左か政治的な立場に関係なく、彼は無限の可能性の象徴だった。明るい未来を約束していた。ジョン、妻のキャロリン、そして姉のローレン・ベセットの三人を失ったことは、ネイスビッツが祝福していた一九七〇年代末から八〇年代にかけて、成人を迎えた多くの者が共有していた、不滅という感覚の喪失を意味した。

一九五〇年代後半～六〇年代前半に生まれた私の世代は、ベビーブーマー（一般的に一九四六～六四年生まれ）とX世代（一般的に一九六五～八〇年生まれ）に挟まれて居心地の悪さを味わってきた。X世代には、ベビーブーマーのような権利意識も自信もない。そして、そのX世代の漠然とした不安を私たちは理解できる。私たちがベビーブーマーと共有するのは、全般的な楽観主義と、何かをやり遂げることに対する信念だ。私たちはカスパーズだ（ジョーンズ世代と呼ばれることもある）〔ひとつの世代の終わりと、次の世代の始まりの境目あたりに生まれた人たちを、カスパーズと呼ぶ。両方の世代の特徴が混在しやすい〕。私たちがハイスクールか大学を卒業したのは、高インフレで仕事が海外に移転した時代だった。そしていま、どの世代も逃れられない破滅の前兆をメディアはこぞって書き立てる。パンデミックや気候変動から、アメリカで内戦が勃発する現実的な可能性まで。ポピュリストの政治家の台頭からサイバーテロまで。

それでいて、このところの悪いニュースにもかかわらず、希望が消え失せたわけではない。「誰も太陽か死を見つめ続けることはできない」。これはフランスのモラリスト文学者、フランソワ・ド・ラ・ロシュフコーの言葉だ。楽観主義と希望はそう簡単には死なない。だから、私も少なくとも時おりは楽観主義者になる。私が探しているのは、目も眩(くら)むような幸せな明日ではなく、破滅的なシナリオでもない。それは、将来を見通す洞察であり、ほんの少しの確信だ。不確実性のなかを歩んでいく方法だ。「なぜ」がわかっていれば「そのできごと」に耐えやすい――もっといいのは、「そのできごと」を新しいかたちに変えやすくなることだ。

不確実性のなかを歩んでいく最初のステップは、耳を澄まし、目を見開いておくことだ。トレンド目撃は時と場所を選ばない。だから、注意を怠らずにいて（そして何にでも興味を示しておいて）損はない。

二〇〇二年、私はニューヨークのソーホー地区で、犬を散歩させているストレートの男性の友だちを見かけた。特に変わった風景ではなかった――犬のリードが真っピンクだった点を除けば。ちょうど同じ頃、私は行きつけのヘアサロンで頻繁にバリトンの声を聞くようになった。やがて二〇〇三年、私はこれらの目撃をもとに、ファッション、高級コスメ、インテリアに強いこだわりを持つ若い男性たちのムーブメントを読み解こうとしていた。新たに出現したこのムーブメントを知らせるために、「メトロセクシュアル」というキャッチーな言葉を拝借した。これはもともと、ジャーナリストのマーク・シンプソンが、一部のゲイの男性を指して使った言葉である。だが、私はもとの意味を完全にひっくり返し、若いストレートの男性のトレンドを指す言葉として使った。メトロセクシュアルという言葉とそのトレンドは大きな注目を浴び、次々とメディアからインタビューの依頼が舞い込んだ。二〇〇三年、メトロセクシュアルは話題をさらい、「アメリカ方言学会」に「ワード・オブ・ザ・イヤー（今年の言葉）」に選ばれたほどである。

メトロセクシュアリズムは、一過性の皮相なブームではなかった。多くの男性が「男らしさ」の定義を根本的に変えたことの表れだった。そして、その変化は複雑で相反する方法で展開した。男性のスペクトラムの片方の端が、メトロセクシュアルと筋金入りのフェミニストであり、もう片方の端がプラウド・ボーイズ、インセル、タリバンだ（プラウド・ボーイズは女性蔑視、反ユダヤ主義、白人至上主義を信奉する男性ばかりのオルタナ右翼。インセルは望まない禁欲主義者、非自発的な独身者。自分の非モテの原因は女性側にあると考える女性蔑視主義者）。「男らしさ」とは何かを規定する闘いは、今日も猛威を振るっている。

広告コミュニケーションに携わる私の仕事は、メトロセクシュアルや「グロービシティ」（グローバル規模の肥満の増加）など、文化的変化だけを領域とするわけではない。企業動向や消費者動向も扱い、常時オンのメディア環境、超専門小売店、特定の視聴者向け放送なども含まれる。私は三〇年以上にわたって、トレンドの先取り情報をまとめた報告書を毎年発行してきた。インターネットの影響が増大し、プライバシーが失われ、気候変動時代にあって自然が〝リベンジ〟すると予測したいっぽう、「チャインディア（中国＋インド）」というバズワードを強力に推したものの、読みは完全に外れた。多くの点で中国は超大国にのしあがったが、インドは低迷している。また「年齢に段階（ステージ）はない」という言葉でも、まんまとやらかしてしまった。世代とは融合するどころか、互いに闘争し合うものらしい。

二〇一九年後半に発行した二〇二〇年版の報告書のなかで、私は新型コロナウイルス感染症の大混乱を予測してはいなかった。とはいえ、マスクをつける人が増えることは予測していた。もっともその理由は大気汚染であって、新たな感染症のせいではなかった。また、生活必需品の買いだめが増えると予想したが、それは一九九〇年代から不気味な影を落としてきた、「ドームズディ・プレッパー」〔プレッパーとは、災害や非常事態の準備に余念のない人。ドームズディ・プレッパーは世界滅亡に備える人〕の延長線上の話だった。二〇二〇年版の報告書をまとめた時に、私にとって確実だったのは、私たちがますますコントロール不能に感じられる世界に暮らしていることだった。その状態を「混乱はニューノーマル（新常態）」と私は呼んだ。ぴったりの表現だったが、状況はすぐに私の想像を超えてしまった。

ムクドリの群れを見たことがあるだろうか。もしそうなら、改めてその美しさに気づいたのではないだろうか。小さなムクドリが無数に集まり、大きな群れを成して飛ぶ[3]。地面に突っ込むように急降下したかと思うと、見事なパターンを描きながら密集して飛び、まるでひとつの生命体か何かのようだ。これを高速で成し遂げる。しかも、どういうわけか互いにぶつかったりしない。

ムクドリは瞬時に、非常に正確に、あたかも集団でひとつの脳を共有しているかのようにコミュニケーションする。その様子から明らかなのは、ムクドリの組織がトップダウンではないことだ。つまり、リーダーはいない。それはまた、自分たちがより大きな集団の一部だと、ムクドリが気づいていないことも教えてくれる。気づいているのは、自分の周りに六〜七羽の仲間が飛んでいることだけだ。

ムクドリはなぜ群れを成すのか。予想通り、敵から身を守るためだ。一斉に鳴く声は耳をつんざくほどうるさい。あのとつぜんの動きは不可解だ。一瞬にして逆戻りする飛び方は、まるで突き通せない楯のように見える。

ある意味、ムクドリは完璧な社会をつくり上げている。すべてのムクドリが瞬時に、一斉に、本能的に行動するさまは、しかもその正確さときたら信じられないほどである。

だが、ここで悪いニュースがある。少なくとも北米にとっては。

それは、ムクドリが北米大陸原産の鳥ではないことだ。一八九〇年、鳥類学者のユージン・シーフリンが欧州から一〇〇羽を輸入して、ニューヨークのセントラルパークで解き放った。しばらくはニューヨークに留まっていたが、渡り鳥のために飛び立った。

そしていま、北米大陸に大量のムクドリが分布している。数十万羽の群れもさほど珍しくない。ムクドリは果物や野菜を食い尽くす。一日に二〇トンのじゃがいもを食べる。糞は、肺真菌症のヒストプラスマ症や、妊婦や胎児が感染しやすいトキソプラズマ症の一因か主因となる。

しかも、死亡事故さえ引き起こす。一九六〇年、ボストンのローガン国際空港を飛び立ったロッキードL188機が、一万羽のムクドリの大群と衝突した。エンジンがムクドリを吸い込み、停止してしまったために墜落し、六二名の命が奪われた。

アメリカでは二億羽に及ぶムクドリの被害を食い止めようと、さまざまな対策を講じてきたが、いまのところ成果はない。ユーチューブの動画でムクドリの大群を見て驚く人は、厳しい事実を見落としている。美しさに犠牲はつきもの。それがどんな犠牲を伴うのかは、たいていの場合、実際に起きてみなければわからない。

インターネットが文化と社会に与えた影響について考える時、私はよくムクドリのことを思い出す。

アメリカのロックバンド、グレイトフル・デッドに歌詞を提供し、インターネットの専門家でもあるジョン・ペリー・バーロウ〔電子フロンティア財団の共同創設者〕が世紀の変わり目に著した、「サイバースペース独立宣言」という生き生きとした予言がある。そのなかでバーロウは、次のように書いている。新たな平等主義の世界では、社会規範に従わない考えやあらゆる信念は歓迎され、所有、表現、アイデンティティの伝統的な法的概念は、もはや適用されない(4)。

バーロウが思い描いた理想的な世界は、残念ながら実現していない。彼は、人間の不変の法則を見落としていた。すなわち、意図しない結果をもたらすという法則である。

この二〇年の物語は、大きな夢、素晴らしい未来像、予期しない反動という群れの物語だった。

そうであるならば、今後の二〇年は何だろうか。二〇二〇～二一年の大惨事が、ほぼすべてをリセットするきっかけとなったことは、少し考えればわかるだろう。それ以上に難しいのは、一過性の変化と長期的な変化とを見極めることだ。そのふたつを区別するために、本書ではまず二〇〇〇～二〇年のできごとと、その短い期間から拾い集められる文化的な変化とを振り返ろう。そのあとで、二〇二一年から二〇三八年一月一九日という特定の日までに目を向ける。だが、なぜその日なのか。ひとつには、その日にはふたつのコードネームがあるからだ。二〇三八年問題（Y２０３８）とエポカリプス。これは二〇〇〇年問題（Y２K）のようなものだ。二〇〇〇年問題とは、西暦二〇〇〇年一月一日になった瞬間にコンピュータが誤作動して、新世紀のお祭り騒ぎを台なしにするのではないか、と非常に恐れられた問題である（西暦二〇〇〇年一月一日は、正式には二一世紀が始まる一年前だが、現代人はそんな些細なことにはこだわらない）。二〇三八年問題を専門的に説明するとなると、簡潔に述べるのは難しいが、基本的な考えはこうだ。一部のコンピュータ専門家によれば、世界がどのデジタルデバイスを用いているかに関係なく、二〇三八年一月一九日、協定世界時（ＵＴＣ）午前三時一四分七秒に、経過秒数を使い果たしてしまい、正しい時刻が表示できなくなるという。

この問題を知った時、私は本書の最終地点を二〇三八年に設定しようと思いついた。二〇〇〇年問題と二〇三八年問題を、つまり二〇〇〇～二〇三八年を本書で扱う枠組みとすると、およそ四〇年のタイムスパンについて詳しく見ていくことになる。この枠組みにおいて、本書で目にする動向のほぼすべてに、そして二一世紀の人間生活のすべてにデジタルテクノロジーの重い手形がついている。

最初に断っておこう。本書で紹介する予測のなかには、思わず人里離れた洞窟に引きこもりたくなるような内容もあるだろう。それも無理はない。最悪のシナリオを考えたあと、ポテトチップスの袋かクッキーの箱を抱えてベッドに向かったことが、私には何度もある。だが、私はいつも現代の困難にまつわる基本的な事実に戻っていく——私たちは石器時代の精神を受け継いでいるかもしれないが、私たちが生きているのは宇宙時代のテクノロジーの世界だ。だから、そのテクノロジーは困難な問題だけではなく、可能性のある解決法ももたらしてくれる。

まずは、今日の私たちを取り巻く世界について、グローバルな四つの基本的動向について整理しよう。

・「一緒にいてもバラバラ」が当たり前になった。テクノロジーのおかげで、高度にパーソナルな環境をつくることができる。その環境のなかで、カスタマイズしたプレイリストを（ひとりで）聞き、デバイスを使ってストリーミングサービスのエンターテインメント映像を（ひとりで）見る。バイアスのかかったメディアのバブル（泡）とエコーチェンバー（反響室）のなかに密閉されたまま、自分がつくった世界のなかだけで存在したいと望めば、そうすることも可能だ。

・**経済的な不公平が指数関数的に増大する。** 一九七〇年代半ば以降、経済的な不公平があちこちの国で増大し[5]、多くの貧困層とごく一部の超富裕層に対して、まったく異なる体験と可能性をつくり出してきた。（ほかの先進国と比べて）特にアメリカの社会的セーフティネットは擦り切れている。ミドルクラスは権利を奪われ、さらには縮小の一途をたどっている。そのため、みずからの富と権利を維持しようとするロビー団体に対して、ミドルクラスはまったくの非力だ。

・**自己中心性が新たな世界観になった。** 今日の私たちの世界観は自己中心性だ。子どもを含む誰もが、「パーソナルブランド」を築いて育てるように励まされる。

・**シェア体験により高い価値を置く。** 私たちは、自己中心的であると同時に共通の体験を重視する。友だちや家族とのビデオチャットが、自撮りに取って代わりつつある。パンデミック時期に、この傾向はほかのニーズよりも根強かった。ビジネスにおいても、一体感や仲間意識を重視する傾向が明らかだ。何でも協力、協業が主流だ。

まわりを見渡せば、こっちの現実とあっちの現実は違う。陰と陽だ。世界もコミュニティも密閉されている。不公平と自己中心性がますます目立つ傾向は、ほかの要素にも影響を及ぼす。それがトレンドの性質だ。程度の差はあれ、ある動向には、それを埋め合わせるようにその反対の動向が存在する。ナショナリズムやトライバリズム〔部族主義〕の台頭をどこかで目にしたとする。だが、ほかの場所では人びとが協力し合う光景を目にする。すべての国が安全になるまで、どこの国もウイルスから――あるいはほかの深刻な脅威から――安全ではないという理解が生まれる。既存の組織的宗教の勢いは衰えても、スピリチュアリティと新たな信念体系の勢いは増している。

二〇三八年には、ほかにもどんなことが待ち受けているだろうか。本書で紹介するトレンドの一部を見てみよう。

政府：統治システムに対する社会の信頼は、さらに揺らぐだろう。民主主義は果たして最善の統治システムなのか。そのような問いは、絶対的権力を手に入れようとする政治家と、過去への回帰を願う市民によってさらに強まる。だがその過去とは、人種的、経済的、社会的に不平等だったにもかかわらず、平等だったと理想化された過去の姿なのだ。

新しい世界秩序：二〇〇六年の著書『マインドセット――ものを考える力』（ダイヤモンド社）のなかで、ジョン・ネイスビッツは、世界を動かす権利は誰が手に入れてもおかしくなく、欧州にはその準備ができていると警告した。その後、欧州は経済不況の社会的、財政的影響に苦しんできた。ネイスビッツと妻で共著者のドリスはのちに、欧州大陸では「社会福祉の搾取が蔓延している」と指摘した。[6] そして、欧州に代わって台頭したのが中国である。台頭した時、中国はすでに強大な勢力はもちろん、超大国としての自己認識を高め、自信も蓄えていた。だが、中国はただ単に勢力を拡大しているのではない。信じられないほど多くの富裕層と巨大なテクノロジー企業を抱え、それらを含む明日の新たな支配者が、自分たちにとって思い通りの未来をつくり出そうとしているのだ。

ネット世界の憎悪：憎悪がネット空間を飛び交っている。この二〇年間、募るいっぽうの不安に掻き立てられ、新たなテクノロジーの経路を介して掻きまわされ、憎悪は遠くまで、地球の隅々にまで拡散される。さらに悪いことに、憎悪とヘイトスピーチは特別なことではなくなってしまった。匿名をいいことにごく普通の個人が、敵意や悪意に満ちた暴言をソーシャルメディアで吐き出す。その反動はインターネットの世界を超えて、すでに「銃乱射事件、リンチ、民族浄化などマイノリティに対する世界的な暴力を増加」させていると、外交問題評議会〔外交政策を分析・研究する、シンクタンク中心のアメリカの民間組織。《フォーリン・アフェアーズ》誌を刊行〕は指摘する。[7] イスラム過激派の聖戦主義者（ジハーディスト）、白人至上主義者、ナショナリストの集団は、世間の憎悪をより高度な方法で利用して、目的を遂げようとする。

ミドルの消滅：いまのような両極化した時代、ミドル（中間）とセンター（中道）は、不当な非難を浴びている。とっとと仕事に取りかかれというタイプは、鉄の女こと英国のサッチャー元首相の言葉を引用しようとする。「道路の真ん中に立つのはとても危険だ。両側の車にはねられる」。みずからを進歩主義者と称する人は、マーティン・ルーサー・キングJr. の次の言葉を引用する。「正義よりも〝秩序〟の維持に腐心する穏健派の白人」は、自由を手に入れようとするアフリカ系アメリカ人にとって、大いなる躓(つまず)きの石だ。[8] たとえ多くの人がより穏健な日々やリーダーを望んでいても、今日、中道の立場を守ることは、最善の場合でも優柔不断だと笑われ、最悪の場合には危険だと嘲笑される。社会政治的な不満が激しくなるにつれ、より多くの人が中間の立場から右か左のもっと過激な方向へと引き寄せられるだろう。

トライブ（部族）：トライブは、国家に対する忠誠と同じくらい重要になる。それはリアルなトライブか、それともバーチャルなトライブか。バーチャルな可能性が高い。西洋の都会化した世界で民主主義が崩壊するのに伴い、現実世界のトライブを見つけ出すことはいっそう難しくなりそうだ。近所、親戚、親しい友人を除いて、同じライフボートに乗るのは誰だろうか。私たちは、心理的な必要からあちこちの集団に参加し、最終的にその集団を自分が生き残るためのカギとみなすことになる。

プライバシーの喪失：この原稿を書いている、いまこの瞬間、ロンドンでは六九万一〇〇〇台の監視カメラが作動中だ。人口一〇〇〇人当たり七三台という計算になる。[9] とんでもない数だが、これでも英国の首都は、世界で監視カメラの多い上位二〇都市の第三位にすぎない。第一位と第二位は、そして全二〇都市のうちの一六都市を占めるのは中国であり、残りの三都市はインドである。世界中の国が、テクノロジーを使ってデジタルコントロールの技術を完璧なものにしようとしている。ＣＣＴＶ（閉回路テレビ）は、その始まりにすぎない。さらに増加中なのが、ＡＩアルゴリズム、パーソナルＧＰＳ、個人の感情を計測するオンボディ型（ウェアラブルなど）のデバイスだ。一部の国では、〝健康デバイス〟と称するツールによって、ユーザーデータを、豊富な資金力を誇る入札者に提供する動向がある。また別の国では、ＩＤブレスレットの装着が義務づけられ、商業的な反応に限らず、政治的なメッセージに対する反応まで測定されて態度を判断され、同意か不同意かを見破られることになりそうだ。着用を拒むことは可能か。答えはイエスだ(極めて全体主義的な社会を除いては)。また、デジタル機器のスイッチを切り、インターネットの世界を離れることで、一週間か永遠かに限らず「スマホ断ち」をするデジタルデトックスは、「デジタルから遮断されていればいるほど、デジタル支配に影響されない」というステータス・シンボルになりそうだ。

科学の両極化:二〇二〇年の前半を通して世界中の人びとはワクチンを心待ちにし、新型コロナウイルス感染症から身を守れることを期待した。ワクチン完成までには、かなりの時間がかかるものと思われた。ところが、ウイルスが特定されて遺伝子配列が明らかになってから一年もしないうちに、専門家が試験用のワクチンを何種類か開発した。[10] 二〇二一年一〇月半ばの時点で、世界人口のおよそ半数が最低一度はワクチンを接種していた。この素晴らしい科学的偉業は称賛を浴びるとともに、疑念と恐怖を掻き立てた。想定内の疑問(長期の副作用が出るのではないか)から、常軌を逸した憶測(ワクチンにマイクロチップが仕込まれているとか、DNAに組み込まれて遺伝情報が書き換えられるとか[11])まで。一九九八年にMMR(麻疹、おたふくかぜ、風疹)ワクチンと、自閉症や炎症性腸疾患との関係が取り沙汰されてから、世界中で反ワクチン運動が盛んになり、科学は陰謀論の火種になってきた。遺伝子ワクチンの実用化によって、反ワクチン運動は悪化した。スティーブン・ホーキングのような優れた科学者(車椅子の宇宙物理学者。二〇一八年に死去)でさえ懸念を表明し、そのほかの点では恵まれた富裕層が、新たな科学技術を駆使して、遺伝子操作によってエリートをつくり出すのではないかと危惧していた。[12] いまの時代、大いなる希望である科学は大いなる分裂ももたらすのだ。

人口の再分布:歴史的に、都市は生活するには最も高くつく場所だった。仕事をリモートで行なう機会が増え、小売業者や文化施設のバーチャル化が進むにつれ、富裕層は都市の景観を捨てて、緑溢れる牧草地を目指すのかもしれない。田舎や小さな町にはすでに移住希望者が増え、以前より生活費が高くなった。田園地帯は移住者の受け入れに四苦八苦し、地元住民のあいだに不満や反感が根づくことになりそうだ。

アメリカと欧州の都市から脱出する人が増えるいっぽう、その反対の動向として、世界のほかの地域では都市圏が大きく膨れ上がる。[13] 二〇二五年には、人口一〇〇〇万人を数えるメガシティは、世界全体で二九都市に及ぶと思われる。アジアではパキスタンのラホール、インドネシアのジャカルタ、中国の深圳。ラテンアメリカでは、コロンビアのボゴタ、ペルーのリマ。アフリカでは、コンゴ民主共和国のキンシャサがそうだ。[14] そして、都市計画に則った新しい都市も生まれるだろう。たとえばそのひとつが、ウォルマートの元幹部で億万長者のマーク・ロアが提案する「テロサ」だ。ロアは、自分が思い描く理想郷の都市をアメリカ西部に計画している。

エンターテインメント：ＡＩと高度化の進むアルゴリズムのおかげで、メディアとエンターテインメントのコンテンツは、人びとの心や思考をますます巧みにハイジャックし、私たちは喜んで屈することになるだろう。その理由のひとつは、快感をもたらす脳の報酬系の受容体にある。エンターテインメントがその受容体にいっそう巧妙に狙いを定め、私たちがどこにいようとうまく働きかけるようになるからだ。食料品店のレジに並んでいようと、ウィンドウショッピングをしていようと、バスタブに浸かっていようと関係ない。そして、精神的に得られる報酬にはいっそう抗しがたくなる。エンターテインメントによって、日々、押しつぶされそうな現実から逃避できるからだ。

ジェンダー：アメリカでは、成人したZ世代〔一九九〇年代中盤～二〇〇〇年代終盤に生まれた世代〕の六人にひとりが、LGBTQ+だという。[15] この数字は新たな現実を反映している。すなわち、ジェンダーが、社会という外界によってつくられた社会的構成概念のひとつであること。そしてまた、人びとが自分のジェンダーを受け入れざるを得なかった時代よりも、ずっと変更可能であることだ。そのような考えの広まりに反発する均衡勢力として、伝統的なジェンダーを〝復活させ〟、もっと厳格な規範に戻そうとする一派もある。

現金：キャッシュレス経済はいまだ実現していない。長く失業中か不完全雇用の人が多い現状では、ユニバーサル・ベーシック・インカムの導入は、もはやそれほど物議を醸す問題ではないはずだ。社会の安定を保つために、不可欠とみなされる国もあるだろう。それでは、暗号通貨はどうだろうか。NFT（代替不可能なトークン。売買可能なデジタルデータ）は？　NFTは、すでにコミュニティを生み出している。パジィ・ペンギン〔イーサリアムのブロックチェーン上に保存されたペンギン・キャラクター〕をご存じだろうか。[16] 今後一五年間に、間違いなく度肝を抜かれるようなできごとが発生する。二〇二一年六月には、サザビーのオークションで、デジタルアート作品「クリプトパンク」が一一七五万ドルという、驚くような高値で落札された。[17] 中国はすでに暗号通貨の全面禁止を発表した。この部門を規制する取り組みは、さらに強化されるだろう。

気候：迫りくる気候災害を前に、内燃機関の段階的削減、航空機による移動の制限、再生可能エネルギー技術の発達が一体となって、環境負荷の少ないニューノーマルをつくり出す。グレタ・トゥーンベリ世代は、スマートテクノロジーを使って倫理的な目標を達成し、環境負荷の少ないライフスタイルを送り、ほかの人たちにも同様の行動を要求する。起業家は、人びとが多くを犠牲にすることなく、しかも環境に優しい生活を送っていると意識できるような解決策を見つけ出すだろう。たとえば、二〇二四年に事業開始を計画しているフランスの鉄道会社ミッドナイト・トレインズは、パリを起点に欧州の複数の都市へ寝台列車を走らせる予定だ。旅行者はホテル代を節約でき、飛行機の旅よりもカーボンフットプリント（財やサービスのプロセス全体を通して排出された温室効果ガスの量を、二酸化炭素量に換算してわかりやすく表示する仕組み）を、はるかに抑えられる。[18]

買い物：従来型のショッピングモールは廃れるだろう。大規模な施設のほとんどは、多目的キャンパス、ビジネスと教育のハブ、狭い（極小とも呼ばれる）部屋のアパートメントビルに変わる。経済的心配のない人のあいだで主流の消費者哲学は、「レス・イズ・ベター（少ないほうがより良い）」になる。モノより体験を重視する考え方だ。それでもプライベート空間の快適性を追求することや、最新テクノロジーに素早くアクセスできることに重点を置くならば、商業は順調にまわる。オンライン小売業者は、インターネットショッピングを、より社交的でエンターテインメント性に富んだ体験にする方法を考え出し、「スポーツ」や「趣味」のように楽しめるショッピング体験が、決してなくならないようにする。

（非）贅沢品：贅沢品は、いつの時代も大衆には手の届かないものとして定義される。だが、最も貴重な贅沢品は変わりつつある。私たちはキラキラと輝くモノではなく、混雑していない場所（空港のビジネスクラスのラウンジや、広々とした家の敷地など）を重視するようになる。あるいは、スケジュールの入っていない時間、自然環境、（比較的）清潔な水、空気、食料、先進医療サービスを。特権階級は常にいま以上のものを求める。だが未来において、彼らの望みはモノの所有から生活の質の高さに変わる。主流の集団にとっては、社会秩序、安定した統治機関、均質な人種構成、移民に対する実効性の高い障壁が揃ったコミュニティの生活空間が加わるだろう。

全体的に見て、これらの未来図は不確実性と予測不可能性に満ち、意図しない結果をもたらす。社会が内破するには想像よりも長くかかる。だが、崩壊ポイントに達したとたん、予想だにしない速さで内破する。

本書では、未来の方向性を決定づける問題やできごとについて述べていく。それを、さまざまな問いに対する答えを考えるきっかけにしてほしいのだ。たとえば次のような問いはどうだろうか。プライバシーがほとんどかまったくなく、事実上、あらゆる生活空間で傍受されるか監視されるかもしれない世界で、私たちの自己認識はどんなふうに変わるだろうか。ビッグテックの権力を抑制するために、そしてまた、反社会化が進むソーシャルメディアのプラットフォームに社会秩序を取り戻すためには、どんな手が打てるだろうか。生活のどの側面を縮小すれば、私たちの暮らしをもっとうまく管理できるだろうか。資格を持つ専門家を信頼するのか、それともますます密閉状態のエコーチェンバーに引きこもることで、混乱した現代の生活に対応するのか。高等教育を受け、企業で働き、子どもを持ち、家を買うといった、これまで人生の先輩たちが享受してきた人生の節目や儀式を、時代遅れと考えたり、自分には無理だと諦めたりするのか。極右ポピュリズムの台頭とパンデミックは、国際機関に対する考え方や信頼性にどんな影響を与えるだろうか。現代の最も複雑な問題に取り組む力は、ましてや解決する力は、資本主義にはないのか。私たちは、ＡＩをコントロールする力を失ってしまうのか。それとも、操縦者はすでに操縦されているのか。サイバー攻撃は、物理的な戦争に取って代わるのか。そして、とりわけ次の問いについて考えてほしい。私たちがニュースに呑み込まれ、「歴史」とは昨日起きたできごとであって、おととい起きたできごとではなくなり、私たちの人生がノンストップで不鮮明になるのに伴い、私たちはただ見て見ないふりをするだけなのか。

誰も、そんなことをしているわけにはいかない。

第一部

世界の全体像

過去三世紀を振り返ると、社会を覆う不確実性は産業革命によって、そしてもちろんふたつの大戦によって始まったと言えるだろう。とはいえ、今日の混乱は――パンデミック以前においても――より蔓延し、その原因である毒（経済的・人種的な不正義、不公平、ナショナリズム、女性蔑視、過激主義）は、さらに強烈さを増したように思える。おそらくその理由は、この惑星が破滅へと向かう可能性が高まっているからだ。もしくはデジタルテクノロジーのおかげで、どれだけ離れているか直接の影響を及ぼしそうになくても、世界中の恐ろしいできごとを、私たちがはるかに多く知るようになったからかもしれない。

この不安や動揺の根底にあるのは、私が「グレート・デバイド（大いなる分裂）」と「グレート・リブート（大いなる再起動）」と呼ぶ、相反するふたつのメガトレンドだ。

グレート・デバイド

今日の混乱の本質は両極化にある。新しいテクノロジーが世界を狭くすると同時に、市民どうしの溝はますます深まった。二〇一一年、私は「激怒している」人びとについて書いた。それは特にアメリカで感じた現象だった。時計の針を一〇年ほど戻すと、怒りと不満が世界中で渦巻いていた。フランスでは、二〇一八年に「黄色いベスト運動」が起きた。燃料税引き上げや移民問題に対するこの反政府運動は、やがてワクチンパスポート（接種証明書）の導入をめぐり、警官隊との衝突に発展した。香港では、大規模な抗議デモを受けて警官隊が武力排除を強化し、反政府活動を取り締まる「香港国家安全維持法」の施行につながった。ベラルーシでは、抗議デモに集まった市民を治安部隊が蹴散らした時の写真が、第二次世界大戦の記憶を甦らせた（二〇二〇年八月、大統領選でルカシェンコが六期目の当選を果たすと、不正があったとして、首都ミンスクの独立広場で大規模な抗議集会が開かれた）。だが、反政府運動のリストが今後も増え続けることは、誰にでもわかっている。

左派対右派。進歩派対保守派。アンティファ対プラウド・ボーイズ（アンティファは、ネオナチや白人至上主義者に対抗する極左団体）。若者対年配。白人対非白人。高等教育を受けた人たち対受けていない人たち。男性対女性。フェミニスト対インセル。世界主義者対孤立主義者。

社会政治的な、世代間の、あるいは個人間の分裂が、デジタルテクノロジーとともに現代社会の一部であることは、もはや逃れられない事実だ。分裂とデジタルテクノロジーが交わるところ、さまざまなトライブが重なり合う。

対立のポイントは、必ずしも有機的なものとは限らない。分裂の創出と悪化には（政治的、金銭的）利益が伴う。政治スペクトラムのどこかに位置する著名人は、世論を誤った方向に導くすべを心得ており、トライバリズムが持つ力も熟知している。企業もまた、対立の鉱脈から利益を掘り当て、その過程で分裂した消費市場をつくり出す。右派はブラック・ライフル・コーヒーカンパニー〔退役軍人が設立したアメリカのコーヒーブランド〕やマイピロー〔枕メーカー〕。左派は、スターバックスやパタゴニア。レジで受け取るレシートは、一種の投票用紙になってしまった。

純粋に実存的な脅威に直面する時、人は協力し合って解決策を見つけ出そうとするはずだ、と思うだろう。ところが実際、私たちは、非難を浴びせかけ、糾弾できる都合のいい標的を必死になって探し出そうとする。私たちは憤怒(ふんぬ)の時代に生きている。〝私たち対ヤツら〟の意識が強く拡大された時代である。

グレート・リブート

よくあることだが、勢いづくグレート・デバイドの均衡をとるように反対の動向が現れた。コミュニティのなかで暮らし、より充実した公正な生き方をしたいという願いは、この一〇年ほどのあいだに勢いを増してきた。そして、そのような動向は、新型コロナウイルス感染症の時代にいっそう緊急性を帯びた。パンデミックがもたらした破壊は、それまでの暮らしを覆し、多くの人にこの数十年で――ひょっとしたら生まれて――初めて立ち止まり、次のような問いについてじっくり考える時間を与えた。私たちは最善の人生を送っているだろうか。社会に貢献しているか。家族とのプライベートな関係は、自分が望むような関係だろうか。社会は正しい方向に進んでいるのか。もしそうでないならば、軌道を修正するために、どんなことをする必要があるだろうか。

この内省の時期も、変化を求める気持ちも一過性のものにすぎず、パンデミックの脅威が薄れればすぐにもとの生活に戻る、と主張する人たちがいる。私はそうは思わない。新型コロナウイルス感染症とそれを取り巻く状況は、半永久的な影響を及ぼすに違いない——たとえば「グレート・ポーズ（大いなる休止）」から、低賃金労働者に対する意識の高まりや、多くの経済システムが根本的に不公平だという事実にスポットライトが当たったことまで。長い通勤時間であれ、厳しい労働条件であれ、不充分な手当であれ、パンデミック前はおかしいと思っていなかった条件を、もはや多くの労働者は受け入れない。この致死性のウイルスは人びとに彼らの真価を教えるとともに、いまの世の中のあり方は、必ずしもそうある必要がないことを明らかにした。人びとはまた、個人的な関係から出世に対する野望、どんな場所で暮らしたいかという目標まで、人生の選択に疑問を感じている。大きな混乱のなかにあって、より多くの人が社会の激変に——抑制された、前向きな方法で——貢献している。私たちは、個人的なことに対してもシステム全体に対しても強く変化を求めている。しかもそこには、パンデミック前には、私たちの多くがとても持てなかった確信と明快さがある。

憎悪、不寛容、両極化。この三つの高まりに対抗する力の集合について考える時、私は影響力ある変化の存在を感じる。その変化は、パンデミックが終わっても、決して消え失せることなく、さらに力を増していく。そのいくつかを紹介しよう。

アライシップの高まり：社会に渦巻く激しい怒りにもかかわらず、より多くの人がアライシップに取り組む〔アライシップとは、多様性や公平性を重視し、差別や疎外の対象である集団や人を支援すること。アライは「同盟する」「協力者」などの意〕。他者とただ共存するためではない。自分とは異なる境遇にある人たちを、全面的に支援するためである。この動向はいまに始まったわけではないが、ミネアポリス警察の警官によってジョージ・フロイドが殺害されるという痛ましい事件のあと、アメリカに限らず、より多くの人が偏見と不公平の問題について真剣に考えたことで、二〇二〇年に勢いを増した。特定の人種に対する不正義について、一気に燃え上がった当初の抗議デモがひとまず落ち着いたあとも、周縁化されていない人たちは、周縁化された人たちを支援する機会を引き続き探るだろう。彼らの店で買い物をしたり、彼らの運動を推進したり、制度化された偏見と差別に対抗する、さまざまな規模の方法を見つけ出したりしようとする。

「何」を「どのように」から「なぜ」への変化：今回のパンデミックは、個人、企業、政府に「エッセンシャル」とは何かについて、より厳格に考えるように促した。この動向には、最も基本的なレベルで、もっと意識的に買い物をし、ダウンサイジングやミニマリズムを心がけ、より多くの人が過剰を拒否する方向への移行が含まれる。とはいえ、それだけではない。個人の選択と企業の選択という、より大きな全体像も含んでいる。私たちはなぜ、いまの方法で事業を行なっているのか。従業員に週五日の出社を強要するのは、何のためなのか。いまの給与体系は、すべてのレベルの最も優秀な従業員にモチベーションを与え、離職を防ぐ役に立っているだろうか。国家の税制は、公共の利益を支えているだろうか。それとも、富裕層の利益にかなったものだろうか。私たちはなぜ、いまのように暮らし、働いているのか。それを変えるためには、どんな選択肢があるだろうか。これらの問いについて、もっとじっくり考えたいと思うはずだ。

虚偽に対する抵抗：いまの時代、事実というものに対して、どれほどさまざまな解釈が成り立つかについて考えたことはあるだろうか。「オルタナティブ・ファクト」と「フェイクニュース」が、多くの市民に受け入れられる国はあるだろうか[1]〔オルタナティブ・ファクトとは、客観的真実に対して一般に虚偽とみなされる、もうひとつの事実。代替的事実とも。トランプの大統領顧問の言葉で有名になった〕。その状況を悪化させるのは、ソーシャルメディアとそれが拡散する間違った情報だ。ニュースガード〔ニュースサイトの信頼性と透明性を評価し、警告するアプリ〕の調査によれば、アメリカにおいて、ソーシャルメディアのユーザーが読んだ「問題あり、不正確、疑わしい」とされるニュースの数は、二〇二〇年には前年の二倍にのぼったという[2]。またピュー・リサーチセンターによれば、パンデミックの最初の数週間に、新型コロナウイルス感染症について虚偽のニュースを目にしたアメリカ人は、全体の八〇パーセントに及んだという[3]。ソーシャルメディアの巨大企業は、間違った情報や故意の虚偽情報を探し出して削除し始めたものの、その動きは鈍く、いつも大きな効果が望めるわけではない。外部の圧力が高まり、AIを駆使した解決法がもっと開発されれば、大きな進歩が見られるだろう。とはいえ、虚偽に対して断固立ち上がり、故意の虚偽情報の拡散に加担した者に説明責任を求めるかどうかは、最終的にユーザーにかかっている。

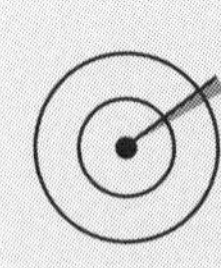

レーダー予測　二〇三八年

二〇三八年には、クラウドソーシングとAIのおかげで、いまよりはるかに巧みな方法で、オンラインでリアルタイムにファクトチェック（事実確認）ができるだろう。ポップアップ通知によってコンテンツの矛盾を指摘し、サイトのバイアスに疑念を呈し、詐欺の可能性を警告し、安全性が証明されたほかの選択肢を推奨する。インターネット空間は、バイアスの告発と検閲だらけになるだろう。

本物を選び取る：これがいちばん重要な変化かもしれない。多くの人は、ひどく惨めな人生を送っている――虚しく、人工的で、空疎な現代の生活に大きな不満を覚えている。抑うつ症や不安症に陥り、孤独に苛まれ、自殺を考える人の割合が増加する傾向にも、オンラインとオフラインでお構いなしに怒りを表出する動向にも、人びとの不満が見てとれる。幸せで充足した人は、よほど挑発されない限り他者を言葉で攻撃しない。インターネットのトロール行為（荒らし、迷惑行為）で、満足を得たりしない。パンデミックが与えた「グレート・ポーズ」によって、多くの人は自分の人生に欠けたものに向き合わざるを得なくなった。それはまた、自分が目指す場所はどこで目標は何で、それに対していまの自分がどこにいるのかを、じっくりと考え直す機会を与えてくれた。前途に待ち受ける変化は人によって根本的に異なるが、共通するテーマは、人工的なものから本物へ、デジタルから自然へ、マインドレス（注意を払わない）からマインドフルへの後戻りだろう。

『最上の幸福の聖職者（The Ministry of Utmost Happiness）』（未邦訳）の著者であるアルンダティ・ロイは、現在の私たちが直面している選択肢を、見事に表現している。

パンデミックはこれまでも、人類に過去と決別し、新たな世界を想像するように強いてきました。今回のパンデミックも例外ではありません。それは、ひとつの世界と次の世界とをつなぐポータルであり、ゲートウェイです。私たちは偏見や憎悪や強欲、データバンクや廃れたアイデア、生気のない川やくすんだ空の残骸を引きずりながら、そのゲートウェイを通り抜けることもできます。あるいは、小さな荷物を携え、別の世界を想像しながら身軽に通り抜けることもできます。(4)

グレート・デバイドかグレート・リブートか。どちらの未来を支持するのか。

この問いについて、より広い文脈のなかで考えるために、まずは私と一緒に過去に遡ってみよう。幸運にも最悪のシナリオが実現しなかった、過去の危機に戻ってみるのだ。そう、二〇〇〇年問題である。一九九〇年代末、私たちはあのバグに思う存分、想像力を掻き立てられ、不安を植えつけられ、取り憑かれたように準備に熱中した。そして、危機のシナリオをほとんど無傷でくぐり抜けた。デジタル技術とシステムの欠陥がまたすぐに問題をもたらすという、私たちに対する警告だったにもかかわらず、あれがまさか、世界が放った初期の威嚇射撃にすぎないとは思わなかった。パンデミック騒動が収まった時にも、私たちはまた同じように感じるのだろうか。今回のウイルスが、同じくらい恐ろしい脅威に満ちた未来の到来を予告しているというのに、結局はその警告を肝に銘じることもなく？　この原稿を書いている時点でさえ、英国では食料品不足の記事を読んだり体験したりし、《デイリー・メール》紙によれば、買い物客の六人にひとりが生活必需品を買えない状況にあるという。(5)それなのに、モノ不足――その原因であるパニックによる買いだめ、サプライチェーンの崩壊、従業員不足――が一時的な状況ではないことが、なかなか想像できない。レバノンでは深刻な電力不足が起き、中国では停電に見舞われ、欧州とアメリカでは天然ガスの価格が急騰しているのにもかかわらず、グローバルなエネルギー危機の悪化がどんな結果を及ぼすのかについても、なかなか頭に思い描けない[6]。二〇〇〇年問題から二〇年以上が経った。だが、前に進んで次に起きる事態により良く備えるために、まずは過去に遡る必要がある。

第一部では二〇〇〇年問題のほかにも、目の前に迫る最も深刻な実存的脅威――気候変動と際限ない環境破壊――について、そしてまたニューノーマルである混乱についても考察する。第一部の最後では、アメリカと中国という世界の超大国を新たにかたちづくる力について見ていこう。このふたつの国の文化的、経済的、政治的な影響力は地球の隅々にまで及び、どんな未来が実現するのかを決める一因となるだろう。

第一章　バグとウイルス

一九九九年。世界が新たなミレニアムを迎える準備に勤しむなか、ヘッドラインが次々と警告を発し、祝賀ムードに水を差した。

当時、アメリカの家庭の半数がコンピュータを所有していたが、ほとんどの市民は（今日でも世界中のユーザーがそうであるように）、そのかさばる箱のなかの仕組みについて何の知識もなかった。そして、平均的なユーザーは自分が使っているマックかウィンドウズ――さらにはおそらく、世界とますます接続するようになったすべてのデジタルデバイス――が誤作動を起こすメカニズムについて、もちろんわかっていなかった。時計の針が、一九九九年一二月三一日の真夜中を知らせる瞬間が近づいていた。

二〇〇〇年問題。ミレニアムバグ。いかにも恐ろしいことが起きそうな名前だが、実際それはどんな問題だったのか。

一九六〇年代は、コンピューティングの更新世だった。メインフレームに情報を格納することは高くついた。そして、一般的な商用コンピュータにストレージを搭載することも高くついたため、メーカーはその分を負担するか価格に転嫁したくはなかった。ということで、解決策はストレージの容量を最小限に抑えることだった。もし一九九〇年代にＩＢＭのパソコンを購入したとすると、その大きな箱には、たった二キロバイトのメモリしかなかった[1]（比較すると、今日のアイフォンのメモリ容量はその三二〇〇〇万倍だ）。費用のほかに人的な理由もあった。一九六〇年代、プログラマーはずっと先の二〇二〇年のことを、どんなふうに考えていたのだろうか。

コンピュータの貴重なメモリを節約するために、プログラマーは西暦を四桁ではなく下二桁に省略して記録した。したがって一九九九年は99に、一九九九年一二月三一日は12／31／99になった。

この方法も二〇～三〇年のあいだは何の問題もなかった。だが、新たなミレニアムを迎える一九九九年一二月三一日はどうだろうか。コンピュータに設定された翌日の日付は01／01／00。それをコンピュータが二〇〇〇年ではなく、一九〇〇年と認識してしまったら？

いち早く二〇〇〇年問題に触れたのは、一九八五年のあるニュースグループだった。この問題にまともに注目した企業か政府の人間は、誰もいなかったようだ。そして一九九三年、《コンピュータワールド》誌に警鐘を鳴らす記事が載った。その記事はいまなお、「情報時代のポール・リビアの真夜中の騎行」と呼ばれている[2]〔一七七五年四月、銀細工師のポール・リビアは、合衆国独立戦争が勃発する前夜に早馬を駆って、友軍に英国軍の不穏な動きについて知らせた。リビアの名前は愛国者の象徴とされる〕。記事のなかで、南アフリカ共和国生まれのカナダ人コンピュータエンジニア、ピーター・デ・イェーガーは、コンピュータが西暦を誤認識すれば大惨事を招きかねず、金融市場、電話システムなど、さまざまなシステムが混乱に陥ると警告した[3]。ところが、この時の警報ベルもほとんど無視された。

そのような無関心な状態が一気に変わったのは一九九七年だった。世界最大級の電気通信事業者であるＡＴ＆Ｔがこう公表したのだ。二〇〇〇年問題に対処するため、弊社が全コンプライアンスに充てる「時間と予算の六〇パーセント」を、ソースコード変更のテストに充てている、と。その時でさえ、全員がぴんときたわけではない。二〇〇〇年問題の準備状況について、一九九八年にアメリカの一三部門を対象に実施した調査で、ミレニアムバグ対応が最も遅れていたのは連邦政府だった[4]。

一九九九年には、修正の取り組みに拍車がかかった。アメリカ、英国、カナダ、デンマーク、オランダでは、二〇〇〇年問題のために費やした支出は、官民を合わせて二〇〇〇億〜八五八〇億ドルにのぼった[5]（これらの国では事前に積極的な取り組みを行なったが、イタリア、ロシア、韓国ではほとんど事前対応を行なわなかった[6]）。そのあいだも、各国のリーダーは緊急警告を発した。英国は「アクション２０００」と銘打ち、世間を啓蒙するイニシアティブに乗り出した[7]。また家庭向けメーリングリストの報告によれば、デンマーク政府は、起こりうる障害や情報についてまとめたパンフレットを全世帯に送付したという[8]。

「これは、真夏のホラー映画ではありません。怖い場面で、目をつぶっていればいいわけではないのです」ビル・クリントン大統領はそう注意を促している[9]。一九九〇年代後半、連邦議会のある聴聞会で、コネチカット州とユタ州選出の上院議員クリス・ドッドとロバート・ベネットは暗い予想図を描き出し、一九九九年最後の日に絶対にいたくない三つの場所は「エレベータ、飛行機、病院のなか」だと語った（ベネット議員はのちに、あれはちょっとしたジョークのつもりだったと述べている[10]）。

上院議員仲間のダニエル・パトリック・モイニハンも警報を発した。「黙示録の第二〇章が予測する終末論的なミレニアムに、果たして太陽が昇るのかについて、私には確証がありません。それでも、我々全員にとって明らかになりつつあるのは、かつて無害に思えたコンピュータの不具合が世界に大惨事をもたらしかねないことです」[11]。モイニハンはクリントン大統領に非公式な書簡を送っている。「問題に対処するために、軍の力を借りて指揮を執ったほうがいいでしょう」[12]。

クリントン大統領の弾劾裁判〔一九九八年、ホワイトハウス実習生との不適切な関係をめぐる、偽証と司法妨害のため〕のさなかでさえ、連邦議会は政府と産業界がコンプライアンスを徹底しているか監視を怠らず、公益事業はもちろん金融や医療部門が、二〇〇〇年問題に対する準備をきちんと行なっているかについて、特別な注意を払った。クリントン大統領は「二〇〇〇年問題大統領諮問委員会」を立ち上げ、同問題に詳しいジョン・コスキネンを委員長に指名し、アメリカの取り組みを統括した。いっぽう、世界銀行が支援する「国際Y2K協力センター」は、各国の準備に協力した。

福音派のリーダーのなかには[13]、二〇〇〇年問題は神の裁きであり、世俗主義の社会はキリストの王国によって破壊され、新たに置き換えられる必要がある、と言い出す者もいた。伝道師のジェリー・ファルエルは「Y2K：キリスト教徒のミレニアムバグ・サバイバルガイド」というビデオを撮影して販売した。同じく福音派の伝道師であるジェイムズ・ドブソンが設立した宣教団体「フォーカス・オン・ザ・ファミリー」は、二〇〇〇年問題に備えるために、例年より多くのクリスマスボーナスをスタッフに支給した[14]。

一九九九年は、あちこちで破滅的な話が囁かれた。災厄の預言者、福音派の伝道師、メディア。これらはみな、似たり寄ったりの悲惨な未来図を描いた。アメリカにおいて、恐怖はお馴染みのビジネスモデルだ。アメリカ人はなにかにつけて恐怖に陥り、容易にその状態を脱することはない。「いったん警告を発して怖がらせたら」コスキネンは続ける。「彼らをなだめるのはちょっと難しいですね[15]」。英国もまた、恐怖を煽ることにかけては負けていなかった。「アクション２０００」の業務責任者を務めたグウィネス・フラワーは、スコットランドの田舎に家族で引っ越した女性を覚えていた。「彼女は、二〇〇〇年問題をハルマゲドンだと思い込んでいたのです[16]」。

銃の購入者が急増した[17]。一九九九年末、アメリカ合衆国連邦緊急事態管理庁（ＦＥＭＡ）とアメリカ赤十字社は、食料と水を備蓄するよう市民に呼びかけた[18]（告白します。私もペットボトルのミネラルウォーターを買い置きしました）。その頃には、二〇〇〇年問題について騒ぎ立てる人は、四～八週間分の生活必需品を買い置きしておくよう周囲に勧めていた。『家庭でできるＹ２Ｋ完全準備ガイド（The Complete Y2K Home Preparation Guide）』（未邦訳）は、破滅的な混乱が生じる可能性を考えて、半年から一年分の食料と水を備蓄しておくことが、より賢明だと書いていた[19]。

そして、一九九九年一二月三一日がやってきた。多くの人が大惨事に備えた。ニュース番組のキャスターであるダイアン・ソイヤーと、夫で映画監督のマイク・ニコルズは、作家のウィリアム・スタイロンと妻のローズに招待されて、マサチューセッツ州のマーサズ・ヴィニヤード島にいた。コンピュータが壊れて、照明が消えるのを待つあいだ、四人はより良い世界に変わるよう願いを込めてリストをつくった。そして箱に入れ、木の根元に埋めた[20]。それで、私がどうしていたかというと、一九九九年最後の日、トレンドスポッターで、テクノロジーのアーリー・アダプター

（初期採用者）である私は、飼い犬のゴールデンレトリバーとカウチで寄り添い、ニュース番組を見て、海外の友人に電話をかけた。その時、すでにシドニーや東京はミレニアムバグの被害のない新年を迎えていた。私はアムステルダムの友人と電話で話した。彼らはいつもの年と同じように、新たな年の幕開けを大いに楽しんでいた。避難したり心配したりするのは、愚かな行為だとわかった。

ジョン・コスキネンは一年以上も前から、もし二〇〇〇年問題が解決したら夜中に飛行機に乗ると宣言していた。その言葉通り、コスキネンは記者を引き連れて飛行機に乗り、ニューヨークへ向かった。[21]そして、無事に到着した。タイムズスクエアでは、恒例のボールドロップ（ワン・タイムズスクエアビルの最上階から串刺し状態の巨大なボールを落とす、カウントダウンイベント）が、何の問題もなく執り行なわれた。

その夜、届いた最高の報告は、しこたま買いだめしたプレッパーからでも、拍子抜けした福音派の伝道師からでもなかった。市民や組織からのマヌケな笑い話の報告だった。

真夜中、AFN（アメリカ軍放送網）の放送がいったん途絶えた。「五秒後、再び放送が始まると、ニュースキャスターが叫んだ。『ちょっとした悪戯だよ！　ハッピー・ニューイヤー！』」[22]。

今回のミレニアムの始まりについて、たくさんの都市伝説が生まれた。次のふたつはどうだろう（どちらも、本当の話か私には裏づけがとれないが、いかにもありそうな話だ）。

・州当局のIT部門の責任者が、二〇〇〇年一月一日の早朝に出勤してシステムをチェックしたあと、部下を連れて朝食メニューレストランにお祝いの朝食を食べに行った。伝票の日付には

「一九九九年一二月三一日」とあった[23]。

・ソフトウェアエンジニアが森のなかの一軒家を所有していた。その家には、十代のグループが家賃免除で住んでいた。ただし条件があった。それは、エンジニアの経費で、海兵隊の高官によるサバイバル訓練を受けることだった。エンジニアの願いは、破滅的な惨事のあと、十代のグループが彼を手伝って新たな社会をつくり上げることだった。「新たなミレニアムが始まった。我々は焚き火のそばに座った。幻覚剤をやった。そしてじっくり考えた。さて、生きるために次は何をするか[24]」。

その十代のグループの身に、いったい何が起きたのか。なあんにも起きなかった。世界にとって大惨事には見えない結果は、少なくとも最初のうちは好ましく思えた。

二〇〇〇年問題への対応に必要だったのは、産業界、政府、政府機関のグローバルレベルでの調整と情報の共有だった。政府機関のなかには対テロ情報機関も含まれた。「2001年米国同時多発テロ調査委員会（9／11委員会）」はテロ攻撃の数年後に、一九九九年末の数週間は、「政府全体が協力して行動しているように見えた時期のひとつ」だったと報告した[25]。

また二〇〇〇年問題は、ただ場当たり的に焦点を合わせるのではなく、将来に起こりうる問題を解決する絶好の機会を組織に与えた。特定の狭い問題に取り組む予算が増えたために、責任者はあらゆる技術を試し、改善できた。そのことが、一年後の同時多発テロ事件の際に大いに役立った。そうでなければ、ニューヨーク証券取引所は、テロ攻撃のあと数週間も閉鎖されたままだったかもしれない。

二〇〇〇年問題の際の経験もあって、証券取引所は攻撃のたった四日後には再開されたのである。[26]

二〇〇〇年問題の直後は、問題を解決したという建設的な高揚感が漂っていた。とはいえ、政府機関どうしの協調はそう長くは続かなかった。新たなミレニアムが幕開けし、やれやれという安堵感とともに政府機関は緊張を解いた。アメリカではコンピュータ・プログラマー不足が明らかになり、産業界は海外に人材を求めた。そして、高い技術を持つプログラマーをインドで発掘し、雇用に動いた。このようにして始まったアウトソーシングの動向は、やがて多くのアメリカ人雇用の安定性を損なう結果となった。

危機のあいだ、人びとはたいてい共通の不安を抱え、公共の利益のために対応する。二〇一七年に改めて当時を振り返り、テック系ジャーナリストのファルハド・マンジューは、二〇〇〇年問題が明らかにした私たちの動機について、次のように指摘している。

費用がかさむグローバル規模の集団行動に人びとを駆り立てたいのなら、起こりうる絶体絶命のシナリオを伝える必要がある。私たち人間は、ちょっとやそっとの不都合には反応しない。最悪のケースでなければ動じない……Y２Kは、私たちが結集し、地平線上に姿を現した脅威と闘った数少ない例のひとつである――気候変動と闘うためにいまの私たちに必要なのは、あの時のような結集だ。[27]

私はこれにつけ足したい。同じような結集はのちに、新型コロナウイルス感染症との闘いにおいても必要になった。

一九九九年に私たちを結集させた二〇〇〇年問題は、実際には脅威を及ぼさなかった。そのおもな理由は、私たちが結集して脅威の実現を阻止したからだ。混乱には至らなかった。とはいえ、意気盛んな問題解決者が社会のガードレールをつくり出す、輝かしいミレニアムに入ったわけでもなかった。それどころか私たちが滑り込んだのは、経済も環境問題も悪化し、テロリズムや対立、過激主義が横行し、あらゆる人が新たにデジタル化されたライフスタイルを背景に生きている二〇年だった。

あなたがどこで暮らしていたにせよ、どれほど準備万端か経済的に安泰だったとしても、一九九九年には不安を感じたか、さらには恐怖におののいたことはまず間違いない。あの年は、世界滅亡を謳うSF映画が現実になったかのようだった。しかも、たとえ結果は拍子抜けだったにせよ、テクノロジーが私たちの生活様式——と私たちの命——に、脅威をもたらしかねないという教訓は残した。

さて、一気にその二〇年後に飛ぼう。二〇一九年には、テクノロジーは生活になくてはならない一面としていっそう浸透し、私たちの行動だけでなく、考えや信念にも大きな影響を与えていた。

二〇一九年一二月、中国の専門家は、湖北省武漢市で呼吸器疾患の流行について調査していた。この時のバグは実在していた。新型コロナウイルスであり、またたく間に世界中に拡散することになった。このような脅威の発生は驚くべきことではなかった。「この惑星において、人類の優位を脅かす唯一にして最大の敵はウイルスである」。ノーベル生理学・医学賞に輝いた分子生物学者のジョシュア・レーダーバーグは、そう警告している。

ビル・ゲイツはTEDカンファレンスやダボス会議の講演で、長年、耳を貸す者に対して警鐘を鳴らし続けてきた。「世界的な大惨事の最大のリスク」を引き起こすのは、「ミサイルではなく病原菌」だろう。[28] ゲイツは当時、診断ツールやワクチンの早急開発を政府に強く要請していた。ブッシュ大統領[29]も、あとを引き継いだオバマ大統領[30]も、将来の致死的な空気感染性疾患を阻止するための措置とインフラ投資を促した。オバマ大統領は、あとを引き継ぐトランプ大統領に、「重大な影響を及ぼす新興感染症の脅威と、生物学的インシデントに早期対応するためのプレイブック」[31]と題する計画を委ねた。それにもかかわらず、新型コロナウイルス感染症が発生した時、私たちが目の当たりにしたのは連邦政府のお粗末な対応だった。

一九九九年には、テクノロジーを駆使した解決策を周到に展開して、二〇〇〇年問題の危機をうまく回避した。だが、その時とは対照的に、デジタルテクノロジーとそれがもたらした常時オンのメンタリティが一因となって、私たちは充分な準備もないままに、新型コロナウイルス感染症の脅威に直面することになってしまった。常時接続、エコーチェンバー、蔓延するアルゴリズム。この目に見えない三つの影響が、この二〇年のあいだに、制度に対する私たちの信頼を失墜させ、専門家に対する反感を煽り、社会政治的、イデオロギー的な亀裂を招いた。それが客観的事実を疑い、陰謀論や妨害行動を生む肥沃（ひよく）な土壌をつくり出した。パンデミックが始まってほぼ二年が過ぎ、世界中の人びとは最も有効な対策の明確な証拠を目にしてきた。つまり、マスクとワクチン接種である。ところが、多くの人がどちらも拒否した。二〇〇〇年問題を解決したのは、おもに政府と産業界が雇ったコンピュータの専門家だったのに対して、今回のパンデミックに求められたのは、世界中の市民の積極的な協力だった。そして、多くの者が協力をためらった。

アメリカでは一部の者が、社会の分裂も、グローバルな保健医療当局に対する反感も、すぐにトランプ大統領の責任に結びつけてきた。だが、それはあまりに単純化した見方である。[32]トランプは対立のパイプ役となり、建設的で礼儀正しい意見の交換には応じなかった。それでも、トランプは単に、大統領に当選した二〇一六年のはるか前に蒔かれた種に水をやり、肥料を与えたにすぎない。トランプはソーシャルメディアを巧みに使いこなす。大きな効果を狙ってソーシャルメディアを操り、多くのユーザーの心に訴えた。彼らは長いあいだ、心のなかに溜め込んできた憤懣（ふんまん）を、人前ではっきり口にする者の登場を待ちわびていたのだ。官僚が二〇〇〇年問題に取り組んだ時の方法とは対照的に、トランプが成功したのは、イデオロギーとは無関係であるはずの危機を政治化することだった。

分裂と衝突に悩まされているのは、もちろんアメリカだけではない（とはいえ、アメリカが即座に不和と機能不全に陥った急展開に、世界のほとんどの国が唖然とした）。南米ではブラジルがジャイール・ボルソナロ大統領のもと、危険な火薬庫となった。ボルソナロもまたソーシャルメディアを自在に操り、市民の注意を逸らし、権力を利用して大衆を惑わす指導者だった。[33]ハイチは、大統領暗殺事件〔二〇二一年七月、自宅に押し入った武装集団にジュブネル・モイーズ大統領が銃撃され、死亡した〕と、破壊的な大地震の衝撃を受けていた。欧州においては、ブレグジット（英国のEU離脱）までの経緯とその後遺症が、拷問よろしく英国を分断し続けた。

古典的な説明では、社会の分裂の原因は不公平、階級間の激しい怒り、人種差別、教育の欠如にあるという。[34]これらはもちろん、世界中で目にする社会機構が分裂する際の要素には違いない。だが、怒りで燃え上がった今日の分裂は、そして今回のパンデミックに伴う市民の窮状には、ほかにも根本的な理由がある。それは、生活の隅々にまでテクノロジーが浸透し、莫大な量のメディアコンテンツが蔓延していることだ。パンデミックが現実のものとなった二〇二〇年、科学的な根拠があるにせよ、ただのイカれた陰謀論にせよ、何億もの人びとに、どんな理論が影響を及ぼしたとしても不思議ではなかった[35]。テクノロジーを使えば、極めて効果的な方法で反社会的な態度を表明できるからだ。

　もしあなたが、ほとんどの先進国で街を歩くか、バスか列車、飛行機に乗る時、スマートフォンに目が釘付けになっていない人を見かけることはまずないだろう。《ニューヨーカー》誌に、まさにその通りの風刺漫画が載った。父親が家族のほうを向いて、こう訊ねている。「今度の週末、スマートフォンのどのページを見るとしようか」。私たちはバーチャルライフの虜（とりこ）になっただけではない。もはや共通のバーチャルライフを共有してもいないのだ。

　文化は核化している。部族的（トライバル）だ。私たちはそれぞれ自分のバブルのなかで生き、自分と同じ考え、信念、価値観を共有する人たちのバブルのなかで生息し、エコーチェンバーを築き、基本的に自分たち自身に話しかける。彼らの多くは、ニュースや知識を、信頼性の低い情報源から入手する――国内外を問わず、悪意を持つ行為者が財政支援しているポッドキャスト、ソーシャルメディア、虚偽の情報源からだ。事実とつくり話との区別がつかない人が多くても、驚くにはあたらない。

　社会として、私たちに必要なのは、私たちをひとつにまとめるメタ・ナラティブだ。二〇〇〇年問題への対応が大きな恩恵を得られたのは、「もし政府とテクノロジーの専門家が手遅れになる前に取り組まなければ、テクノロジーの誤作動が大きな混乱を招きかねない」という共通のナラティブがあったおかげだ。たとえ二〇〇〇年問題を個人的な問題としてしか捉えていなかった――いまではもう理由も思い出せないが、私はドライヤーが故障したら困ると心配していた――としても、ほとんどの人はあの問題が脅威である点については、意見を同じくしていた。ほとんどの政府も産業界のリーダーも、数カ月をかけて準備した。共通の目標があった。二〇〇〇年問題が起きる前に、文明が混乱状態に、いや夜明け前の状態に陥らないように阻止しなければならない。

　今回のパンデミックの対応はまったく違った。共通のナラティブもなければ、たったひとつの現実についても合意することすらできない。ウイルスはどうやって発生したのか。意図的につくり出されたのか。ワクチンは人びとを支配するために開発されたのか。グローバル規模の医療問題が、やがて社会の安定を揺るがす脅威に変わり、あらゆる前線で莫大なコストが降りかかった。二〇二一年九月末の時点で、五〇〇万人近くの命が奪われた。アメリカだけで七四万人以上が亡くなった。それにもかかわらず、ウイルスは単なるでっちあげだと信じて疑わない人が、いまだにたくさんいるのだ[36]。世界全体で見積もった場合、被害額は一六兆ドルにのぼり[37]、その数字は積み上がるばかりだ。ＩＭＦの専務理事が二〇二〇年一二月に公表した見通しでは、パンデミックによって、二〇二〇～二五年の世界全体の経済生産高の損失は二八兆ドルに及ぶという[38]。

　経済的損失だけでなく、パンデミックは人びとのメンタルヘルスと幸福感にも耐えがたい苦痛を与えた。人間は安定と連続性を切望する。運命の逆転、病、死という体験を私たちは仕方なく受け入れる。だが、長引く混乱と不確実性は私たちを動揺させる。混乱ほど私たちを不安定にするものはない。相反するナラティブにしがみつく時、その影響は悪化する。二〇二一年末の時点でさえ、パンデミックの発生方法や場所についてさまざまな議論が起きている。パンデミックによって利益を得るのは誰か――これは、陰謀論の格好の題材だ。そして、ブラジルのボルソナロ大統領、ベラルーシのアレクサンドル・ルカシェンコ大統領、インドのナレンドラ・モディ首相などの世界の政治指導者はウイルスを軽視するか、効果的に封じ込める措置を講じようとはしなかった。

ウイルス感染との闘いは、多くの人が所有するスマートフォンという重要なサバイバルツールによって、大きな利益を上げたと思うかもしれない。ほとんどの人がスマートフォンを使っている。世界中で使われているモバイル機器は一四〇億台。二〇二四年になる頃には一八〇億台に達すると見られる。[39]つまり八〇億人を少し超える世界人口に対して、一八〇億台のデバイスが使われるのだ。パンデミックのあいだ、これらのデバイスは確かに情報のパイプ役となり、接触者追跡を容易にすることで、ウイルス蔓延の緩和に役立ったかもしれない。だが、そううまくはいかなかった。その代わりに、間違った情報と亀裂のパイプ役として機能し、非主流派の〝ニュース〟や、主流の情報源を都合よく編集した陰謀論を撒き散らした。

今日、私たちはニュースを読む時間をわざわざ確保したりしない。ニュースのほうから、どこへでも追いかけてくるからだ。そして、ニュースは読むのと同じくらい見る場合も多い。ユーチューブには毎分、約五〇〇時間の動画がアップされる。[40]全体の何パーセントが、きちんと調査済みの正確な情報だと思うだろうか。

二〇二〇年の中頃、ロックダウン（都市封鎖）が始まって数週間の頃だった。私の心に、「二一世紀の影響が二〇年遅れで現れた」という考えが浮かんだ。一九九九年末、時計が一二月三一日午後一一時五九分を刻んだあと、私たちは地球がひっくり返るような破壊に備えていた。そしてその時に予測した影響が実際に起きたのが、二〇年後の二〇二〇年だった。パンデミックが大混乱を引き起こし、人種に対する正義を求める魂の叫びが世界中に響き渡ったのだ。

二〇年前、テクノロジーが原因で生じる問題は、わかりやすく取り組みやすかった。ところが今日、テクノロジーはデジタル画像、ソーシャルメディア、一般人が報道局となって発信するニュースのかたちをとる。そのため、テクノロジーが突きつける次のような問題に、容易に答えることができない。

・テクノロジーは民主主義に危機をもたらすのか、それとも民主主義の救世主なのか。目の前で起きたできごとの本当の姿を伝えられるいっぽう、プロパガンダに利用することも可能だ。事実かプロパガンダか。その違いをどうやって見分けられるのか。
・私たちはテクノロジーを使って、不都合な現実に立ち向かい、手遅れになる前に地球を救えるだろうか。それとも真実を隠蔽するスクリーンに惑わされ、気づかないまま滅亡へと向かってしまうのか。

ひとつだけ、はっきり言えることがある。二〇〇〇年以降、私たちが目にしている、そして今後も目にする、最も重要なトレンドの多くが、ますます生活の中心に位置するデジタルテクノロジーから生じていることだ。

次章では、この数十年で、テクノロジーがいつのまにか生活に深く入り込んだ様子について見ていこう。それに伴い、暴力、過激主義、環境破壊、揺らぐ真実もこっそり忍び込んだ。これらが生活にどう根づいたかを理解してはじめて、一掃する方法も見えてくる。

第二章　二〇〇〇～二〇一九年──じりじりと坂を滑り落ちる

　世界の内破を待ちながら一九九九年の大半を過ごし、ほっと安堵しつつも、ちょっぴり馬鹿みたいな気持ちも味わいつつ、新たなミレニアムに突入した。来たるべき嵐に備えて、生活必需品を買いだめし、武器や現金を手元に用意した人もいた[1]。そこまではいかないにせよ、深刻な事態の勃発を覚悟していた人は多い。ところが、私たちが突入したのは、多くの人が着実な衰退と形容する二〇年だった。とはいえ、暴力と災害には周期的に襲われた。

　衰退、暴力、災害。この三つの要因によって、私たちは現在の文化的風潮へと至る道を歩んできた。そして、これらの要因を見つめ──その源泉に立ち戻ることによって──今後、私たちの前にどのように未来が立ち現れてくるのかが見えてくるだろう。

銃乱射事件とテロ行為

　この二〇年間、人生が次々に与える試練を、私たちはひょいひょいとかわしてきた。一九九九年春、コロラド州でコロンバイン高校銃乱射事件が起きた時、それが連続する恐ろしい銃乱射事件の始まりだという予感はなかった。その後、バージニア工科大学銃乱射事件（二〇〇七年）、サンディフック小学校銃乱射事件（二〇一二年）、パキスタンのペシャワルで起きたタリバン武装勢力による公立学校銃乱射事件（二〇一四年）、ケニアのガリッサ大学襲撃事件（二〇一五年）、フロリダのマージョリー・ストーマン・ダグラス高校銃乱射事件（二〇一八年）など、あちこちの学校で銃乱射事件が頻発した。二〇二〇年三月は、アメリカにおいて、この約二〇年で学校を舞台とした発砲事件のない、初めての三月になった。

この二〇年、標的になったのはもちろん学校だけではない。二〇〇〇年問題の発生以降、銃乱射事件とテロ攻撃は世界中であまり珍しくもないできごととなり、礼拝所、ナイトクラブ、ショッピングモール、コンサート会場、レストランやバー、ニュース報道局が襲撃場所としてとりわけ狙われてきた。アメリカ同時多発テロ事件が発生した時の匂いと騒音を、そしてその後の数日間に感じた連帯感を、いまも覚えている人は多いだろう。マンハッタンのダウンタウンは、いろいろな意味でグラウンドゼロになり、ワールドトレードセンターの瓦礫（がれき）の灰と深い悲嘆が、ニューヨークのあの一画の隅々にまで充満していた。自分たちの生活の場が攻撃されたのだ、という事実の精神的な衝撃、物理的な影響を住民が本当に理解するためには、長い年月が必要だった（二〇〇五年、私は中年になった飼い犬のゴールデンレトリバーを口腔がんで亡くした。トライベッカの獣医は「9／11病」と診断した。私の知り合いの多くが、同時多発テロ事件の影響の第三波と呼ばれる、さまざまな健康被害を抱えて生きている）。

好景気と不況

経済面をたどれば、二〇〇〇年問題が起きたあとの時期は、好景気と不況の繰り返しだった。不況は長く続き、深刻な影響を及ぼした。二〇〇〇年、ドットコムバブルが崩壊した。二〇〇七～〇九年には、サブプライム住宅ローン問題を契機に世界金融危機に発展し、ブラジル、ギリシャ、ベネズエラなどが経済危機に陥った。ある意味、これらのできごとは二〇二〇年に私たちが体験することを先取りしていた。私が覚えているのは、ベネズエラで二〇一五～一六年にトイレットペーパー不足が起きるはずだと、友人と話していたことである。不足すると困る生活必需品は多いが、トイレットペーパーは特に、そのリストのトップに近いことも友人と同じ意見だった。

二〇〇〇～一九年のあいだに経済大国の地位も入れ替わり、中国が日本を抜いて、GDP（国内総生産）世界第二位に躍り出た（第六章参照）。二〇一八年には、世界の裕福な経済事業体ランキング一〇〇のうちの七一が国家ではなく企業だった。[2] クレディ・スイスによれば、二〇一九年、世界の最上位一パーセントの超富裕層が、世界の富の四四パーセントを所有していたという。[3] 二〇一一年の「ウォール街を占拠せよ」運動は、期待したほどの大きな影響を及ぼすことはできなかったが、それでも世界の多くに「一パーセント」（経済格差の是正を求めた同運動のスローガンは、「一パーセントの富裕層と九九パーセントの私たち」だった）という考えを紹介し、所得の不平等は大統領選の争点となった。

過激主義と難民問題

政治的、軍事的な面をたどると、新たなミレニアムを迎えたあとの二〇年間は、ＩＳＩＳ（イスラム国）、ボコハラム（ナイジェリア北部と北東部を拠点とする、スンニ派の過激組織）のような武装集団が台頭した。世界各地で、さまざまなかたちのナショナリズムが生まれるか再浮上した。右派、社会主義者、人種差別主義者、さらには資源ナショナリズム（自国の自然資源は、その国の政府が開発し、管理すべきだという考え方）まで。またブラジルのボルソナロ大統領やフィリピンのロドリゴ・ドゥテルテ大統領のような強硬派は、邪魔者を押しのけ、強引に我が道を行く。メッセージは明らかだ。すなわち、グローバル化が進展するいまの時代、世界のあちこちの政府と市民はみずからの財と利益を取り戻し、必死で守らなければならない。

そのあいだも、世界中で戦争が勃発した。イラク、リビア、イエメン、アフガニスタン、レバノン、シリア、チャド、スーダン、ソマリアなど数えたらキリがないほどだ。国連難民高等弁務官事務所（ＵＮＨＣＲ）によれば、二〇一六年末時点で六五六〇万人が住み慣れた土地を追われ、世界の不幸なできごとに難民問題が加わった。それ以来、難民が新たな土地に再定住する動きがナショナリストの反感を買い、国境を閉鎖せよという声が上がった。パンデミック危機のあいだも、これらの動向に変わりはなかった。

グローバリズムに対する拒絶（あるいは最低でも地域主義）は、別のかたちでも現れた。二〇一六年に英国で始まった、ＥＵ離脱を目指す四年に及ぶブレグジットのプロセスは、つらく矛盾に満ちた旅だった。機能不全のプロセスとは、まさにあのことだ。離脱とは実に厄介な作業である。

英国以外でも反移民感情が高まり、かつて自分たちの国が〝自分たちのものだった〟時代が過ぎ去ったことを嘆いた。だが、国境を軽々と越えて流れ込んでくるのが人間ではなく、虚偽の情報であることを嘆いたほうがいいのではないだろうか。世界の人びとがオンラインに移行する時代に、政府もほかの事業体も、インターネットで虚偽の情報と不和の種を撒き散らす、はるかに効果的な方法を見つけ出した。

環境破壊

環境面で言えば、二〇〇〇～二〇年は悪夢（と教訓）の二〇年だった。破滅的な自然災害と異常気象の連続だった。大西洋では、カテゴリー4か5の猛烈なハリケーンが発生し、マリア、カトリーナ、ウィルマ、イルマ、マシュー、ハービーと呼ばれる大型ハリケーンが、カリブ海、中米、アメリカを襲った。太平洋ではインドネシア、日本、ニュージーランドなど、多くの国が津波に見舞われた。

この二〇年間、異常気象による被害は激化した。気候変動に歯止めをかけなければ被害はエスカレートするばかりだ、と科学者は警鐘を鳴らす[4]。旱魃（かんばつ）による山火事は、ギリシャからオーストラリア、アメリカまでのあちこちで猛威を振るい、洪水や土砂崩れはアジアで多くの命を奪った。異常気象は数百年ごとに周期的に発生すると説明する専門家もいる。だが、筋金入りの気候変動懐疑論者を除けば、嵐が頻発し、北極の氷が溶け、海面水温が上昇し、それ以外にも地球温暖化の証拠を目にすれば、気候変動にも異常気象にも納得せざるを得ないだろう。事実を認めよう。母なる自然は怒っている。

医療のグローバル危機と、反科学主義の台頭

医療面で言えば、二〇〇〇年問題から新型コロナウイルス感染症までのあいだは、肥満、糖尿病、メンタルヘルスの問題が急増した二〇年だった。二〇〇三年、私のチームは「世界的な肥満傾向（グロービシティ）」（イントロダクション参照）について報告書を発表した。そして、一九九五年に二億人だった世界の肥満の成人が、二〇〇〇年には三億人に増加したという、世界保健機関（WHO）の報告についても指摘した。WHOの見積もりによれば、二〇二〇年時点で世界の肥満の成人は六億五〇〇〇万人にのぼるという。[5] 新型コロナウイルス感染症の患者が入院・死亡するおもな原因が肥満であることを、保健医療当局が突き止め、その事実によって今回の感染症の危機はさらに悪化した。[6]

この二〇年間、医療は世界的にずっと危機的な状態にあった。とはいえ、うまく機能してきた国もある。

二〇〇〇～二〇年において、ほかにも医療関係の重要な話題と言えば反ワクチン運動だろう。英国のアンドルー・ウェイクフィールド医師は、一九九八年にMMRワクチンと自閉症との関係を裏づけると称する虚偽の論文（とはいえ、いまもその関連性は広く信じられている）を発表したことで、反ワクチン運動に火がついた。英国の医療研究財団ウェルカム・トラストが世界各国で行なった調査では、フランスの住民の三人にひとりがワクチンの安全性を信じておらず、ウクライナではワクチンの有効性を信じると答えた人は約半数にとどまったという。[7] それは、今回のパンデミックにおいてワクチン接種が緊急の政治課題になるずっと前のことだ。近年、ユニセフは麻疹の患者が急増している原因は反ワクチン運動にあるとする。[8] 実際に、二〇一八年一～三月と比べて一年後の同じ時期には麻疹の症例が三〇〇パーセントも増加していた。[9]

反ワクチン運動はこの数年、根を下ろした、より広い反科学的な考えのひとつであり、科学的事実を政治的にバイアスのかかった#フェイクニュースにすぎないとして軽んじるという、危険な傾向の表れだ。

社会の発展と反社会的な傾向

社会的に言えば、二〇〇〇年問題のあとの時期は、ＬＧＢＴＱ＋の受け入れ、人種、社会での女性の役割について大きな変化があった二〇年だった。なぜ世間の人が同性愛を嫌悪するのか、まったく理解に苦しむ若者は多い。ようやく二〇〇三年になって、アメリカの連邦最高裁は「ローレンス対テキサス州事件」において画期的な判決を下し、ソドミーを禁じた一部の州の法律（同性愛行為などの禁止法）を違憲無効とした。いまではその決定を誇りとするスイスにおいても、二〇二一年までは同性婚、同性婚カップルの養子縁組、女性の同性婚カップルに対する精子提供による対外受精を禁じていた。「一九六四年公民権法第七編」の下にトランスジェンダーの労働者は雇用上の差別から保護される、と判断した二〇二〇年の最高裁の判決に、多くのアメリカ人はひどく驚くとともに、拍手喝采した[10]。そのような雇用上の保護に対して、保守派が多数派を占める最高裁が不利な裁定を下すものと思い込んでいた者が多かったのだ。

人種にまつわる言説を変えたのは、法廷ではなく積極的行動主義だった。一九九〇年代、私は、オランダのアムステルダム＝ザイトと呼ばれる自治区に住んでいた。毎年一二月初めに、聖ニコラスの日の前夜を祝う「シンタクラースの祭り」が開かれる。その日、私は家の外で、シンタクラースの従者のズワルト・ピート（ブラック・ピート）を見ていた。二〇二〇年夏、ミネアポリスでジョージ・フロイドが警官に殺された事件を受け、オランダ北部の都市レーワルデンで「ブラック・ライブズ・マター」の抗議デモが繰り広げられた。その映像のなかに、ズワルト・ピートの容姿に抗議するプラカードがたくさん見えた。進歩は着実に起きている。氷河の流動よりも遅いペースだとしても。

女性の平等を勝ち取る闘いや、ジェンダーによるハラスメントや暴力をなくす闘いも、この二〇年のあいだに世界各地で見られた。最近の例で言えば、二〇一七年に本格的に始まった＃ＭｅＴｏｏ運動がそうだ。二〇〇〇年には普通と考えられていた――少なくとも女性は我慢して当然とみなされていた――行為や態度は、今日、ほとんどの職場で処罰の対象になっているだろう。

同様に、この二〇年間、それも特に最後の五年間は「憤怒の時代」の始まりだった。二〇一一年のトレンド報告で私は、怒りは時代精神の色であり、怒りを利用しない者は現実をよく理解していないように見えると指摘した。二〇〇八年、バラク・オバマ候補の冷静で、聞く者の心を穏やかにするレトリックは、パニックに陥った多くのアメリカ人の求めていたものだった。ところが、あの「熱くなることはない、何も問題ない」というアプローチは、アメリカ市民がますます激怒している時には、時代遅れの廃れたスタイルだった。

この二、三年に著しく増大したのは、怒りだけではなかった。粗野な行動、攻撃性、過度の党派心もそうだ。さまざまなタイプの陰謀論、「フェイクニュース」だと叫ぶ声、ソーシャルメディアボットの干渉や扇動に駆り立てられ、社会政治的な分裂が激化した。[11] 同じニュースでも立場が違うと、内容がまるで異なってしまい、「事実」が正反対になってしまうことにはとりわけ唖然とする。このような断絶はパンデミックのあいだも、リアルタイムで展開していた。パンデミックは何もかもでっちあげだと思う者もいれば、長いあいだ、家に引きこもるつもりの者もいた。

サヨナラ、アナログ

二〇〇〇～二〇年に重大なできごとはたくさん起きたが、とりわけ大きな影響を及ぼした変化は、デジタル生活を全面的に受け入れたことだった。この点を否定する者はほとんどいないだろう。一般的なインターネット利用からオンラインショッピングやソーシャルメディアまで、GPSからオンライン財務管理まで、動画のストリーミングからeスポーツまで、スマートフォンからスマートスピーカーやスマートホームまで、私たちは日々の活動を徐々にデジタル領域に移行させていった。

世界はいま、富と所得によってだけではなく、テクノロジーの利用状況によっても分裂している。最も顕著な例は北朝鮮と韓国だろう。前者ではインターネットのアクセスは、一般市民にとって基本的に存在しないも同然だ。対する韓国では人口の九五パーセント以上がオンラインを利用し、超高速インターネット平均速度は世界最高水準を誇る。あるいは、同じ国民のあいだでも格差がある。ピュー・リサーチセンターによると、アメリカでは二〇一九年の時点で、白人の九二パーセントが少なくとも時々はインターネットを利用するが、アフリカ系アメリカ人は八五パーセントにとどまった[12]。さらに、郊外で暮らす人のあいだでは九四パーセント、都市部では九一パーセント、地方では八五パーセントだった[13]。この格差は、情報へのアクセスだけでなく、影響を与える能力においても大きな違いを生む。デジタルツールをフル活用する人は、デジタルツールを持たない人よりもコミュニケーション能力が高い。

バーチャルは重要だが、疲労困憊する

いまでは多くの人が気づいているように、デジタルライフは、インターネットにプラグインする人にとってますます人生そのものになってしまった。インターネットが私たち人間をこれほど劇的に変えるとは、予想していなかった。行動だけではない。思考までも変えてしまったのだ。私たちは忍耐力を失った。待たされることや、ちょっとした不具合に腹を立てる。すぐ不安になり、他者と張り合ったりする。誰かのページや投稿に目を走らせ、何かを見逃していないか情報に乗り遅れていないかと、焦燥感に駆られる。

私たちはまた、新たなデジタルツールを生活の〝管理人〟に変えてしまった。スマートウォッチ、アプリ、フィットネス機器を使って、あらゆる行動を（文字通り逐一）追跡する。これもまた、完璧とは言いがたい生活を評価する方法のひとつだ。

そして、デジタルライフは生活のペースを大きく変えた。つい昔を懐かしんでしまいたくなるが、かつて秘書は手紙をタイプライターで打ち、ポストに投函し、返事が来るのを数日か時には数週間も待った。大学を卒業した時、すでにファックスがあったため、私自身はそんな世界で働いた経験はないが、テクノロジーの利用が限られていた一九八〇年代半ばには、少なくとも時々はオフィスを抜け出すこともできた。

変化の目まぐるしいペース

この二〇年間に多くのできごとがあったことは間違いない。特にアナログからデジタルへと移行し、過激主義が台頭した。だがどのできごとも、二〇〇〇年問題で予想された最悪のシナリオほど破滅的な惨事には至らなかった。あれほどの危機には直面しなかった。共通の敵はいなかった。世界中の人が、生活がいつかノーマルな状態に戻るのかと考えるとともに、その答えが断固たる「ノー」であると気づくような事態にも陥らなかった。だからといって、私たちが懸念していなかったわけではない。多くの人は、世界が間違った方向に進んでおり、政治的、環境的、経済的な要因が制御不能になっていると感じていた。私たちは不安と憎悪の時代に生きていた。予測のつかない、しばしば望まない変化が猛スピードで起き、その目まぐるしさに心身ともに消耗した。二〇一九年一二月、私は二〇二〇年のトレンド予測を発表した。

新たな年が近づくにつれ、世界中の人びとは先が見通せず、現在の進路を変えるにはもう手遅れなのだろうかと考えます。情緒的につながっているという確信が持てず、また身体的な接触を求めます。地球を集団的に破壊していることを恐れ、地球に与えた損害は、マインドフルネスな小さな行動で多少は修復できるという望みに賭けます。加速する変化のペースを必死に落とそうとして疲弊し、ゆっくりと息を吸って回復を求め、自分たちが最良の生活を送っているのかどうかについて評価するでしょう。

ほどなくして私たちはスローダウンを余儀なくされ、混乱が渦を巻いて増大することになる。二〇二〇年最初の数カ月、グローバル規模のパンデミックに襲われ、大きな破壊に見舞われた。二〇年前の二〇〇〇年問題の時の予測を、はるかにしのぐレベルだった。

二〇二〇年にどかーん！（少しもノーマルではないニューノーマル）

二〇二〇年九月半ば、新型コロナウイルス感染症の感染者は世界で二八〇〇万人を数え、犠牲者は九〇万人を超えた。二〇二一年一一月、どちらの数字も跳ね上がり、感染者の数は二億四九〇〇万人を、犠牲者の数は五〇〇万人を超えた。より多くの人がワクチンを打ち、さらにブースター接種を終えたあとでも、どちらの数字も増え続けた。

ウイルスは私たち一人ひとりに影響を与えた。心身の衰弱を経験した人もいる。もっと具体的なかたちで、だがやはり永続的な影響を被った人もいる。子どもたちにとって、二〇二〇年という新たな年が明けた時と、世界はまったく違うものに変わってしまった。学校は閉鎖され、オンライン授業に変わった。これは、必要なデバイスを持ち、ブロードバンドにアクセスできる幸運な生徒は、という意味である。友だちとの交流はソーシャルメディア、オンラインゲーム、ビデオチャット越しに行なわれた。エッセンシャルワークではない仕事に就いていた者は、ロックダウンに伴い、自宅で仕事をこなし、生活必需品はデリバリーを利用するか、マスクをかけ、手袋をはめ、（パンデミックの最初の頃に運よく購入できた者は）手指除菌用ローションを握りしめて、（恐る恐る）外へ調達に出かけた。金融市場は不安定で、失業者は天文学的な数を記録し、中小企業と小売業の従業員はこれ以上ないほどの痛みを味わった。

　ある意味、今回のパンデミックは私たちの生活を永遠に変えてしまった。そしてその代償の最終的な大きさは、誰にも、専門家にさえわからない。

ほかにも変わったもの……

　二〇〇〇年問題に怯えていた頃の生活と、パンデミック中の生活との類似点をひとつあげるならば、それは迫りくる実存的な脅威ではなく、細かなことに拘泥（こうでい）する人間の傾向だった。二〇二〇年三月、チューリヒからニュージャージー州ニューアークに飛んだ私は、六時間車を走らせて、ロードアイランド州で二週間の隔離生活に入った（あまり冬の寒さを感じない海辺の小さな家は、私たちふたりが過ごせる、アメリカで唯一安全な場所だった）。私はパートナーのジムとそこへ移り、文字通り一日中働いた。というのも、ふたりとも、タイムゾーンの区別がつかなくなり、昼も夜もない〝新型コロナウイルス感染症タイム〟で生きていたからだ）。私はすでに、一家のサプライチェーンの事実上の総責任者になっていた。全米中に散らばって暮らす一族に新鮮な野菜や果物、肉のデリバリーを手配し、近所に小さなベーカリーしかない友人に、キャロットチーズケーキを注文してプレゼントし、犬の写真や動画（私たちはいま、ゴールデンレトリバーを二匹飼っている。ベンとハーレイという救助犬だ）を送って、あちこちの国に住む友人を励ました。一日一四～一五時間働き、税関を通過した時に合意した厳しい隔離ルールに従って、最初は小さなゲストルームに閉じこもった。スイス在住の用心深いポーランド人の友だちは、少なくとも二カ月間は今回の感染症に注意を怠らなかった。その友だちが教えてくれたおかげで、私は殺菌剤のボトル数本と、トマトソースを一ケース、マッシュルームを一ケース、パルメザンチーズの大瓶とトイレットペーパー一六個を、ロードアイランドの自宅に買い置きしてあった。ズームとチームズを介して、ウェブミーティングを行ない、たいていパスタかオムレツという一日一食のメニューで命をつないだ。そのような健全とは言いがたい雰囲気のなかで、八週間も過ごすことになるとは思ってもいなかった。

多くのアメリカ人は、ロックダウンもソーシャルディスタンスも、ジムや私ほど深刻には受け取らなかった。ジムも私も、アマゾンが配達した缶詰ばかりの段ボール箱を運び込む時には、キッチン用のビニール手袋とマスクを着用した。足りないモノを注文できる、数少ないショッピングサイトの利用機会は増えていった。実際、私たちが抱える問題は、典型的な「第一世界問題」だった〔第一世界問題とは、取るに足りないことを彼らが不満に思う贅沢な悩みとは、先進国の恵まれた人たちを指す。の意味〕。二〇〇〇年問題のせいで、ドライヤーが故障して使えなくなったらどうしようなどという、浅はかで馬鹿げた二〇年前の私の心配がまさにそうだ。だが、人間とはそんなものだ。人間は、自分が何とかできそうなものに焦点を合わせる。

中断された世界

二一世紀は、これまでの世代が――そしてもっと若かった頃の私たちが――想像していた世界とは、まったく違う姿を見せている。一九〇〇年代に二一世紀を予測した未来学者は、世界規模のパンデミック、政治世界の過激主義、テロ行為、世界中の多くの人を苛む貧困や苦難、地球に対する容赦ない破壊は予想していなかった。彼らが思い描いていたのは進歩だった。二〇世紀の大きな問題を解決でき、いろいろなことが便利で、衝突や競争のない人生が送れる世界だった。

未来の予言は重要だ。予測と虚構は、将来に対する期待だけではなく、現在の体験をかたちづくる役にも立つ。これらのインプットを使って、将来の姿に対する考えを組み立てる。思い描いた未来が実現しない時にはがっかりするが、たいてい思い描いたようにはいかないものだ。確かに、今日、ホバーボードは手に入る。だが、一九八九年の映画「バック・トゥ・ザ・フューチャーPART2」（二〇一五年の未来に到着する）に登場する、宙に浮くホバーボードとは似て非なるものだ（そのいっぽう、あの映画はインターネットの登場を予言していない。だから、現実があの映画よりも進んでいるのかもしれない）。テレビアニメの「宇宙家族ジェットソン」には、空飛ぶクルマやロボットのハウスキーパーが登場する。だが、それらのない世界に暮らしていることを、騙されたと感じるベビーブーマーは多いだろう——たとえ、あの番組の舞台が二〇六二年だとしても。

私たちはまた、時間が秩序正しく時を刻むものと考える。一秒が積み重なって一分が過ぎる。さらに一時間になり、次の日／次の週／次の月／次の年／次の時代へと時間は流れる、と。それでいて、時間の感覚が同じ人はふたりといない。二〇二〇年一月は、いろいろな意味ではるか遠い昔に思える。多くの人が自主的に隔離するかロックダウンを体験した数週間は、ひどくのろのろ過ぎるとともに、電光石火のごとく速かった。あの四月には何が起きたのか。そして五月には？　人びとはそう疑問を口にする。果たして春はあったのか。

二〇世紀アメリカの詩人ウィリアム・カーロス・ウィリアムズは、時間とは「私たちがみな迷子になる嵐」だと表現した。二〇〇〇年から二〇二〇年に至るまでの二〇年間は、私たちの時間の感覚をさらに歪めた。かつて輝いていた未来の篝火（かがりび）は、パンデミックのあいだはぼんやりと灯り、薄暗く、どこか不穏な雰囲気を醸した。アメリカで、若者が親の世代よりも高い生活水準を享受できないだろうと予想されたのは、史上初めてのことである。[14] 気候変動が招く大惨事のシナリオに――どうすれば進路を変えられるのか、見当もつかないまま――私たちはグローバルな規模で突進していた。富裕層と貧困層、権力者と非力な者とのあいだに大きく開いた亀裂が縮まる気配はなかった。そして、世界がそれぞれデジタルの新たな「解決策」を受け入れたいっぽう、私たちの多くは、支払った代償があまりに高いという気持ちを拭えなかった――プライベート、家族との時間、コミュニティ活動、さらには退屈が生み出す創造性までも失ってしまったのだ。

もし二〇二〇年を襲ったパンデミックの良い面をあえて指摘するならば、人口増加に歯止めがかかったことかもしれない。私たちは現在の満足度を評価し、未来に対する考えを改めなければならなかった。これまで生きてきたなかで、トレンドスポッティングと分析が、これほど重要だった時期は思いつかない。何もかもが混沌としていた。

ひとつ明らかになったのは、時間は定量化できる区分で――カレンダーに従って数年、数十年、数世紀というように――進むが、多くのものごとは止まったままか、時には後戻りすることだ。二〇二〇年の最初の数カ月間、パンデミックによって学校が閉鎖されるまで、教育とは三〇〇年間ほとんど変わらず、教師が教室で生徒の前に立って行なうものだった。現代のハイテク職場は技術の粋（すい）が集まっているというのに、二〇一九年に通勤者が渋滞に巻き込まれて過ごした時間は、ロサンゼルスで年平均一〇〇時間にのぼった[15]。モスクワとニューヨークの場合は年九一時間。サンパウロは八六時間。また医療分野に目を向けると、著しい進歩にもかかわらず、WHOと世界銀行の報告によれば、世界人口の半数は基本的な医療サービスが受けられないという[16]。そして二〇二〇年三月、何もかもが一変した。教育方法もコミュニケーション方法も新しくなった。ウェルネスが重視されるようになり、心身の健康を保つ重要性がより高く評価された。年齢を強く意識するようになった。新型コロナウイルス感染症において、六〇歳以上は重症化リスクが高いとされ、当局が注意を呼びかけた。とつぜん「併存疾患」という言葉に注目が集まり、基礎疾患を持つ人はさらに注意が必要になった。

この二〇年ほどで、世界は全部で数兆ドルを費やした。（二〇〇〇年）問題を回避するためや、さまざまな大惨事に対処し、復興を図るためであり、明確な目的も（もしくは解決策も）ないままに戦争を仕掛けるためであり、過剰消費に基づく経済モデルを推進するためだった。その経済モデルのせいで、私たちは生態系を破壊する道を歩き、いつのまにか社会の基本構造を引き裂いてしまった。数兆ドルも投資したのだから、どんな進歩があってしかるべきだろうか。世界の最貧地域で困窮している人びとの生活水準を必要最小限上昇させ、それ以外の人たちのハイテクな利便性に寄与した以外に、地球上の日常生活はどう向上したのか。一九九九年よりいまのほうが豊かな暮らしを送っている――そして社会が歩んでいる方向に、いまのほうがずっと満足している――と、ほとんどの人は純粋な気持ちで言えるのだろうか。

もし二〇二〇年の悲惨な体験を、リセットの機会として役立てるならば、どんなことができるだろうか。もし今回の予期しない危機を、私たちが望む未来の姿についてもう一度考えるための絶好の機会と捉えるならば、何ができるだろうか。この二〇年間で得た教訓についてじっくりと考え、その洞察を使って、前へ進むためのより良い道を切り拓いたら、どうだろうか。ミレニアムのスタート地点に立って、意味あるものをゼロからつくり出すとしたら？

私たちには、新たな世紀の再スタートを切るチャンスがある。パンデミックがその機会をくれたのだ。私の望みは、本書をきっかけに、読者がみずからの社会的なGPSをリセットすることだ。そして、二〇二〇年の初めに私たちが向かっていた目的地よりも、より良い目的地に向けてルート変更する緊急の必要性を、読者に指し示すことである。

さて、ここまで、二〇〇〇年と二〇二〇年を定義するふたつのできごとについて見てきた。今度はその時代精神が今後の二〇年に、どんな影響を及ぼすかについて明らかにしよう。まずは、気候変動と地球の破壊という、実存的な脅威に目を向ける。どちらも、世界に蔓延する混乱と切っても切れないほど密接な関係にある。もし私たちが気候変動の問題を解決できないなら、それ以外に重要なことはあるだろうか。

第三章　気候の真実

次の二〇年の進路を占う水晶球を覗き込む前に、まずは著しく不都合な真実を認めなければならない。つまり、生活のあらゆる面に不気味な影を落とす気候問題である。そのため、本書の予測には必然的に気候危機のさまざまな面を織り込むことになる。

人間は気候変動を認めたがらず、手遅れになる前に実効性の高い方法でこの問題に対処しようとしない。これはある意味、重要なパターンや変化に気づきながら、それを無視する時にはどんなことが起こるのかを示す好例だ。警報ベルもただ聞き流すだけでは、何の役にも立たない。気候変動に歯止めをかける警報ベルは、少なくとも一九世紀後半に遡って鳴らすことができた。当時、スウェーデン人科学者のスヴァンテ・アウグスト・アレニウスが、化石燃料の使用が地球温暖化を引き起こす可能性を指摘したのだ[1]。この数十年のあいだ、行動を求める声は高まり、より緊急性を帯びた。一九六二年、レイチェル・カーソンの著書『沈黙の春』は大きな反響を呼び、人びとの意識に種を植え、これが現代の環境運動を生むきっかけになったとされる。カーソンの本は人びとの意識に大きな影響を与えたが、それでも世界的なリーダーのひとりであるアメリカのジミー・カーター大統領が、気候変動という問題を公式に認め、二酸化炭素排出の削減を求めるまでには、さらに一五年もの月日を要した。私が大学生だった一九七九年、世界気候機関（WMO）が「人類の幸福に悪影響を及ぼしかねない、人為的な気候変動の可能性を阻止する」方法を探し出すという目標を掲げ、気候と〝人類〟の専門家を集めて、ジュネーブで第一回世界気候会議を開催した[2]。正直に言って、当時、私やクラスメートが注目していたのは南アフリカ共和国の反アパルトヘイト運動であって、地球温暖化関係の問題ではなかった。

私が大学を卒業した数年後の一九八八年には、当時NASAゴダード宇宙研究所の所長だったジェイムズ・ハンセン博士が、「温室効果」について連邦議会で警告した。温室効果による温暖化現象が発生し、しかも加速していると「九九パーセントの確信を持って」言える、とハンセンが述べたのだ[3]。《ニューヨークタイムズ》紙は、この証言を第一面で取り上げた[4]（酸性雨という概念を多くの人が知ったのも、ちょうどこの頃である。とはいえ、その言葉をつくり出したのは、一世紀前のスコットランド人化学者のロバート・アンガス・スミスだった[5]）。

大手メディアが関心を示したとはいえ、連邦議会を動かして二酸化炭素排出に歯止めをかけるというハンセンの意図が、大規模な取り組みを生み、地球温暖化の速度を緩めることはなかった。ハンセンの証言を受けて一時的に動揺は広がったものの、やがて全国的な会話から消え、その後の政権も熱心に環境保護に取り組むことはなかった。ほかの国も似たようなものだったが、一九九〇年代に入ると重要なできごとが起きた。たとえば、一九九二年にリオ・デ・ジャネイロで地球サミットが開催され、一九九七年には京都議定書が採択されたのだ。

運動につながる小さな警鐘が初めて鳴ったのは、ようやく二〇〇六年だった。きっかけは、アメリカ合衆国副大統領経験者のアル・ゴア（就任時期は一九九三～二〇〇一年）が主演を務めた、ドキュメンタリー映画「不都合な真実」だった。ハンセンが連邦議会で証言してから、二〇年近くが経っていた。ゴアの映画は、世界中の学校の科学の授業で必ず紹介された。多くの子どもが、その映画についてグループテキストメッセージで話し合った。それなら、その親や祖父母の世代は？　さほど差し迫った話題とは捉えなかった。メディアは？　記事として取り上げる価値のある話題と考えるようになったのは、ようやく数年前のことである。[6]

私たちの生活にとって最大の話題は、なぜ続けて取り上げられないのだろうか。政府のリーダーも一般市民も、これほど長いあいだ、気候変動についてどのように目隠しされてきたのだろうか。その理由を教えてくれるのが、二一世紀のメディアの歴史だ。グーグルがサービスを開始したのが一九九八年。フェイスブック（現メタ）は二〇〇四年、ユーチューブは二〇〇五年、ツイッター（現X）が二〇〇六年。アップルがアイフォンを発売して、携帯電話に革命を起こしたのが二〇〇七年。本来ならば、その約一〇年のあいだに、深刻化する気候危機の報道も加速化したはずだった。ところが、地方紙、テレビ局、ネットワークニュース、調査チームは規模が縮小し、そのいっぽう大きく成長したのは、利益団体の要求に応じて偏見に満ちたエコーチェンバーをつくる、インターネットの双方向メディアだった。その結果、気候危機について一般的に認められた「真実」というものはなく、危機が存在するという普遍的な認識すら形成されてこなかった。ましてや、気候危機の原因が何かについての共通認識もない。

イェール大学気候変動コミュニケーションプログラムが実施した二〇二〇年の調査によれば、アメリカ人の四人にひとり以上がいまも地球温暖化を認めていないという[7]。また、国連開発計画（UNDP）が、五〇カ国の一二〇万人を対象に実施した世論調査「みんなの気候投票」では、気候変動を世界的な緊急課題と認識していたのは、回答者の三分の二に満たなかった[8]。気候変動を信じる人のあいだでさえ、抜本的な対策を行なって歯止めをかける必要性を、全員が支持しているわけではなかった。「開かれた社会欧州政策研究所」が二〇二〇年に実施した調査によれば、「気候変動を食い止めるためにできることは何でもすべきだ」という考えに同意したのは、スペイン人で八〇パーセントだったのに対して、アメリカ人は五七パーセント、英国人は五八パーセントだったという[9]。国連の調査では、社会はすでに気候変動の問題に充分取り組んでいると答えたのは、回答者の一〇人にひとりだった[10]。

窓の外で起きる気候変動の影響をすでに目の当たりにしてきた人は、気候危機の問題をあまり否定しないだろう。超党派の非営利団体「ポテンシャルエネルギー連合」は、二〇二一年一月に「サイエンス・マムズ」という一〇〇〇万ドルのイニシアティブを立ち上げた〔マムズは「ママたち」の意味〕。そのママたちのひとりが、アリゾナ州トゥーソンに住むアリゾナ大学の海洋学者ジョエリン・ラッセル博士だ――内陸のアリゾナで海洋学者とは、私にはちょっと変に思える。そう、そこはトゥーソンにある私の家からさほど遠くない場所だ。トゥーソンはアメリカで三番目に温暖化のスピードが速い都市であり、そこに住むラッセルの体験は、本書で紹介したできごとを忠実になぞっている。

《ニューヨーカー》誌に掲載されたサイエンス・マムズの紹介記事で、ラッセルは、二〇二〇年に発生したような大惨事に向けて地球が突き進んでいると書いていた。「二〇二〇年には、摂氏三八度を超える日が年間一〇八日ありました。それがどれほど多いのか理解できないでしょう[11]」（過去の統計では、トゥーソンで摂氏三八度を超えるのは年平均六二日だった）。新型コロナウイルス感染症によるロックダウンと激しい熱波のために、ラッセルの一〇～一四歳の子どもたちは、友だちの家に遊びに行くことができず、そうかといって屋外の遊び場は暑すぎ、家の裏庭でさえ遊ぶには暑かった。家のなかに閉じこもるばかりでストレスが溜まり、子どもたちは精神的に不安定になった。ラッセルは、彼らを連れて夜明け前に犬の散歩に出かけるようになった。「私は過酷な状況に備えて、将軍みたいに計画を練らなければなりませんでした。できるだけ楽しめるように心がけました。さあ、冒険に出かけるのよ、といった具合に！」だが、子どもたちのメンタルヘルスが心配だった。「子どもたちは大空の下で駆けまわる必要があります！[12]」。

ある暑い日、強い日差しから守るために、ラッセルは子どもたちに長袖を着せ、帽子を被らせて、自転車に乗る彼らを外に送り出した。一時間後に娘が帰ってきて頭痛を訴えた。熱中症だった。新型コロナウイルス感染症の感染リスクを恐れて、ラッセルは娘を救急に連れて行かず、家庭でできるだけのことをした。薄暗い部屋に寝かせ、娘の額を冷たいタオルで冷やした。「死ぬほど心配しました」。ラッセルはそう振り返った[13]。

レーダー予測　二〇三八年
二〇三八年には、温暖化によって、多くのスポーツの試合を屋外で行なうことが不可能になる。ハイテクの屋内競技場が建設され、ｅスポーツの人気――と収益性――がさらに高まるだろう。

ラッセルのような体験に、貧困や食料不足が重なると、必然的に世界の政府の決意と資源とを試す問題が持ち上がる。異常気象による移民や難民の発生である。ニュース専門局「ユーロニュース」は、この一〇年だけで旱魃や山火事のような異常気象のせいで、欧州では約七〇万人が住み慣れた土地を失ったと報告する。[14]二〇一六～一九年のあいだに、欧州大陸において気候移民や難民を生んだ気象現象は、四三件から一〇〇件に増加した。[15]この動向は欧州でもどこでも続くだけではなく、さらに加速すると専門家は予測する。イタリアの新技術エネルギー持続的経済開発局研究機関（ＥＮＥＡ）の、気候モデリング研究所所長を務めるジャンマリア・サンニーノは、異常気象と分類される現象は今後、通常になるだろうと注意を促す。[16]

異常気象の影響は事実上、あらゆる地域とあらゆる所得水準の人びとに及び、数百万人が強制的に移住するか命を落とすリスクがある。ポートランド州立大学で気候移住を専門に研究するジョラ・アジベイド准教授は、将来、私たちの生活は「一時的」なものになるだろうと述べている。家族が何世代にもわたって同じ場所で暮らす近年の傾向を、アジバイドは「特権的」と呼び、現実的にはもはや難しくなると考える[17]。

二〇三八年になる頃には、気候移住は問題を引き起こすことになるだろう。安全とみなされるか、少なくとももともとの場所より安全な地域は——もともと移住者を支援するための制度が整備されているわけではないため——、移住者が押し寄せることで緊張に曝されるからだ。対立が表面化し、法律が議会を通過し、清潔な飲み水や医療サービスなどの生存に必要な資源が、公平に分配されなくなる。裕福で政治家とコネがあるか、その土地に深く根を下ろした人たちが優先され、貧困層や移住してきたばかりの者は軽んじられる。

今後は「ロケーションがすべて」〔「不動産の良し悪しは立地で決まる」〕という考えは、眺めの美しさや瀟洒（しょうしゃ）な街並みだけではなくなる。高いレベルで災害に備えているか、資源を提供できる住居やコミュニティの開発も含まれるだろう。たとえば、ふんだんな（ひょっとすると海水を淡水化した）水の供給が売り物だったり、緊急事態がいつ起きても心配ないよう食料備蓄が万全だったり、洪水、火事、旱魃、ハリケーン、何であれ襲いくる自然現象から住民を守る建築法と土地の管理法を駆使したりする排他的な居住地かもしれない。あるいは、延焼を防ぐために約一・八メートルの堀で囲まれた住居やコミュニティはどうだろうか。クリスティアナ・フィゲレスとトム・リベット＝カルナックは、著書『私たちが選ぶ未来——気候危機を生き延びる（The Future We Choose: Surviving the Climate Crisis）』（未邦訳）のなかで、そう提案している[18]。

かつて国連の「極貧と人権の特別報告者」を務めていたフィリップ・オールストンは、差し迫った

「気候アパルトヘイト」について述べている。低所得世帯は、気候変動の影響を受けにくい地域には価格の問題で住めないという。「それなのに」と、オールストンは続ける。「世界全体の二酸化炭素排出量について見た時、貧困層はほんのわずかな責任しかないのに、気候変動の被害をまともに受け、身を守るすべもほとんどないのです[19]」。

ここで朗報だ。動きのなかった数十年のあと、ようやく変化の兆しが見えてきた。あるいは少なくとも、いまの厳しい議論が変化につながる可能性がある。二〇二一年夏、世界は異常気象による現象を次々に目の当たりにした。ドイツとテネシー州は破滅的な洪水に見舞われ、乾き切ったギリシャとアメリカ西部では山火事が発生した。こうして立て続けに起こる恐ろしい被害によって、ついに気候危機を無視できなくなったのだ。海面上昇が海辺のコミュニティを呑み込み、長引く酷暑が住民の命を奪い、農作物の不作をもたらす。このような明らかな影響に加えて、気候変動によって病気が蔓延するという意識まで高まった。

かつてマラリア、デング熱、ジカ熱などの感染症とは無縁だった地域でも、環境条件の変化によって感染者が出やすくなったと、医学雑誌の《ランセット》は二〇二一年に報告している。調査者はこんな結論を導く。気候変動は「公衆衛生と持続可能な開発のこれまでの進歩を、何年も後退させてしまいかねない[20]」。世界銀行はすでに二〇二一年の時点で、国土の八〇パーセントを氾濫原（はんらんげん）が占めるバングラデシュにおいて感染症が増加し、メンタルヘルスが低下する危険性を指摘していた[21]。

二〇三八年には、状況はどれほど悪化しているだろうか。

それはかなりの部分、世界各国の政府と企業が今後一五年にわたって、どんな措置を講ずるかによる。現在の針は――控えめに言って――警告を指している。NASAの調査によれば、地球が毎年取り込む熱の量は二〇〇五年以降、予想を上まわる速さでほぼ倍加したという。[22] 国連は二〇二一年の報告で、「気候崩壊」によって降雨パターンが変化したことが、世界的な旱魃の大きな原因だと指摘する。[23] 国連事務総長の防災担当特別代表を務める水鳥真美は、こう警鐘を鳴らす。「旱魃は次のパンデミックになろうとしていますが、それを治療するワクチンはありません」[24]。水鳥が指摘するのは、世界の大多数の人口が、今後数年のうちに、水不足と闘わなければならなくなることだ。[25]

アジアとアフリカはとりわけ大きな旱魃の被害を受けたが、そのふたつの地域だけではない。二〇二一年九月末の時点で、「パーマー旱魃深刻度指数（PDSI）」によれば「深刻」から「極度」にあたる旱魃が、アメリカの三分の一以上の土地を襲ったのだ。[26] アメリカ西部は火口箱になってしまった。

この熱波／旱魃の問題は、私に個人的な影響をもたらす。私はアリゾナ州トゥーソンを、私のおもな本拠地だと思っている。とはいえ、ご指摘の通り、「自宅」をオールドプエブロ（トゥーソン）に移すまでには何年もかかるかもしれない。二〇一九年、トゥーソンでは摂氏三八度を超える熱波が続いて一九七人が亡くなった。熱波が原因の死者数として、史上最悪の記録である。[27] この問題をさらに悪化させたのが水不足だ。数十年前、アリゾナ州と連邦政府は、コロラド川からアリゾナ州のあちこちの都市や平原まで水を運ぶ水路を建設した。二〇二一年八月中頃、連邦政府当局は史上初めてコロラド川の水不足を宣言し、農業関係者に対する水の割当て量を削減した[28]。サヨナラ、農作物。

カリフォルニアでも、状況は同じくらい深刻だ。ロサンゼルスに近いベンチュラ郡では、火災シーズンは三カ月続く。風は季節を問わずに吹く。二〇二〇年、史上最悪の火災が一七四ヘクタールを焼き尽くし、三三人の命を奪った[29]。今後もさらなる悲劇が予想される。というのも、カリフォルニア州の住民の少なくとも四人にひとりが、火災の危険度が非常に高い地域に暮らしているからだ[30]。サンタクルーズ・マウンテンズに住む友人のひとりは最近、こんなメールを送ってきた。「本当に絶望的です。救いは、太平洋までほんの数メートルの場所に住んでいること。火事が迫ってきたら、西に向かって命がけで走るつもりです」。

火災の悲惨な被害という点では、オーストラリアをおいてほかにないだろう。二〇一九年六月に始まった森林火災シーズンでは、少なくとも三三人が命を落とし、三〇〇〇棟以上の家が焼け落ちた。一〇億以上もの動物の命が失われた[31]。二〇一九年末に発生した〝黒い夏（ブラックサマー）〟と呼ばれる森林火災では、五五〇〇万ヘクタールが灰と化した。二〇二〇年初めに雨が降り始めたが、その雨量は植物にとっても、火災の拡大に歯止めをかけるためにも、まったく不充分だった。オーストラリア東海岸は過去半世紀以上にわたり、最悪の洪水に見舞われてきた。「これほどの異常気象が、これほど立て続けに起きたことは、この州の歴史でこれまで覚えがありません」と言うのは、オーストラリア南東部に位置する、ニューサウスウェールズ州のグラディス・ベレジクリアン州首相だ[32]。

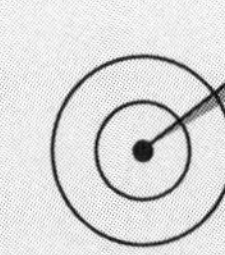

レーダー予測　二〇三八年

二〇三八年にはアマチュア気象学者がたくさん登場し、個人もコミュニティも一丸となってデータの収集と配信に取り組んでいるだろう。彼らは新しい時代のアマチュア無線家だ。

アリゾナでもオーストラリアでも、地球のどこでも、近い将来、状況は良くなりそうもない。まるで〝ナンバーズ（数当て賭博）〟のようなもので、人間と動物――実際、生きとし生けるものすべて――に勝ち目はない。二〇三八年には、天気予報を確かめることは、単にその日の服装を決め、折りたたみ傘をカバンに入れるかどうかを決めるだけの話ではなくなる。もっと真剣に確認して、身の安全を守り、どのタイミングで避難するのか、大気汚染がひどいために子どもは外に出ないほうがいいのか、などを判断する目安になる。

地球上の生き物が大惨事を回避するためには、地球の平均気温が下がる必要がある。だが、いまのところその兆しはない。

長い猛暑を体験した者にはわかるだろうが、ほんのちょっと温度が上昇するだけで、人間の生活は混乱する。貧困層の飢餓のニュースはよく耳にする。だが、食料不安はどうだろうか。さほど貧しいわけではない人たちがお腹いっぱい食べられない、という食料不安の問題を、充分に理解している人はほとんどいない。ノースウェスタン大学のリサーチャーが明らかにしたところでは、アメリカ人のほぼ四人にひとりが、二〇二〇年に食料不安を経験していた[33]。国連によれば、同じ年、世界で八億一〇〇〇万人が空腹に悩まされたという。前年と比べて一億六一〇〇万人も増えた原因は、パンデミックにある[34]。

食料不足が起きるかもしれないという見通しだけで、人びとを買い占めに走らせるには充分だ。空っぽのお腹とスーパーの空っぽの棚は、衝突を引き起こす原因である。ベネズエラや南アフリカ共和国をはじめ、世界のあちこちでその状況が目撃された。

地球の住民が気候変動の脅威をより真剣に考えるようになるにつれ、多くの政府が変化をもたらす法の制定に異例の速さで取り組み始めた。だが、その規模はあまりに小さく、遅きに失したのではないか。バイデン大統領は、アメリカの温室効果ガスの排出量を、二〇三〇年までに二〇〇五年比で五〇パーセント削減すると発表したが、連邦議会の反対に遭った[35]。英国は、同じく二〇三〇年までに一九九〇年比で六八パーセント削減するという目標を掲げた[36]。ドイツでは、二〇三八年までに石炭発電所をすべて閉鎖するという法律が成立した[37]。ニュージーランドは、二〇三五年までに再生可能エネルギーの比率を一〇〇パーセントとし、二〇五〇年までにカーボンニュートラルを達成すると発表した[38]。

企業もまた、取り組みを強化している。二〇二一年には「持続可能な開発のための経済人会議（WBCSD）」が、九つの「変革への道筋」を描き、気候変動や不平等に立ち向かうために企業が進むべき道筋を明らかにした。そのなかには、二酸化炭素実質ゼロ排出のエネルギーを、すべての人に手頃な価格で安定供給することや、安全でアクセスしやすく、クリーンで効率的な交通機関の提供も含まれる。[39]同会議のメンバー企業には3M、マイクロソフト、イケア、ネスレ、ユニリーバ、トヨタが名を連ねる。[40]二〇二一年一月、GMは二〇三五年までにガソリン車の生産と販売を廃止し、電気自動車に完全移行すると発表した。石油や天然ガス産業も参加している。二〇二一年にホワイトハウスの当局者とのミーティングで、業界最大手の石油会社一〇社が、二酸化炭素排出を削減するために、カーボンプライス〔排出される二酸化炭素に価格をつけ、排出量の相当額を企業が支払う仕組み〕の規制を支持すると発表した。[41]

個人も行動し始めている。無力感に陥りそうな気候変動の予測を前に、地球温暖化を否定したり、気候変動は運命だと諦めたりするのは簡単だろう。自分にはどうにもできない問題だ、お手上げだと思い込んでしまうのだ。自分ひとりが頑張ったところで、変化なんか起こせるはずがない、と。ところが、買い物客は消費行動を変え始めている。

たとえば、肉の消費について考えてみよう。ある推計によれば、二〇二一年に世界で人間が消費したカロリーの三〇パーセントは、ビーフ、チキン、ポークなどの肉だったという。[42]確かに、私の子ども時代には肉が夕食のいちばんのご馳走だった。私の両親が「ミートレス・マンデイ」〔月曜日は肉を食べない日。日本では「ミートフリー・マンデー」「週一ベジ」とも〕を、ましてや厳格な菜食主義（ヴィーガン）を実践している姿は想像しにくい。その後、一人前のサイズが大きくなるとともに肉の消費量も増加した。アメリカ農務省によれば、アメリカ人は二〇二〇年にひとり当たり、年間一〇二キログラムという記録的な量の赤肉と家禽類（鶏肉、七面鳥など）を消費したという。一九六〇年の七五キログラムから大幅な増加だ[43]。だが、その傾向は徐々に逆転しつつある。二〇二〇年には、アメリカの食料品店で植物由来の代替肉の売り上げが一四億ドルに達し、一年で四五パーセント増になったのだ。同じく二〇二〇年に、アメリカの世帯の約五分の一が代替肉製品を購入し、そのうちの三分の二はリピート率が高かった[44]。欧州では植物由来の代替肉産業は、二〇一八～二〇年に四九パーセントも拡大し、総売り上げも三六億ユーロを記録した[45]。アジアでは、代替肉の需要が二〇二六年には三倍に跳ね上がると期待されている[46]。

その分野を見ると、あらゆる証拠がさらなる拡大を示唆している。二〇二〇年と二一年、「レベリオウスフーズ」や「リブカインドリー」のような、植物由来の食品を扱うスタートアップは巨額の資金を調達し、ヴィーガン用〝肉〟の需要は急増した[47]。藻類、ひよこ豆、昆虫などのタンパク質は、すでにニュースで頻繁に取り上げられ——深夜番組でのジョークはさておき——、コオロギやミールワームをすり潰したパウダーは、ことによると今後一〇年間で毎日の食事の原料になるかもしれない。

赤肉や家禽類を完全に諦める気になれない人にとって、トレンドは「減量主義」だ。これは、地球を救うために肉の摂取量を単純に制限することを意味する。ビーフバーガーやステーキを食べる機会や量を減らすと、大きな違いが生まれる。なぜなら、世界の温室効果ガスの総排出量のうち、肉の生産は一四・五～一八パーセントを占めるからだ[48]。

人びととの意識の変化を物語る証拠はほかにもある。二〇二一年、ＰｗＣコンサルティングが実施した「世界の消費者意識調査」では、回答者の半数が「もっと環境に優しく（モア・エコ・フレンドリー）」なったと答えた[49]。またゲッティ・イメージズ〔デジタルコンテンツのライセンス販売会社〕が二〇二〇年に、二六カ国を対象に行なった調査では、一〇人中七人近くが、カーボンフットプリント〔イントロダクション参照〕を削減するためにできることは、何でもしていると答えた。[50] 彼らのような人びとは、自分の倫理観に合うところにお金を使う。《エコノミスト》誌の調査部門「エコノミスト・インテリジェンス・ユニット」の調査を見れば、持続可能な商品のオンライン検索件数が、二〇一六〜二一年に世界で七一パーセント増加したことがわかる。特にオーストラリア、カナダ、ドイツ、英国、アメリカで、持続可能な商品に対する需要が目立って高かった。[51] エシカル〔倫理的、社会や地球環境に配慮した〕ファッションのグローバル市場は、二〇二〇年の四六億七〇〇〇万ドルから、二〇二五年には八三億ドルへと拡大すると見られる。[52] いっぽう、電気自動車の販売は、二〇二〇年には世界全体で四一パーセント急増した。市場を牽引（けんいん）するのは欧州と中国だ。[53] 二〇三八年にあなたが運転する車——いやひょっとしたらあなたを運んでくれる自動運転車——は、夜間に充電しておくタイプだろう。

本書で見ていくように、仕事、経済、消費者、トレンド、ライフスタイル、社会的ステータス、健康など、あらゆることがつながっている。そして、その中心に位置するのが気候である。日々、私たちがとる小さな行動が、いまはまだ気づいていない方法で影響を及ぼす。アマゾンでの買い物についで考えてみよう。クリックひとつで、欲しい商品が次の日に配達される。そんな便利な買い物をやめることは難しい。だが、何億人もの人たちが、アマゾンで買い物をするのをやめるという同じ選択をしたら、二〇三八年の世界にどんな影響をもたらすだろうか。その利便性は、私たちが将来に支払う代償に見合うものだろうか。

アマゾンの広告は「二〇四〇年までに二酸化炭素排出量を実質ゼロとする」[54]と謳い、世界中で一八七件の再生可能エネルギープロジェクトに投資すると発表している〔二〇二三年末の時点で四七九件〕。同社はすでに一〇万台の電気配送車を注文し、二酸化炭素排出量の削減技術に二〇億ドルを投資している。また、創業者でアマゾンの顔であるジェフ・ベゾスは、気候変動対策のために、一〇〇億ドルの個人資産を投じると発表した[55]。

そのいっぽう、アマゾンは二〇二〇年以降、カリフォルニア州南部で倉庫の数を三倍に増やした。そのうちの一部は、州内で最も有毒物質の排出率が高い地域にある。たとえばサンバーナーディーノは、アメリカで最もオゾン濃度の高い地域のひとつだ[56]。倉庫から八〇〇メートル以内に住んで、アマゾンやほかの会社で働く人の八五パーセントは有色人種だ。ひとつの倉庫から八〇〇メートル以内にある学校の数は、六四〇校を数える。調査によると、その近隣はトラックの出入りによる大気汚染がひどく、大気質の悪さや健康被害との相関関係が認められるという[57]。ああ、もちろん専用の電気配送車を増やすアマゾンは素晴らしい。だが、それで充分だろうか。サンバーナーディーノやほかの場所で住民の健康を悪化させたアマゾンの責任を、それで罪滅ぼしできるとでもいうのか。

製造と輸送は昔から、環境汚染やそれに関連がある症状の一因となってきた。インターネット時代の新たな展開は、消費者として自分が加担している問題について、もはや何も知らないふりは押し通せないことだ。あなたがオンライン小売業者に注文した商品はあなたを顧客として、気候状況を悪化させる当時者として、共謀者として、気候変動ストーリーの一部に組み込む。さらには、あなたにこう自問するよう迫るかもしれない。カーボンフットプリントをいますぐ削減するよう、どうしたらあのオンライン小売の巨大企業に影響を及ぼせるだろうか。アマゾン、京東商城〔ジンドン・ショウジョウ。中国のアマゾンと呼ばれる〕やその競合は、地球の再生に貢献できるだろうか。オンラインで買い物をする私たちはどうだろうか。

将来について考える時、私たちには恐れる理由もあれば希望を抱く理由もある。どちらの反応も、本書で紹介する動向に反映されていることがわかるだろう。私たちは混乱にどう対応するのか。恐れをなして撤退するのか。それとも、恐れを燃料に行動し、変革を起こそうとするのか。混乱にどう立ち向かうかは、私たちがどんな未来を迎えるかを決定づける——最もとは言わないまでも——極めて重要な要素には違いない。

一〇年以上も前、私は「睡眠は新たなセックス」だと予測した〔現代人は疲弊しており、セックスよりも睡眠のほうが重要であり、欲望の対象だというような意味〕。今日、私の予測はそれ以上に荒涼としている。暗いニュースばかりで不安になり、眠れない夜が増え、ますます不安が募る。気候変動と環境破壊に打開策があるとして、二〇三八年を迎える前に、その打開策が実現することは絶対にない。となると、私たちが望む最善策は、地球衰退の速度を遅らせ、いまはまだ想像もつかないような科学的、技術的な解決策のために充分な時間を稼ぐこと——そしてそのために、経済的なアプローチを考え出すとともに、化石燃料に依存せず、過剰消費を控えることだ。

大量消費主義社会にとって、もっと充実し、もっと持続可能な選択肢が見つけ出せれば、さらに利益があるだろう。いつも崖っぷちの混乱状態にあるように思える世界に対して、コントロールできているという感覚を吹き込むのだ。

第四章　現在という混乱

混乱はとつぜん生じたりしない。夜明け前に玄関ドアを激しく叩いて現れる警察の家宅捜索とはそこが違う。ある日、あなたはつま先に打撲した時のような青い変色を見つける。たいしたことはないと思い、放っておく。ところが、がんと判明して片足を失ってしまう。海辺に建つアパートメントビルには構造上の欠陥があり、コンクリートが劣化する。住民が集まって問題について話し合ったものの、これといった措置はとらなかった。ある夜、建物はわずか一一秒で崩壊してしまった。

混乱は新しい現象ではない。私たちはいつも、食料不足や自然災害、部族紛争や武力衝突、パンデミック、経済の内破によって起きた崩壊を体験してきた。二〇世紀のふたつの世界大戦を思い出せば充分だろう。歴史の大半は不確実、不安定、恐怖の連続である。

特定の年に焦点を当ててみればわかりやすい。たとえば一九六八年だ。この年、パリやワルシャワからワシントンＤＣ、メキシコシティ、東京まで、大規模な学生運動が世界中の都市を揺るがした。アメリカでは政治家の暗殺（ロバート・ケネディ上院議員、マーティン・ルーサー・キングＪｒ．）

が続き、社会的な衝突と暴動の嵐が吹き荒れた。フランスでは、この年の五月に激しい抗議デモが起き、学生と労働者が大学のビルや工場を占拠し、ゼネストに踏み切った。フランスの学生にとっては、政治運動というより文化運動の面が大きかった。社会的制約に対する闘いであり、女性運動と性革命の始まりでもあった。当時、人気のあったモットーは「禁ずることを禁ずる」だった。同じ年、当時のチェコスロバキアでは、「プラハの春」を経て一時的に改革と自由主義を味わったものの、すぐに旧ソ連の軍事介入によって弾圧され、短い自由化政策は終わりを告げた。メキシコシティでは、トラテロルコ事件が起き、広場で開かれた抗議集会の参加者に軍が発砲し、数百人といわれる、いまも特定されていない数の学生が虐殺された(1)。

それにもかかわらず、この二〇年で混乱の感覚は悪化してきた。漠然とした不安や孤独とでもいうべき状況を社会全体で体験し、実存的な脅威（気候変動、パンデミック、社会不和）に曝されるとともに、多くの人は激しい不満や苦悩におののき、絶望感さえ味わっている。そのような漠然とした不安や孤独のために、現在の混乱状態は、一九六八年やそれ以前の衝突の時期に人びとが体験した混乱とは違うものになる。しかも、回避できないもののように感じる。なぜなら、現在の混乱はひとつのできごとや、ひとつの社会運動と結びついているわけではないからだ。一度にひとつずつ打撃を受けるわけでもない。非営利団体のパートナーズ・イン・ヘルスでメンタルヘルスの責任者を務め、ハーバード・メディカルスクールの准教授でもあるジュゼッペ・ラヴィオラは、混沌としたいまの時代に登場した言葉を指摘する。シンデミックだ〔社会的要因と感染症との相互作用による状況の悪化〕。私たちはそれぞれ、複数のトラウマを同時に体験する。ジャーナリストのS・I・ローゼンバウムが《ハーバード・パブリック・ヘルス》誌で述べたように、「シンデミックのシンは、シナジスティック（相乗作用を持つ）を指す。なぜなら、ストレスとトラウマの原因が組み合わさり、複合的に作用し合うことで状況の悪化に拍車をかけるからだ[2]」。ということで、パンデミックのなか、移民という立場にある人たちは医者にかかろうとせず、ますます命の危険に曝されやすくなる。自然災害から逃れた家族が新たな土地に腰を落ち着けようとすると、人種差別に遭うかもしれない。

二〇一九年になる頃には、私たちは世界のあちこちで、新たに獲得した柔軟性や自由を味わっていた。それ以前の数十年とは、異なる生き方ができるようになったのだ。それは心躍る体験には違いない。だが、すでに寄る辺なさを感じていた者にとっては、恐ろしくもあった。パンデミックに伴い、多くの者がさらに孤立感に苛まれた。なぜなら、二〇世紀の伝統的な核家族が生み出す帰属感が欠落していたからだ。私たちはすでに、家族や世帯構成をさまざまな方法でつくり出す社会へと移行している。そのため、ひとり取り残されるか、さもなければ友人や近所の人と〝サバイバル・ポッド〟〔ポッドは「さや」「小さな群れ」などの意味〕をつくらなければならない。スイスに住む私の知り合いは、五人の成人とふたりの子どもでそのようなポッドをつくり、一緒に食事をしたり、無事を確かめ合ったりした。急ごしらえの〝家族〟構成は、四人のオランダ人家族、オランダ人のシングルの女性がひとり、イングランド人の男性がひとり、スイス系アメリカ人の女性がひとりだった。一緒に料理をし、歩いて通える場所にある彼らの家のひとつに、ワークステーションまで設置した。何カ月も続く先の見えない日々を、交友と支え合いで乗り切ったのだ。

二〇二〇年に、アメリカの世帯の四分の一以上がひとり世帯だった。国勢調査によれば、一九六〇年の一三パーセントから大きく増加した[3]。また、一五歳以上の三分の一が一度も結婚したことがない。これも一九五〇年の二三パーセントから増加した[4]。さらに二〇一九年時点で、アメリカの子どもの二三パーセントがひとり親世帯であり、家族のなかに、ひとり親以外の成人が誰もいない状態だ。同じ状態の子どもは、世界平均で七パーセントにすぎない[5]。EU諸国の結婚率は一九六五年から五〇パーセントも低下したが、離婚率はほぼ二倍に増加した[6]。経済的要因によって世帯の混乱は激化した。EU統計局によれば、二〇一七年に欧州全域で貧困と社会的疎外のリスクを抱えていたのは、ふたり親世帯の場合は二一パーセントだったのに対して、ひとり親世帯の場合は四七パーセントにのぼった[7]。

それはまた、無秩序という感覚を生み出す。私たちは自然から切り離され、かつて拠り所だったコミュニティの感覚も失った。ソーシャルメディアで顔も知らない人とやりとりし、スマートフォンで何時間もドゥーム・スクローリング〔悲観的なニュースや情報ばかり次々と検索すること。ドゥームは「破滅」「最後の審判」などの意味〕して過ごす。かつてのように人と直接会って、意味のある会話を交わすこともなくなった。パンデミックのせいにはできない。ソーシャルディスタンスやリモートワークによって、その傾向が強まったことは否定できないにせよ、二〇二〇年になる前にはすでにそのような行動が定着していたからだ。

このところ、混乱や不満が蔓延している。おそらくほかのどんなことより、そのもとにあるのは、私たちが社会全体として間違った方向に進んでいるという、社会に充満する感情だ。二〇二一年、ピュー・リサーチセンターが先進一七カ国を対象に行なった調査で、回答者の六四パーセントが、自分の世代より我が子は経済的に貧しくなるだろうと答えた[8]。楽観的な回答が上まわったのは、シンガポールとスウェーデンだけだった。かつて未来が進歩を約束していた先進国において、いま、未来がもたらすのは漠然とした不安だ。

一九世紀から二〇世紀への変わり目に行なわれた予測と、二〇〇〇年に私たちが行なった予測とを比べてみよう。一九〇〇年、トーマス・F・アンダーソンという名前のライターが、数名の専門家にインタビューして、二〇〇〇年のボストンの街の様子について予測してもらった[9]。《ボストン・グローブ》紙に掲載された予測の一部は正しかった。たとえば無線電信、液冷式空気（初期の空調設備）、野球のナイターなど。いっぽう、空気圧チューブを利用した配達、動く歩道、市の暖房と照明をボストン港の潮汐（ちょうせき）で賄うなどの予測は実現しなかった。この時の予測で注目に値するのは彼らの楽観主義であり、前途により良い時代が待ち受けているという揺るぎない確信である。アンダーソンは、美しく無垢なボストンの未来を思い描き、地元の辞書には〝スラム街〟という言葉も見つからないだろうと予測した。そして、普通教育が下層階級から天才を探し出し、煤煙のない環境によって公衆衛生が大幅に改善されると考えた[10]。

アンダーソンの薔薇色の予測と大きく異なるのが、一九九〇年代に行なわれた二〇二〇年についての予測だ。二〇一九年一二月、《USAトゥデイ》紙は当時の予測をまとめて掲載した[11]。たとえば平均寿命の延び、いったん水素を充電すれば数カ月も走り続ける水素自動車など、希望の湧く予測もあったが、ほとんどは悲観的な予測だった。専門家はこんな予測をした。紙の本が死ぬ。プライバシーがなくなる。リタイア年齢が七〇歳になる。地球の表面温度が上昇する。下気道感染症と下痢性疾患の代わりに心臓疾患と抑うつ症状が、病気、障害、早期死亡のおもな原因となる。

なんとも勇気が湧く予測ではないか。

新たなミレニアムを前にした当時の悲観的な見通しは、二〇〇〇年問題の時の漠然とした不安と相通ずるものがある。私たちが予測したのは、明るい未来の夢ではなかった。それは、馴染みのない新たなテクノロジーがけしかけ、煽り立てる危機や惨事だった。

今日、私たちが感じるのは混乱の激化だ。その重要な理由は、現在と未来の危機に取り組むという、難しい問題に立ち向かう気になれないからだ。強さは、より良い明日を信じることで生まれる。だが、その強さに頼れない時、実存的な問題に立ち向かう不屈の精神を、どうやって奮い起こせるだろうか。どうせ何の違いももたらせないという希望のない状態で、変化のために闘う意味はあるのか。

このような悲観論の蔓延は、以前にはなかったことだ。懸念を覚えるほどに、私たちは不確実な不安のなかにどっぷりと浸かっている。より良い方向と思うほうに、おずおずと歩を進める。だがそこに、確信から生まれる覚悟はない。その状態をどうやって改善できるだろうか。

二〇三八年までに、私たちが頼りにできることがひとつある。それは、「クリティカル・シンキング（批判的思考）のスキル」「アジリティ（即応性、スピード感）」「レジリエンス（困難を跳ね返す力）」の三つを、若い世代に吹き込むための取り組みを体系的に、徹底的に行なうことだ。この三つによって、若い世代は間違った情報を見分けて闘い、不安や抑うつに押し潰されずに、次々に危機に立ち向かえるようになる。教室や自宅で使えるプログラムもすでにある。アプリの「ＧｏＺｅｎ！（禅で行こう＝気楽に行こうよ！）」は、「困難を跳ね返し、いつも楽しく、いろいろなことに触発される元気な子どもを育てる」親のための支援ツールだ。[12] 二〇二〇年、アメリカを代表する医療機関のメイヨー・クリニックが立ち上げた「ロード・トゥ・レジリエンス（レジリエンスへの道）」は、子ども時代のトラウマと闘う若者に向けた、六週間のバーチャルプログラムである。[13] 同じく二〇二〇年に、香港大学の准教授ジャネット・ボーランドは、『地震を体験した子どもたち――東京の廃墟からレジリエンスを築く（Earthquake Children: Building Resilience from the Ruins of Tokyo）』（未邦訳）を刊行した。[13] 一九二三年の関東大震災の復興が、いかにして現代日本のレジリエンスと、非常時に平静を失わない能力の基礎を築く一助となったか、について考察している。[14]

混乱の世界を逃れたくなる時、シンプルで「幸せな時間」という贅沢品も利用できるだろう。アイソレーションタンク〔外部の光や音を遮った空間で、塩水に浮かぶことができる専用カプセル〕や、家庭で試すソルトセラピールーム、郊外の小さなショッピングモールで見かけるサウンドヒーリング・スパはどうだろうか。あなたなら混乱の世界を六〇分離れるために、いくらなら払っても構わないだろうか。

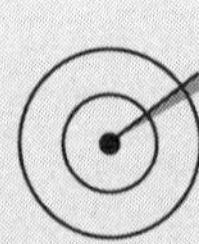

レーダー予測　二〇三八年

二〇三八年になる頃には、より多くの人が〝実生活〟を抜け出して、念入りに構成されたメタバースで過ごすだろう。インターネット上に構築された仮想世界で、アバター（分身）となってやりとりし、遊び、買い物をし、アートを楽しみ、あちこち移動する。最終的に参加者がある種のコントロール感を得られるのは、現実世界ではなく、この世界かもしれない。

古いことわざがある。「ぴったり締まったところに裂け目が生じる」。二〇二〇年、ひとつの危機――気候変動と厳しさを増す異常気象――に打ちのめされているところへ、パンデミックというふたつ目の危機に襲われた。人類は滅びてしまうのか。たとえ生き延びたとしても、愛する者の死を見ることになるのか。身を守るためには何ができるのか。ワクチンは完成するのか。たとえ完成したとして、果たして効果があるのか。安全性はどうなのか。貧しい国の人たちや経済的に取り残された集団にも、充分行き渡るのか。

医療的な問題だけでも恐ろしい。亡くなった方や、遺体で溢れかえった死体安置所の悲惨な報告があとを絶たない。極めて裕福な国であっても、人工呼吸器や重要な個人用防護具の不足に見舞われた。ソーシャルメディアと日和見主義の政治家やコメンテーターは、人びとの畏(おそ)れ、狼狽、古びたトラックが吐き出す排気ガスのような恐怖に乗じた。

やがて、ロックダウンが始まった。エッセンシャルワーカーとみなされないか、リモートワークの可能な者にとって、強制的な屋内退避の日々が始まった。オフィスや一部の工場は閉鎖され、それに伴い職場での交流はなくなった。家族のように思えた、あるいは近しかった職場の人間関係は無期限の中断になった。一日の仕事が終わったあとの外出はなし。家族のイベントもない。病人を見舞うことも、死期の迫った愛する者にお別れを言いに行くこともできない。ロックダウンの制限が緩和されたあとに仕事を失った者や、リモートワークが可能な者にとっては、カウチに座ってストリーミングで映画やドラマのシリーズを次から次へと見る日が、何日も、何週間も、何カ月も続いた。

だが、彼らは運が良かった。エッセンシャルワーカーと、経済的理由で出勤せざるを得ない者は、とんでもなく感染症にかかりやすい立場にあったからだ。それも特に、雇用主が充分な対策を怠った場合には。アムネスティ・インターナショナルの分析によれば、パンデミックの最初の半年間だけで、世界中で少なくとも七〇〇〇人の医療従事者が、新型コロナウイルス感染症で命を落としたという。[15] 感染者数と犠牲者数の両方において、大きな役割を果たしたのは人種だった。統計を見ると、白人は明らかにほかの人種よりもウイルスの脅威を免れていた。カリフォルニア大学のリサーチャーの発見によれば、ヒスパニック系の食品／農業関係の労働者の死亡率は五九パーセント、アジア系の医療従事者の死亡率は四〇パーセント増加したという。それと比べて、カリフォルニアに住む労働年齢の白人の死亡率は、わずか六パーセントの増加にとどまっている。[16] 医療[17]や農業[18]のような分野で働くマイノリティの数が多いことも、その差の一因である。

医療危機はすぐに経済、食料、住居、政治の危機になった。不公平の危機が激化し、何もかもが崩壊した。

二〇二〇年、パンデミックが終わる気配はなく、私たちは混乱を自分たちの内部に取り込んでしまった。絶望感、アルコール依存、自殺、ドメスティックバイオレンス（ＤＶ）など、混乱に対処する昔ながらの方法が表面化した。オーストラリアでは調査回答者の四・六パーセントの女性が、二〇二〇年五月までの三カ月間に、同居していた現在か過去のパートナーから身体的あるいは性的な暴力を受けていた。パンデミックとともに暴力が始まるか激しくなったと答えた女性は、全体の約三分の二に及んだ[19]。ＥＵでは、ロックダウン中にＤＶが原因で警察にかかってきた緊急通報において、飲酒が絡んでいたケースは六〇パーセント上昇した[20]。

地球上のどこに住んでいようと、誰もがパンデミックの影響を受けた。二〇二〇年、さらに二〇二一年以降にも、世界、国家、地域レベルで耐えたあらゆることの累積的な影響を個人レベルでも体験した。そして、当然ながら怖がり、狼狽するようになった。恐れと狼狽は、情緒的な安定性を揺るがす。だからこそ、麻痺したり、取り乱したりする。解決しない危機は混乱を招く。そして、混乱が私たちのニューノーマルになる。

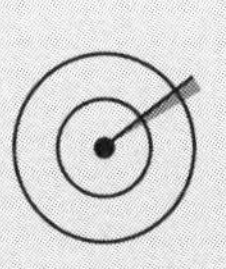

レーダー予測　二〇三八年

裕福なコミュニティには、危機コンシェルジュサービスが登場する。自然災害、パンデミック、暴動、そのほかどんな危機に見舞われた時にも住民の被害や要望に対応する、新たなかたちのサービスである。生活必需品の配達、医療専門家の派遣、医療機器の配達から、民間警備隊の派遣や避難の補助までさまざまなサービスが受けられる。医療や緊急対応において、官民の格差はさらに広がるだろう。

二〇二〇年の大統領選とその余波は、アメリカ人にとって、対立と両極化の新たなラウンドの始まりだった。二〇二〇年一〇月末、新型コロナウイルス感染症の一日の感染者数が一〇万人に近づくと、感染は三二州に拡大し、入院率が四二パーセント増加した[21]。そのような事態にもかかわらず、トランプ大統領はマスクも着用せずに選挙集会を開いた。株価は急落。シカゴオプション取引所のボラティリティ指数（VIX指数）――投資家の先行き不透明感を反映する恐怖指数――は、二〇パーセントも跳ね上がった[22]。

古代中国の戦略家、孫子の「混乱のなかにまた好機あり」という教えが真実であるにせよ、その混乱がコントロールされていなければ、あるいはさらに悪いことに、混乱を助長させてしまえば、その好機もほとんど活用されないままになってしまう。政治分野の混乱について考えてみよう。政治家が支持者の考えに迎合して既成事実を捻じ曲げたところで、事実の歪曲がもたらす混乱によって、より強大な権力への道が開けるわけではない。

《アトランティック》誌は、英国の元首相ボリス・ジョンソンを「混乱大臣」と呼んだ[23]。彼の副首相によれば、「コロナの〝混乱〟のおかげで、ますます人気が出た」ことから[24]、ジョンソンはこの呼び名がたいそう気に入っていたらしい。オンライン新聞の《インデペンデント》は、ジョンソンがこう述べたと報じている。「混乱はそんなに悪いことじゃない。みんな、僕を見なくちゃならないし、そうすれば、誰が仕切ってるかわかるからね[25]」。

混乱は、政治権力を盤石（ばんじゃく）にする手段をもたらすだけではない。犯罪行為も可能にする。デジタル世界において、それはたいていサイバー犯罪を意味する。サイバーセキュリティのリサーチ会社「コンパリテック」の調査によれば、二〇二〇年に、ランサムウェア攻撃が医療機関に及ぼした被害額は、アメリカだけで二〇八億ドルにのぼるという。[26] 二〇二一年五月、フランスの保険会社アクサ（ＡＸＡ）のアジア部門が、ハッキング被害に遭った。今後はランサムウェア攻撃による身代金支払いの補償契約を停止するとアクサが公表したことが、ハッキングのきっかけになったと思われる。[27]

サイバー空間の脅迫は二〇三八年に向けて増大するだろう。世界経済フォーラム「グローバルリスク報告書二〇二一年」は、サイバー攻撃を世界のおもな人為的リスクと位置づけている。[28] 報告書の著者はこう警告する。サイバーセキュリティ対策を怠れば、「より洗練され、頻発するサイバー犯罪によって、政府、企業、家庭のサイバーセキュリティのインフラと対策、あるいはそのどちらかが追い越され、時代遅れになる。その結果、経済の崩壊、金銭的な損失、地政学的な緊張、社会の不安定化のすべて、あるいはそのいずれかを引き起こす[29]」。

リサーチ会社の「サイバーセキュリティ・ベンチャーズ」の推定では、二〇二五年には世界のサイバー犯罪の被害額が、年間一〇兆五〇〇〇億ドルに達するという。二〇一五年の三兆ドル、二〇二一年の六兆ドルから急増する見込みだ。[30]

混乱はアナログ世界でも高まっている。老朽化したインフラの修繕や改修について政府が本腰を入れないと、どんな悲劇が起きるかを考えてみればいい。二〇二一年七月、アメリカ東海岸を熱帯低気圧のエルサが北上し、ニューヨークの地下鉄はプラットホームや階段が浸水し、乗客は大人の腰の高さまで濁った水に浸かってしまった[31]。数日後、今度は中国を記録的な豪雨が襲い、地下鉄のトンネルが浸水し、少なくとも十二人が溺れるか流された[32]。ロンドンの地下鉄駅では、〝ノアの方舟（はこぶね）を思わせる〟暴風雨に見舞われ、洪水が発生した[33]。

この二、三〇年というもの、世界中であらゆる種類の構造的欠陥を目撃してきた。橋の崩落（二〇〇二年にはインドで一三〇人以上が、二〇一八年にはイタリアで四三人[34]が死亡した）。ダムや堤防の決壊（二〇〇五年のハリケーン・カトリーナによる胸が締めつけられるような被害映像を、誰が忘れられるだろうか）。ほかにも、土木や設計のミスが原因で起きた被害。二〇一二年にインドで停電が発生し、世界人口の九パーセントが電気を使えなくなった[35]。二〇一一年、アメリカの連邦監督機関の報告書は、例年よりもひどい寒波に、テキサス州の発電所が持ちこたえられない可能性について警鐘を鳴らしたが[36]、助言をまともに受け取った者はいなかった。その結果、二〇二一年の大寒波によって停電が発生し、州内の四五〇万超の世帯と企業は（テキサスとしては）厳しい寒さのなか、何日も電気なしで過ごすはめになり、二〇〇人近くが亡くなった[37]。

気候変動に直面し、状況は悪化の一途をたどるだろう。アナリストの予測によれば、とりわけひどい影響が現れるのは、滑走路の冠水、予想よりも早い橋の劣化、酷暑による道路の陥没や線路の歪みだという[38]。

このようなシステムの崩壊を、どの組織が未然に防げるだろうか。人びとが無事に移動でき、システムが支障なく機能し続けるために、誰が資金を負担するのか。最も豊かな先進国でさえ、数千万人が無事に通勤したり安全に移動したりできず、停電が発生し、清潔な飲み水が手に入らず、自宅にいても身の安全が感じられない時、いったい誰が混乱を制御するのだろうか。

ほんのわずかな変化であっても、大きな影響を及ぼす。最初はたいして重要には見えないかもしれない。さほど特別には見えなくても、影響は徐々に積み重なっていく。そしてとつぜん、何の前触れもなく大きな被害をもたらす。

自然災害が経済にもたらす影響がそうだ。ハリケーン・カトリーナの被害額は一七二五億ドル。[39]二〇二一年七月にドイツを襲った洪水の復旧には、七〇億ドル以上がかかったとされる。[40]このような災害を防ぐか対応するために、川の土手に土嚢を積み上げる。野外病院を急造する。献血し、お金を寄付する。言い換えれば、コミュニティの一員として、市民として、集団に帰属する者として為すべきことをする。

新型コロナウイルス感染症は、そのような災害とはタイプが違った。当初、この感染症に対する充分な知識がないため、私たちは麻痺した。さらに政治の混乱と間違った情報が加わり、私たちはとつぜん、病弊にもうひとつ病弊を重ねてしまった。「間違った情報は、それ自体がウイルスなのです」と言ったCNNのアンカー、ブリアナ・キーラーは正しかった。[41]ロックダウン（政府による強制の場合も、個人による自主的な場合も）の一年後、ワクチン接種者が充分な数に達し、アメリカは閉じた扉を開き始めた。海外旅行の規制が撤廃される。家族は休暇に出かける。人びとは人間らしい生活を取り戻し、感染症に悩まされた一年間の記憶を振り払い、何も問題ないようにふるまった。とはいえ、万事オーケーではなく、今後しばらく順調とはいえないことは重々承知していた。

二〇二一年夏、短いパーティシーズンが軋みをあげて終わりを告げ、デルタ株が欧州とアジアから北米に上陸し、感染者数が再び急増した。二〇二一年八月初め、アメリカにおいてこの変異株は、配列が新たに決定された全症例の少なくとも九三パーセントを占めた。デルタ株は、もとの株よりも感染力が二倍強いと考えられ、やがて世界各国で検出された[42]。

明るいニュースは、デルタ株の感染者数が激減したことだ。この変異株がいち早く現れたインドと英国も同じだった。さらに明るいニュースがあった。二〇二一年一〇月半ばの時点で、世界人口の三七パーセントがワクチン接種を終えていたこと、そのなかには十億人超の中国人も含まれていたことだった[43]。気の滅入りそうなニュースは、二〇二一年秋に感染力の極めて強いオミクロン株が襲来した件と、今後も別の変異株の登場が避けられないことだった。だが、さらに暗いニュースがあった。それは、人びとを恐怖と動揺の極限状態に陥れておけば、極めて大きな利益があげられるという事実に、権力欲の強い一部の人間が気づいてしまったことである。その結果、私たちは新型コロナウイルスよりも、もっと大きなものと闘っていた。それは虚偽情報であり、私たちの反目を狙う企みである。グローバルな政治の分裂と、進歩の阻止を目論む既得権益集団がもたらす苛立ちである。そしてとりわけ、私たちを呑み込んでしまいそうな混乱と、私たちは闘っていた。

対立と混乱が最も明白なのはアメリカだろう。この一世紀以上、道徳的な優位と自信こそがアメリカの神話だった。だが、そのような輝きを思い出すのはますます難しくなっている。

第五章　アメリカ分裂

トレンドはますますグローバルなレベルで展開する。それなら、なぜアメリカと、現在のアメリカで進行しているアイデンティティの危機に、本章すべてを充てるのか。その理由はシンプルだ。今日、この若い国家に人生の影響を受けていない者は、地球上でまずいないからだ。アメリカの人口は、世界人口の四・二五パーセントを占めるにすぎない。だが、世界を牽引する超大国として、トレンドの中心地として、この一世紀近く、基本的にどこの国家にもその地位を脅かされることなく君臨してきた。そしていま、この「好機の国」はこれまでにない難しい問題に――アメリカの権威に対する外部からの猛攻と、両極化、大変動、停滞という内部からの破壊的な力の両方に――直面している。アメリカの衰退はさまざまなレンズで見ることができるが、おそらくその衰退が最も明白なのは、移民受

＊：科学者はゲノム配列決定分析を利用して、新型コロナウイルス感染症と診断された感染者から採取したウイルスサンプルと、ほかの感染者から採取したウイルスサンプルとを比較する。

け入れに対する世界からの評価だろう。

一八八六年以来、自由の女神はアメリカの代表的シンボルだった。フランスからやってきたこの移住者は近年、その輝きを失った（自由の女神は、合衆国の独立承認一〇〇周年を祝ってフランスが寄贈した。船に乗って到着した移民にとって、新天地の象徴である）。台座には、次のような言葉が刻まれている。「我に与えよ。倦み疲れ、貧しさに喘ぎ、自由に焦がれて群れなす民を」。一八八三年に詩人のエマ・ラザルスがこの詩を紡いだ時、この言葉は理論的にはこの若い国の精神だった。ところが、いまのアメリカはこの理念にはほど遠い。

その根底にある事実として、レトリックや俗説に反して、アメリカが移民を歓迎する国だったことはない。新しい移民は次に来る者を常に見下し、また「人種のるつぼ」という表現があるにもかかわらず、市民は明らかに自分たちと同じような外見と考え方の新しい移民を好んだ。それでも、アメリカの際立った特徴は多文化で構成されている点にある。証拠が必要なら、オリンピックの開会式で行進するアスリートたちを見ればいい。ほかの国の選手団の姓は比較的〝類似〟している。ところが、アメリカ選手団の場合、類似性は見事に吹き飛ぶ。二〇二一年に東京で開催されたオリンピックの場合、開会式で行進したアメリカ選手団の姓はこんな具合だった。ミュアグトゥシャ、ホランド、ジャー、クマル、ラルー、カポビアンコ、セント・ピエール、オブライエン、フェデロウィクス、スチュワート、キピエゴ、イングリッシュ、ユセフォ、ヅアン、ライブファイス、ロスキアボウ、コンステイエン、パパダキス、バッキンガム、ムシノ＝フェルナンデス、モリカワ、アプタグラフィ……。私の言いたい意味がわかるだろう。

実際は歓迎していたわけではなかったにせよ、アメリカには移民を吸収してきたという、ほかの国にはない歴史がある。一九五〇年の訴訟で、最高裁判事のヒューゴ・ブラックは、アメリカの市民権は「高い特権」であるだけでなく「かけがえのない宝」だと表現した。[1]ところが、宝であるはずの市民権を手放すアメリカ人が増えている。二一世紀に入って最初の一〇年、アメリカの市民権を放棄した者は毎年一〇〇〇人に満たなかった。それが、二〇一〇年には一五三四人に増えた。[2]二〇一六年には五四一一人に。そして、二〇二〇年には記録を更新して六七〇七人を数えた。[3]彼らの多くが、税金の負担を軽減したい富裕層の個人だったことは間違いない。とはいえ、それ以外の要素が働いているように思える。二〇一八年七月四日の独立記念日の直前に、ギャラップがアメリカ人の愛国心について世論調査を行なったところ、過去一八年間で最も低い数字を記録した。アメリカ人であることを「非常に誇りに思っている」と答えたのは、回答者の四七パーセントにとどまったのだ。二〇一七年には五一パーセントであり、二〇〇三年の同時多発テロのあとに記録した、七〇パーセントという最も高い数字からは大幅に下がってしまった。[4]

これらの統計は、全般的な凋落（ちょうらく）の感情と一致する。二〇二一年一月、アメリカの最盛期はこれからやってくると答えたのは、アメリカ人回答者のかろうじて半数だった（五四パーセント）。このデータをもう少し詳しく見てみると、党による偏りが明白だ。民主党支持を自認する回答者の四分の三以上（七七パーセント）が、民主党のリーダー（バイデン）がホワイトハウス入りすることで、アメリカの最盛期はこれから訪れると考えていた。それに対して、共和党支持者で同様の考えを持つ回答者は、全体の三分の一にも満たなかった（三一パーセント）。[5]

つい最近まで、アメリカ人は楽観主義で知られていた。この傾向は、たいてい良い意味で揶揄されるとともに、称賛されてきた。二〇一三年にもピュー・リサーチセンターの調査で、四一パーセントのアメリカ人が、その日は「とりわけ楽しい日」だったと答えたのに対して、同じように答えた英国人は二七パーセント、ドイツ人が二一パーセント、さらに日本人の場合はたったの八パーセントだった(6)。

「欧州からアメリカを訪れた人が、必ず強い印象を受けることがある。それは、普通のアメリカ人が国の未来について抱くエネルギー、熱意、自信だ。欧州の大部分を覆う厭世的なシニシズムとは快い対照だ」。二〇〇一年、アイルランド人哲学者のチャールズ・ハンディは《ハーバード・ビジネス・レビュー》誌にそう述べている(7)。ハンディはこの論文のなかで、一八三〇年代に独立したばかりのまだ若いアメリカについて、フランスの政治学者アレクシス・ド・トクヴィルの印象が、いまも変わっていないことを考察した。トクヴィルが特に感銘を受けたのは、アメリカの政治システムが国民の物理的なコミュニティを頼りにできることだった(8)。彼の目には、欧州の閉鎖的な社会階級と経済階級に対して、アメリカのタウンシップ（基礎的な自治体）は民主主義の優れた強みに映った。

トクヴィルが視察を終えて帰途についてからほぼ二世紀が経ち、タウンシップどころか小さな町で暮らすアメリカ人を見つけるのも難しい。一八三〇年以前に都市に住んでいたアメリカ人は一〇パーセントにも満たなかったが、一九三〇年には六〇パーセントに増え(9)、二〇二〇年には八六パーセントにのぼった(10)。アメリカの三八四を数える都市圏のうちの三一二が、二〇二〇年までの一〇年間で人口が増加している(11)。

アメリカ人は、地元の小さな店からウォルマートで、さらにオンラインショップで買い物をするようになった。あちこちの町は、残り少ない生徒を集めて地域の高校に入れざるを得なくなった。それでもなお、町は消えていない。地方に残る町では、減りゆく人口が小さな町での暮らしを楽しみ、試練に耐えている。経済の縮小、インフラの劣化、二級の教育、高い薬物使用率は珍しくない。東西海岸のエリート層はそのような町を見下して〝フライオーバー〟と呼ぶ（飛行機が頭上を通過するだけのアメリカ中央部、あるいは中西部の遅れた田舎のこと）が、そのような態度が重大な結果を招いた。二〇一六年アメリカ大統領選の投票日の約二カ月前、ヒラリー・クリントンはある資金調達集会で、トランプの支持者を「人種差別主義、性差別主義、同性愛嫌悪、外国人嫌悪、イスラム嫌悪」の「嘆かわしい人たちの群れ」と呼んだのである。[12]驚くことでもないが、ヒラリーの発言の標的とされた有権者のほとんどは、彼らの怒りを共有するトランプに投票した。[13]

今日、ひと握りのアメリカ人をランダムに選んだら、彼らが住んでいる州の都市は、小さな町が点在する州の全人口よりも多くの人口を抱えているだろう。二〇二〇年の国勢調査によれば、ニューヨーク市の人口は八八〇万人だ。[14]そのニューヨーク市よりも多くの人口を抱える州は、（ニューヨーク州を除いて）一一州しかない。また、二〇二一年にロサンゼルス郡（九八〇万人）は、二三州よりも多くの人口を抱えていた。ああ、その通りだ、読み間違いではない。ロサンゼルスの住民は、コネチカットやオクラホマ、ネバダやミシシッピなど二三州のそれぞれの州の人口よりも多いのだ。

人口の集中は続く。《ニューヨークタイムズ》紙は、一九八〇年以降、アメリカの人口増加の約四〇パーセントが、カリフォルニア、フロリダ、テキサスのたった三つの大きな州で起きたと報じている[15]。ワシントンDCにある「人口問題研究所（PRB）」の推計によれば、もしこの動向がこのまま続けば、二〇三〇年にはこの三州を合わせた人口は一億人を突破するという[16]。アメリカ人の三分の一はすでに、この三州とニューヨーク州で暮らしている。この数字は、人口の少ない三四州の合計よりも多いのだ[17]。

この情報は、トリビアナイト〔雑学クイズを出し合うゲームイベント。たいてい夜、パブや友だちの家に集まって行なう〕に役立つだけではない。権力を握って連邦議会議員に当選した際には深い意味を持つ。人口の多い四州を代表するのは八人の上院議員だ。それに対して、人口の少ない三四州の上院議員は六八人。言い方を換えよう。アメリカの全人口の三分の一に満たない州が、上院の投票数の三分の二以上を占めているのだ〔上院議員の定数は計一〇〇人〕。

この不均衡は、憲法起草者の意図に沿うものではなかった。事実上、国民の住所が国民の権利を奪うことになるとは想像していなかった。さらには、政治コラムニストのノア・ミルマンの指摘にも動揺したに違いない。カリフォルニアやテキサスのような人口の多い州が、適切な範囲を超えて、はるかに大きな影響を及ぼしていると指摘したのだ。「環境規制や教育政策などの問題について」と、ミルマンは書いている。「巨大な州は、小さな州が簡単には異議を唱えられない一方的な行為によって、国家の政策を決めたり無効にしたりすることができ」、「連邦政府と州政府に不当な影響力を行使している[18]」。

アメリカは次から次へと分裂しているのだろうか。人口の少ない州対人口の多い州。共和党対民主党。地方の白人対リベラル、アフリカ系アメリカ人、ヒスパニック系。高い教育を受けた専門職対ブルーカラー。支払い能力のある者対貧困に喘ぐ者。ニュース専門放送局で言えば、OAN（親トランプ急進右派）対FOX（親トランプ保守派）対MSNBC（リベラル）。政治コメンテーターで言えば、タッカー・カールソン（保守）対レイチェル・マドー（リベラル）。

実際、社会政治的、世代間、個人間の分裂は、デジタルテクノロジーと同じように現代アメリカの一部だ。現代のミームについて考えてみよう。恐ろしく、おぞましい嘲笑の的である「カレン」だ。綴り方はいろいろあるが、カレンは一九五〇～六〇年代のアメリカで非常に人気のあった女性の名前だ。私と同じ世代の、態度の悪い女性を非難する時にこの名前を使う。《アトランティック》誌は書いている。「パンデミックのあいだ、無知のせいか強烈な特権意識のせいか、ソーシャルディスタンスを守ることにヒステリックに反対した白人の中年女性を指す言葉として、〝カレン〟という名前が使われるようになった[19]」。

マスク拒否という特徴については当たっているが、典型的なカレン（あるいは男性版のチャド）が体現しているのは、マスクの件だけではない。カレンは、まさしく大量消費主義の奴隷であり、白人の特権と現状維持の猛烈な擁護者である。また、オンライン世界では確信に満ちた執念深い〝荒し〟（しかもたいてい情報は間違っている）だ。二〇年以上にわたって必死にペダルを漕いで守ってきた、何の価値もないものごとを誇りに思っている。

前例のない富と極貧、奇跡のようなテクノロジーと地球の破壊。カレンほど、いまの時代の高潔と憤怒、崇高さと滑稽さを巧みに捉えているミームはない。純粋に実存的な脅威に直面した時、人びとは協力して解決策を見つけ出すはずだと思うだろう。ところが、実際はそうではない。責任を負わせ、激しく非難できる都合のいい標的を必死に探し出そうとする。ベビーブーマーは、ミレニアル世代（だいたい一九八〇年から九〇年代半ば生まれ）とその後に続くZ世代（イントロダクション参照）を、大人になりたくない〝ピーターパン症候群〟の理想主義者と呼ぶ。対するミレニアル世代とZ世代は、ほぼすべてのことで、ブーマーを槍玉にあげる。それこそ、気候変動から制度的人種差別まで、ジェンダーや富の不公平からグローバルな闘争まで、ほぼありとあらゆる責任についてだ。

おそらくアメリカ人がこの数十年にわたって、分断された自国を見てきた方法はあまりに簡素化されていて、彼らがいま体験している現実とはかけ離れているのだ。二〇二一年、著書『最後にして最大の望み――危機と再生のアメリカ（Last Best Hope: American in Crisis and Renewal）』（未邦訳）のなかで、ジャーナリストのジョージ・パッカーは、アメリカにはいま、次の五つの下位部門（サブセクター）があると述べている。

・自由なアメリカ。レーガン主義のアメリカ（個人の自由と責任を重視する）
・スマートなアメリカ。シリコンバレーとそのほかの専門職に就くエリート層のアメリカ
・現実のアメリカ。トランプ主義者が反応するアメリカ。「彼らは良いことがどうなっているか聞きたがらない。彼らが聞きたがるのは、悪いことについてだ」
・平等なアメリカ。「『僕のほうが君よりいい。君にできないことも僕にはできる』と誰も言えず、みなが同じくらい優れているという、アメリカ人に深く根づいた古き良き考え方」

・公正なアメリカ。「新世代の左派」

五つの相違は興味深いが、ジョージ・パッカーにとって重要な点はそこではない。彼が指摘するように、アメリカの分裂を生んだ原因は、アメリカが二一世紀初めに失った五〇〇万人の製造業の雇用であり、労働者階級の賃金の下落である。これが結局、「浮上する専門職と沈下する労働者というふたつの階級」を生んだ。パッカーは次のような結論を導く。「多くの要素をすべて包含する優れた民主主義をつくり出す必要があるというアメリカ人の共通信念を、不平等が損ってしまった[20]」。

パッカーが見つけ出したのは、アメリカがもはや、共通の行動、信念、価値観によってひとつにまとまった国家ではなく、ましてやトクヴィルがあれほど高く評価したタウンシップに熱心に参加する国家ではないことだった。むしろ、激化する不公平がアメリカを、権力も影響力もさまざまに違う、まったく異なる集団が並び立つ国に変えてしまった。先に述べたエコーチェンバーは、「多数から成るアメリカ」の現れだ。

この数十年、〝アメリカ〟という共通概念は、おもにミドルクラスを中心に展開してきた。明るい未来が描けた人たちだ。かつて彼らは庭の芝生をきれいに刈り込み、期限内に税金を納め、子どもを公立学校へやり、華やかなパレードや社交クラブへ出かけた。テレビのシットコムで言えば、古くは「ハッピーデイズ」のリッチー・カニンガムと彼の家族であり、続いて「ファミリーマターズ」のウィンズロウ家であり、最近では「ザ・ミドル　中流家族のフツーの幸せ」のヘック家である。

その中間所得世帯が縮小している。ピュー・リサーチセンターによると、一九七一年には成人の六一パーセントがミドルクラス世帯だった。それが、二〇一九年には五一パーセントに減少した[21]。そのいっぽう、理由のひとつは、高所得層入りを果たすアメリカ人が増えたという、前向きな動向にある。その懸念されるとともに社会の安定を脅かすのは、ミドルから社会の上のクラスに流れ込む〝人〟ではなく〝富〟のほうだ。一九七〇〜二〇一八年に、ミドルクラス世帯が稼いだ所得総額の割合が、二〇パーセントポイント近くも下落し、全体の約三分の二（六二パーセント）から半分以下（四三パーセント）へと減少した[22]。しかも、富の格差は拡大の一途をたどっている。二〇〇一〜一六年、中間所得家庭の純資産の中央値は二〇パーセント低下した。低所得家庭の場合はさらに低下が著しく、四五パーセントも激減した。それなら高所得層は？　まったく別の世界だ。高所得層は、純資産が三三パーセントも増加したのである[23]。

連邦議会で民主党と共和党が歩み寄れないなら、経済的不平等がすぐにも大幅に縮小するとはとても期待できない。賃金動向を見れば明らかだ。一九七八年から二〇一九年に、アメリカの平均的な労働者の給与は一四パーセント上昇したが、これではとてもインフレに追いつくどころではない。同じ時期に、ＣＥＯの報酬はどのくらい上昇したか。二〇パーセントくらい？　あるいは一〇〇パーセント？　なんと一一六七パーセントだ[24]。今日、大企業のＣＥＯは平均して、一般的な従業員の三二〇倍の報酬を得ているのだ[25]。

これらの数字を見れば、二〇三八年のアメリカの姿がおぼろげに見えてくるだろう。

まず、人口は増加する。二〇二一年に三億三一〇〇万人だった人口は、二〇三〇年にはおそらく三億五〇〇〇万人に達するだろう。そして、多くがシニア世代になる（二〇一〇～二〇年に最も高齢化が速く進んだ都市圏を知って驚くかもしれない。それは、フロリダ州にあるザ・ヴィレッジズだ。五五歳以上の人が暮らす退職者コミュニティであり、その一〇年で高齢化が三九パーセントも進んだ）[26]。そして、アメリカはもっと多様化が進む。一九八〇年、アメリカの人口の八〇パーセントが白人だった[27]。二〇二〇年、その比率は六〇パーセント弱に減少した。二〇三〇年頃には、ヒスパニック系を除く白人は五五・八パーセントに、ヒスパニック系は二一・一パーセントになると見られる[28]。アフリカ系とアジア系もそれぞれ、一三・八パーセントと六・九パーセントに増加する。

アメリカは歴史的瞬間を迎えつつある。白人がマイノリティになるのだ。二〇六〇年になる頃は、白人は人口全体の四四・三パーセントになると見られる[29]。

今後、二〇三八年までに起きる人口統計上、同じくらい重要な変化は世代と関係がある。二〇一〇年の調査に基づいて国勢調査局が二〇二〇年に公表した報告によると、二〇三四年頃のアメリカでは、六五歳以上の人口が一七歳以下の人口を上まわっているという。これはアメリカ史上初めてのことだ[30]。すでに危機に瀕している社会保障システムにとっては、まったくありがたくないニュースである。二〇六〇年には、人口のほぼ四人にひとりが六五歳以上になる。現在の約一五パーセントから大幅な増加だ。さらに八五歳以上について言えば、二〇三五年には二倍（一一八〇万人）に増え、二〇六〇年には三倍（一九〇〇万人）に増えるだろう[31]。

このような人口動態の変化は、住居から医療までのあらゆることに影響を及ぼす。まず、予想され

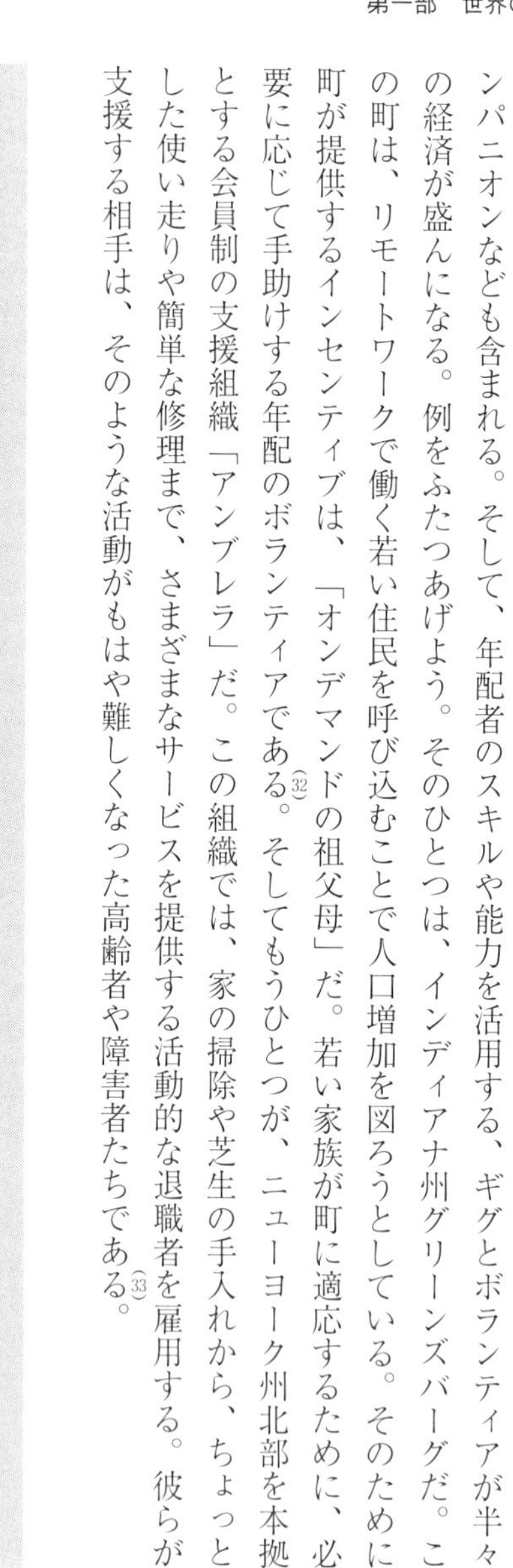

るのは集団生活が増えることだ。年配者のニーズに合わせた「スマートホーム」が登場する——これにはたとえば、薬物治療の指示に従っているかモニターし、寂しさを紛らわせてくれるロボットのコンパニオンなども含まれる。そして、年配者のスキルや能力を活用する、ギグとボランティアが半々の経済が盛んになる。例をふたつあげよう。そのひとつは、インディアナ州グリーンズバーグだ。この町は、リモートワークで働く若い住民を呼び込むことで人口増加を図ろうとしている。そのために町が提供するインセンティブは、「オンデマンドの祖父母」だ。若い家族が町に適応するために、必要に応じて手助けする年配のボランティアである[32]。そしてもうひとつが、ニューヨーク州北部を本拠とする会員制の支援組織「アンブレラ」だ。この組織では、家の掃除や芝生の手入れから、ちょっとした使い走りや簡単な修理まで、さまざまなサービスを提供する活動的な退職者を雇用する。彼らが支援する相手は、そのような活動がもはや難しくなった高齢者や障害者たちである[33]。

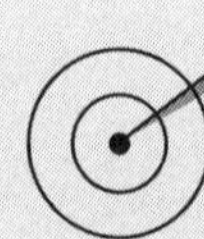

レーダー予測　二〇三八年

二〇三八年には、高齢者ケアに対するアプローチが大きくふたつに分かれるだろう。老人ホームや介護付き住宅で、シーツ交換、食事の用意・配膳などの日常業務は、人間のケアスタッフに代わってますますロボットがサービスを提供するようになる。そのいっぽう、コミュニティが高齢者を社会に取り込もうとする。たとえば、高齢者が暮らす集合住宅と学校やファミリー向けのレクリエーションエリアとが合体した、総合的な施設を建設することもそのひとつだ。

アメリカはもはや、建国の父が健在だった頃のアメリカと同じではない。そのため、アメリカの神話が消滅しかかっているとしても驚かないはずだ。アメリカ人はいまだに大声で「アメリカがナンバーワンだ!」と叫ぶのが大好きだとしても、二一世紀のいろいろな基準では客観的に言って正しくない。二〇二一年の経済自由度指数は、一七八カ国中二〇位である[34]（二〇一〇年には八位だった[35]）。《USニューズ&ワールドレポート》誌が毎年発表する「ベストカントリー」のランキングでは、二〇二一年はカナダ、日本、ドイツ、スイス、オーストラリアに続いて六位だ[36]（二〇一〇年には四位だった）。ほかのランキングでも「医療の質」で三〇位[37]、「二五〜三四歳の高学歴の割合」で一四位[38]、「女性にとってのベストカントリー」で一八位[39]、「平均寿命」では四六位だ[40]。それなら、アメリカが一位の指標は何だろうか。軍事費、武器の輸出、牛肉の生産量、犬と猫の飼い主の数[41]。ほかの国によるアメリカの捉え方にも変化が見られる。トランプが大統領に就任した年、アメリカのグローバルな地位は大打撃を受けた。二〇一七年、ピュー・リサーチセンターが三七カ国を対象に実施した調査で、「トランプが国際問題で正しいことを行なうと確信している」と答えた人は、平均して二二パーセントにとどまった。これは、オバマ大統領の最後の数年間に、「アメリカ大統領を信頼する」と答えた回答者が六四パーセントだったことと比べて著しい低下だ[42]。

二〇一八年、ピュー・リサーチセンターの調査はアメリカに対する態度のばらつきも明らかにした。

アメリカの最も古い同盟国であるフランスで、アメリカに良い印象を抱いているのはわずか三九パーセント。英国では五〇パーセント。アメリカに対する好感度が高かったのはアジアである。日本では六七パーセント、韓国では八〇パーセント、フィリピンでは八三パーセント。アメリカの隣人の意見は？　メキシコが三二パーセント、カナダが三九パーセント[43]。あまり期待の持てる数字ではない。

アメリカの凋落を物語る証拠がたくさんあるにもかかわらず、多くのアメリカ人は、自国が落ちぶれていくという考えに必死に抵抗してきた。それは、アメリカ例外主義の神話に反するからだ。アメリカは価値体系、政治システム、歴史によってほかの国とは本質的に異なる、という考えが広く信じられている。例外という言葉は、アメリカンドリームと同じくらい、アメリカのナラティブと自己意識にとって重要なのだ。

そして、パンデミックが起き、多くのアメリカ人にとって、自分の国が今回の危機に対処するには見事なまでに準備不足だったことが、即座に露わになった。アメリカ人は何十年ものあいだ、よその国がコレラ、デング熱、エボラ出血熱など致死性の感染症に取り組む様子を眺めてきた。アメリカの保健当局なら国民を守ってくれるはずだ、と確信していた。歴史学者でハーバード大学元学長のドリュー・ギルピン・ファウストは、次のように述べている。アメリカが医療分野と社会分野で優れた功績を成し遂げたことで、多くのアメリカ人は「自分たちはどんな事態にも準備ができていた。自然を征服した」と信じ込んでおり、「まさか自分たちの身にこんなことが起きるとは、思ってもいなかった」[44]。だが、パンデミック宣言の数週間後に、ニューヨークのセントラルパークにテントの野外病院がつくられたことはどうか。病院の駐車場に、冷蔵トラックを使った臨時の遺体安置所が急造されたことは？　看護師がゴミ袋を使って急遽、個人用防護具をこしらえたことは？　もちろん思ってもみなかった。「人間が自然を支配したという感覚を、今回のパンデミックは大きく揺るがした」。ファウストはそう結んでいる。[45]

アメリカの例外主義を、いまだ固く信じるアメリカ人もいる。その反面、世界での自分たちの役割をどう理解するようになったかに基づいて、アメリカは複数の部族に分裂した。現実を認めよう。アメリカ人は、認知的不協和〔矛盾するふたつの認知や知識を抱え、不快感やストレスを覚える状態〕の紛れもない世界チャンピオンだ。自分の目に映るものを信じたくない時、私たちはますます自分自身のナラティブにしがみつく。そして、ナラティブはトライブによって大きく異なる。今日、アメリカ人の物語はひとつではない。共通の夢すらない。そのため、次の二〇年に私たちがどんなストーリーを物語るのかについて、嫌でも考えなければならない。間違いないことがある。それは、多くの物語が、東洋で急速に台頭する大国を中心に展開することだ。そう、中国である。

第六章　行動を起こす中国

中国共産党の物語は、一九三四年に始まった長征〔毛沢東の紅軍が蔣介石の国民党軍の猛攻を逃れて退却した、一万二〇〇〇キロメートルに及ぶ大移動〕の物語だ。歴史には多々あることだが、この物語には著しく異なる捉え方もある。だがこの神話は、一九四九年の中国革命の最終的な勝利の一部として中国に深く根づいてきた。中国共産党と毛沢東についての神話であり、長征で頭角を現し、軍事行動を率いた毛沢東は、中華人民共和国の建国の父というだけでなく、国家の救世主でもある。

長征は勝利の物語ではなく（兵力八万六〇〇〇人のうち、生き残ったのはたった四〇〇〇人だった(1)）、気骨と不屈の精神の物語だ。蔣介石率いる国民党軍の追跡を逃れて、毛沢東の紅軍はあり得ないかまったく不可能な一万キロメートル近い距離を、北部の陝西省まで移動して態勢を立て直し、戦闘を続けることができた。

アメリカ人ジャーナリストのエドガー・スノーは著書『中国の赤い星』（筑摩書房）のなかで、昼間は山々や狭い渓谷を行軍し、夜には、生きている限り戦うよう熱心に説く政治運動家の講義に聞き入る兵士たちの姿を描いた。「勝利が人生だった」。長征に参加した軍人の彭徳懐（ほうとくかい）は言った。「敗北は万死だった[2]」。

ある時、毛が率いる紅軍は一昼夜で一三七キロメートルを進軍し、ある町に静かに入り、敵の守備隊を無力化した。計三六八日にわたってこれを何度も繰り返した。一八の山岳地帯を越え、二十数カ所の河を渡る、軍と輸送車輌の驚くべき大移動だった。紅軍は全部で六二の都市を占領し、中央政府の軍も一〇の地方軍閥の長の軍も打ち破った[3]。

だが、数字が物語なのではない。スノーは書いている。物語を彩るのは「薄れることのない熱意、消え失せることのない希望、そして革命を目指す数千人の若者の驚くべき楽観主義だ。彼らは人間、自然、神、死による敗北を決して認めようとはしなかった[4]」。

スノーの記述のなかで、どこまでが歴史で、どこからが創作とプロパガンダなのか。それは読者の判断に委ねられるが、スノーが語る毛沢東の行軍は、中国政府のお墨つきを得て、書籍、映画、テレビドラマなどの拡がり続ける宝庫に収まっている。毛沢東とその勝利を称えるとともに、建国者とその理念に対する畏敬の念を、中国の若者に吹き込むことが目的だ。オンライン紙《アジア・タイムズ》の記事で、マーティン・アダムズは、ドキュメンタリー映画製作者の孫書雲（そんしょうん）について書いている。孫は、中国の若い世代が「長征精神」を吹き込まれていると語る[5]。「もし大変だと思ったら、長征のことを考えよ。もし疲れたと思ったら、革命を成し遂げた先祖のことを考えよ[6]」。孫は言う。陝西省への行軍という建国の神話を持ち出されて、中国の市民は産業化から宇宙探査まで、忍耐と勝利の精神を鼓舞されてきた。

この一〇年、中国はインフレポイントに達している。

毛沢東が亡くなって（一九七六年）ほぼ半世紀のあいだ、中国は共産主義から独特の中国式国家資本主義に移行し、一九四九年の革命のあとに生まれた初めての最高指導者である習近平体制の下、ますます専制支配を強めている。二〇一三年以来、習近平は中華人民共和国の国家主席であり、共産党中央委員会総書記であり、党中央軍事委員会主席でもある。二〇二一年一一月、習近平の権力基盤をいっそう強固にしたのは、中国共産党の重要会議（第一九期中央委員会第六回全体会議）で、党の歴史を総括する「歴史決議」を採択したことだった。[7] これによって党の幹部が、毛沢東と鄧小平という党のふたりの英雄と、習近平を同じレベルに位置づけたのである。このふたりは中国を世界的な経済大国へと押し上げた功労者だ。この歴史決議によって、習近平による長期政権の実現が確実となった〔二〇二三年三月、全票獲得で国家主席に選出され、異例の三期目に入った〕。

習は思うままに扱える強力な手段を使って、中国を西洋の価値観と慣習から遠ざけ、市場の力を排した新たな中国式国家資本主義を導入した。二〇一五年、《ニューヨーカー》誌の紹介記事でエヴァン・オスノスは、習が「すべての将軍、判事、編集者、国家企業のCEOに対する究極の権限」を握ると指摘し、[8] 長期にわたって北京に滞在した、ある編集者による習近平の評価を引用している。「（習は）天も地も何も恐れない。しかも、言ってみれば外は丸く、中は四角い。つまり柔軟に見えるが、内面は非常に厳格だ」。[9] 習はその強みを活かしてメディア、インターネットのアクセスとコンテンツ、政治領域に対する支配を強めるとともに、国内外の企業にますます強硬な態度で臨むようになった。

「チャイナオンライン」の市場投入をサポートするために雇われ、私が初めて中国を訪れたのは一九九六年。それから二五年のあいだ、私は何度も中国を訪れ、そのたびに、おもに私有財産制への転換による中国の発展に驚き、大きな感銘を受けてきた。初めて訪れた時、私が出会ったなかで英語を話す者は事実上、ひとりもいなかった。ところが二〇〇七年に訪れた時には、通訳の助けを断ることができた。私の消費者リサーチに参加するために集（つど）った若い女性たちは、ほぼ完璧な英語を話したのだ。この時、私は効率性の改善と、女性の声にみなぎる自信を肌で感じ取った。毛沢東の有名な言葉がある。「女性が天の半分を支える（半辺天）」。これは、ジェンダー平等の力強い宣言であり、中国共産党のレガシーである。[10]

いま、中国政府はそのような声を聞かされて、うんざりしているらしい。二〇二一年六月、オーストラリア放送協会は、フェニミズムと＃ＭｅＴｏｏ運動を、中国が社会秩序を乱すものとみなして弾圧していると報道した。[11] ソーシャルメディアのアカウントは削除され、オンラインで発言を続ける者は、国家主義の〝荒らし〟に執拗に悩まされた。

だが、中国で女性に対する弾圧は障害にぶつかった。私が二〇〇七年に中国を訪れた時、ある二十代後半の女性が教えてくれた言葉は、抑圧的な政権下で生きる女性たちの世界的な動向を物語っていた。「顔は穏やかですが、心はワイルドです」。彼女はこの言葉を、自由な人生を生きる彼女なりの方法と解釈し、公（おおやけ）の場では規則通りにふるまい、プライベートでは体制に反逆していた。中国では珍しい態度ではない。《ニューヨーカー》誌のオスノスの記事は、中国の別の言い習わしを紹介していた。「上に政策あれば、下に対策あり[12]」。

習近平はすでに手一杯だ。それにもかかわらず、中国政府は巨額のインフラ投資を行なう「一帯一路」構想や、アフリカでの経済協力、宇宙空間でアメリカの支配に待ったをかける野心的な計画を打ち出し、地球のあちこちで（そして地球を越えて）存在感を発揮し、習近平は反社会的か非生産的とみなす国内での言動を取り締まっている。たとえば、オンラインゲームのプレイ時間を規制し（一八歳未満の場合、週三時間まで[13]）、暗号通貨を全面禁止とし[14]、ならず者のCEOや企業に厳しいペナルティを科す[15]。ほかの国と同じように、中国当局も深刻さを増す若者のメンタルヘルスの危機に懸念を強め、学習負担を軽減し、子どもたちが休息や運動の時間を充分にとるための法律を可決した[16]。

それ以上にコントロールが難しいのは、かつて飛ぶ鳥を落とす勢いだった中国経済の減速傾向だ。二〇二一年に世界が目撃したのは、二〇〇八～〇九年のリーマンショックを彷彿とさせるドラマだった。不動産開発大手エバーグランデ・グループ（中国恒大集団）が、三〇〇〇億ドル超の負債を抱えて内破の危機に瀕した。当時は、習近平がエバーグランデを「大きすぎて潰せない」と判断して――アメリカ政府が自動車産業を救済したように――救済するのか、それともほかの企業に対する見せしめとして破綻させるのか、明らかではなかった〔二〇二一年一一月、エバーグランデは債務不履行に陥ったものの世界的な影響は小さかった。二〇二三年三月に、中国当局の主導で債務再編計画が発表された〕。とはいえ、中国の大企業にとって、ますます明らかになったことがある。それは、中国政府が中国企業の積極的なパートナーだということだ。

中国経済の鎧に走る亀裂は、負のスパイラルを描いて堕ちゆく不動産帝国だけにとどまらない。ほかの国と同じように、中国政府の指導部も、国家が歩んできた方向について若者が抱く不満に取り組んでいる。中国において、その最大の不満とは革命の理想と現実とのギャップだ。毛沢東は一九七六年に死んだが、伝説は永遠に死なない。毛沢東が定めた鉄の掟によって多くの者が投獄され、殺された。それからほぼ半世紀が経ち、文化大革命のあとに生まれたいまの若者は、現在の指導部に対するあらゆる怒りに対置するものとして、毛沢東を引き合いに出す。

中国のいまの若者は何に腹を立てているのか。拡大するいっぽうの社会と経済の不平等に対してだ。莫大な利益を手にする資本家に対して、国民の四三パーセントが手にする一カ月の所得はわずか一五〇ドルほど[17]。家賃は高い。労働者に対する保障は不充分だ。厳しい勤務体制を表す新たな言葉もできた。「九九六」——従業員は午前九時から午後九時まで、週六日働かなければならない[18]。

言い換えれば、彼らの不満は、ほぼすべてのポスト産業社会の若者が抱える不満と同じだ。ただし中国の場合に異なるのは、「すべての国民は経済的に平等だ」という考えの上に国家が成り立っている点だ。毛沢東は、社会の中心的な問題とみなすものについて単刀直入に書いている。中国社会は、抑圧する者とされる者との絶え間ない階級闘争だ、と。そのため、平等を求める闘いの裏づけとして若者は毛沢東を持ち出す。

二〇一九〜二〇年に北京のある大学の学生が、図書館で最も頻繁に借りた本は『毛沢東選集』（三一書房）だった[19]。これを読んだある中国人ブロガーは、「プロレタリア階級が革命に勝ったのではないのか」と問いかけている。「なぜいま、建国の父が下位にあり、プロレタリアの標的である独裁者が最上位にあるのか。何が間違ったのか[20]」

建国の父の理想（すべての人間は平等につくられている。移民を受け入れる）と、現実との断絶に悩むアメリカ人のように、中国の若者もまた、国家の指導者が、二〇世紀の毛沢東やそのほかの革命家が示した理想に反している現実に立ち向かっている。

中国の若者はいま、世界の激しい生存競争に参加して、現代社会が提供するものとは違う何か――それ以上の何か――を求めている。彼らの抵抗は、自国に対する必然的な反応だろうか。それとも、何か別のことが起きているのだろうか。

中国で何が「間違った」のかについての見解のひとつは、毛沢東には思いもよらなかった方法で、中国政府が市民の生活に関与してきたことだ。今回のパンデミックに対する対応を考えてみればいい。中国の内陸部に位置する湖北省最大の都市、武漢でアウトブレイク（爆発的な感染拡大）が起きた。政府はほぼ即座に七六日のロックダウン（都市封鎖）を実施した。その初期に撮られ、広く出まわった動画がある。あなたも見覚えがあるかもしれない。ひとりで通りを歩いている高齢の女性を、スピーカー付きのドローンが呼び止めた。中国共産党の機関紙《環球時報》の翻訳によると、スピーカーが空からその女性にこう注意を促した。「そうです、そこのお婆さん。ドローンはあなたに話しかけています。マスクをつけずにあちこち歩きまわってはいけません。家に帰りましょう。手を洗うのを忘れずに[21]」。

中国の厳しい締めつけにはもっともな批判もあるが、それにもかかわらず、今回の感染症の勃発に続いて指導部がとった迅速かつ有効と見られる措置は、将来の大きな可能性を証明していた。二〇二〇年一〇月に、海沿いの青島市で新型コロナウイルス感染症の感染例がわずか三件特定されたあと、青島市のほぼ全市民にあたる一〇九〇万人を、政府はたった五日間で検査し終わった。[22] そして、中国の専門家は、通常の冷蔵庫で保管できる数種類のワクチンを緊急に開発した。簡易に保管できるという特徴は、欧米が開発したほとんどのワクチンにはない大きな強みだった。ワクチンの導入に伴い、中国政府は一日二〇〇〇万回の接種を実施した。[23] 中国で開発されたワクチンの有効性については、透明性の欠如という問題が持ち上がったものの、物流面の問題を解決した点だけでも称賛に値する。

生命を救うことは、中国のワクチン接種の目的のひとつにすぎなかった。もうひとつの目的は、国際的な影響力の拡大である。中国のワクチン製造会社は、年二六億回分のワクチン製造が可能だと称した。それを謳い文句に、中国は五三カ国に五億回分のワクチンを輸出する約束を取りつけた。この政策決定は、英米をはじめとする西洋世界の対応とは著しい対照を成す。なぜなら、欧米は貴重なワクチンを裕福ではない国に対し、中国よりも遅れて輸出し始めたからだ。中国はピンポン外交からワクチン外交への移行を、わずか二世代で成し遂げたようだ。[24] 中国に一点追加だ。

中国式世界制覇のソースコードはシンプルだ。重要な産業はすべて自国に持ち帰って、輸出産業にする。その過程で、世界を中国の財とサービスに依存させ、国内の経済成長につなげ、賃金の高い仕事を育てる。重要な公式がひとつ。それは、大部分の市民を満足させておくことだ。

二〇二〇年の国慶節ゴールデンウィーク〔国慶節は中国の建国記念日。一〇月一日〕には、この公式の成功を目の当たりにしただろう（新型コロナウイルス感染症に対して中国政府がとった強硬措置のために、この公式はより強化された）。世界のほとんどの国が、感染症対策と関連規制で引きこもったのに対して、中国では五億人を超す市民が旅行を楽しんだ。ウイルスに恐れをなして、家のなかに閉じこもったりしなかった。高速鉄道に乗り、眩しく輝く新設の高速道路を移動した[25]。二〇二〇年一〇月の第一週に（あるいは実際どの週でも）、フランス、イタリア、もしくはアメリカの人口の半分が、旅行に出かけることが想像できただろうか。私の場合、ボストンにあるハーバード大学医学部附属ブリガム&ウィメンズ病院で、二〇二〇年秋に予定されていた髄膜腫の摘出手術が翌年春に延期になった。理由は、ボストンにある複数の病院が、感染者でいっぱいかキャパシティオーバーだったからだ[26]。中国では五億人以上が休暇中の旅行に出かけ、アメリカでは代表的な病院が休暇中（一一月の感謝祭および一二月のクリスマスシーズンの休暇を指す）の感染者急増に備えて、手術を延期する。この明らかな違いを見て、中国方式は二〇二一年にはいっそう有効なのではないかと思った。中国以外の政府は、安全性という名目でコントロールを最優先するつもりだろうか。コントロールを失いつつある世界において、法令による社会の一体性は、安全の感覚を植えつけるカギなのだろうか。もしそうであるなら、両極化と不和のなかで、どうやって社会の一体性を制度化するのだろうか。

劣化するインフラとその修繕に資金を投じることに政治的な合意が形成できず、多くの国が悪戦苦闘しているいま、確かなことがひとつある。それはこの二〇年、中国において、数万キロメートルの高速道路や高速鉄道の建設を含むインフラの著しい進歩が、産業の促進だけでなく、生活の質の向上にもつながったことだ（中国が自動車社会へと急速な変化を遂げたことに興味がある人には、《ニューヨーカー》誌の専属ライター、ピーター・ヘスラーの『カントリー・ドライビング（Country Driving）』［未邦訳］をお勧めしたい）。チューリッヒ工科大学の調査によると、任意に選んだ中国のふたつの地区のあいだを移動する平均時間は、この一四年間で財の場合は一三パーセント、人間の場合には五〇パーセント短縮されたという[27]。このような効率化には、資源、企業、市民の総合的な調整が必要だ。ということで、住宅開発と高速道路システムの整備が進むにつれ、中国では国家のコントロールがさらに厳しさを増した。

中国において「身のほどを知る」は不変のルールだ。誰も、規則に従わずに目をつけられたくはない。そして、中国の社会信用システム（中国政府が収集した個人データをもとに、個人の信用度を数値化するシステム）の拡大を考えれば、政府のレーダーを逃れることはますます難しくなった。ウェブサイト「インサイダー」によれば、社会信用システムの全体的な考え方は、行動によって市民を格付けして信用度を算出することだ[28]。スピード違反のチケットを切られたり、ローンの支払いに遅れたり、リードをつけ忘れて犬を散歩させて捕まったりすると、個人のスコアは差し引かれる。科されるペナルティには飛行機による移動の禁止から、ローンの審査落ち、大学進学資格の剝奪までと幅広い。規則を守ればスコアは上がる。二〇一四年に政府機関が発表したこのシステムは、国家と商業の複数のシステムで構成され、参加するかしないかはいまのところ、たいてい選択できる。だが、最終的には国家全体で導入し、強制的な参加を計画している。

中国政府はまた、企業の信用システムも管理している。企業活動に基づいてブラックリストに載せたり、ペナルティを科したり、報酬を与えたりする。[29] このシステムは外国企業にも適用される。二〇一九年には、アメリカン、デルタ、ユナイテッドの少なくとも三つのアメリカの航空会社が、脅迫まがいの書簡を受け取った。ウェブサイトの表記を変更して、香港、マカオ、台湾を中国の一部に含めないならば、三社の社会信用スコアを下げると仄めかしていたのだ。[30] スコアが下がれば、銀行口座を凍結し、従業員の行動に制限を加えることもある、と書簡は警告していた。[31]

デジタルテクノロジーの進歩に伴い、政府の監視の目は厳しさを増すいっぽうだ。多くの国がそうであるように、中国も国民の監視に顔認識ソフトウェアを使っている。だがほかの国と違うのは、より高度なツールを駆使している点だ。たとえば感情認識技術。これは、顔の筋肉の動きや声のトーンの変化を記録して、感情を読み取る技術である。その人がいま感じているのは怒り、悲しみ、幸せ、それとも退屈か。国内の特定の場所で、政府はその人間の感情を瞬時に読み取る。習近平が市民に望んでいるのが「前向きなエネルギー」であることは周知の事実だ。本質的に、習には表出を促したい感情と、阻止したい感情がある。[32] そして、特定の感情の表出を社会信用スコアに結びつければ、抑圧の効果的な方法になるかもしれない。賭けてもいい。二〇三八年になる頃には、中国のあちこちの都市で演技のレッスンが盛況のはずだ。

このような高度な監視は感度を増すだけではない。物理的に逃れるのも難しくなった。二〇一三年、中国は最新監視プロジェクト「シャープアイズ（鋭眼）」を導入した。最終的には、国内のありとあらゆる公共の場に監視カメラを設置して、一〇〇パーセント監視する目的だ。一部の地元住民は、自宅に設置した特別なテレビで監視カメラのライブ映像を確認でき、非合法な活動や問題だと判断した行動を見つけた場合には、ボタンを押して通報する。[33]

たいていの西洋人は、シャープアイズという政府の恐ろしい監視の目が、生活に入り込んでいるという考えに怖気（おじけ）づくだろう。アメリカでは、ボストンとサンフランシスコのふたつの大都市が、警察による顔認証技術の使用を禁止した。人権団体のアムネスティ・インターナショナルは、「スキャンを禁止せよ」キャンペーンを張り、ニューヨーク市を禁止リストに入れるよう運動している。[34] だが、中国ではこの技術の支持者がいる。北京のある調査センターによれば、回答者の八〇パーセントが個人情報の安全性を懸念するいっぽう、全体の三分の二が、この技術のおかげで公共空間の安全性を感じられるという考えに同意したという。[35] 数字の信頼性については議論の余地があるものの、人権とプライバシーに明確な関係があるにもかかわらず、感情認識技術は年三〇パーセントの成長率を誇る世界的な産業である。アライド・マーケットリサーチは、この分野は二〇二三年には三三九億ドルに成長すると予測している。[36] 言い換えれば、多くの人は今後、プライバシーと安全性、自由と治安とのあいだで同様の計算をする必要に迫られるということだ。

市民のコントロールを目指す中国政府の野望は、監視や本土だけにとどまらない。二〇一九年、犯罪容疑者を中国本土に引き渡すという「逃亡犯条例」の改正案に対して、香港の住民が抗議デモを繰り広げた（最終的に改正案は正式撤回された）。このような民主化運動は一万人以上の逮捕者を出し、急遽、香港特別行政区のあちこちに監視カメラが設置される結果となった。[37] 最近では、学校にカメラを設置して教師を監視している。[38]

二〇二〇年、中国政府が香港国家安全維持法を制定し、「国家分裂」「政権転覆」「テロ活動」「外国勢力との結託」の四つを犯罪と規定し、香港に対する締めつけを強化した。この法が施行されてすぐ、民主化を支持する香港紙《蘋果日報》（アップル・デイリー）創業者である黎智英（ジミー・ライ）とふたりの息子が、外国勢力との結託容疑で逮捕された[39]。続いて多くの市民が逮捕された。そのなかには民主派のリーダー五五人も含まれる。理由は、「香港独立」と書いた旗を振ったことや、立法会（議会）選挙に向けた予備選を運営したことだった[40]。

香港に対する弾圧は厳しいが、北西部に位置する新疆ウイグル自治区を取り巻く環境はそれにもまして過酷である。二〇一七年以降、テロ対策という名目で、中国はウイグル地区のイスラム教徒を一掃すべく弾圧している。百万人に及ぶ少数民族が数週間から数年間、〝再教育〟施設に収容された。ウイグル人に対する中国の弾圧はジェノサイド（集団殺害）だとアメリカの国務省は非難し、新疆ウイグル地区からの財の輸入を禁止した[41]。この地域の綿花生産は世界市場の二〇パーセントを占めるため、単なる象徴的な抗議ではない[42]。ところが、時間もメディアの激しい追及もまだいまのところ、ウイグル人の消滅を目論む中国政府の強い決意を和らげていない。毛沢東が宣言した万人の平等という信念など、結局はその程度のものなのだ。

中国企業のＣＥＯでさえ、中国政府の過酷な締めつけからは逃れられない。二〇二一年七月、《ニューヨークタイムズ》紙のヘッドラインは単刀直入だった。「中国は企業に何を求めるのか。全面降伏だ」

習近平が国家主席に就任する一〇年前、中国では企業に対してはるかに大きな自由を与えていた。完全なコントロールよりも、経済の拡大を重視していたからだろう。とはいえ、習政権以前でさえ、ほかのほとんどの国と比べて、中国による企業の取り締まりには大きな違いがあった。中国政府の指導部が、消費者保護と経済成長だけを優先するわけではないことは、ほかの国と同じだ。ところが、中国では共産党による支配の強化も優先目標である。民間部門は「共産党の話にしっかり耳を傾け、党の方針に従って」[43]、国民の繁栄を支えなければならない。そのため、大企業が手にする富から大衆を排除しないための措置が取られる。

二〇一五年、習近平は国内の最貧層を撲滅する期限を二〇二〇年末と設定した。そしてまさにその宣言通り、二〇二〇年一一月に政府は目標を達成し、九三〇〇万人が貧困を脱却したと発表した[44]。これに対して、世界銀行中国局のマーティン・ライザー局長は、農村地帯の「絶対的貧困」の撲滅に成功したという報告には同意したものの、そのために投じた莫大な費用――国内総生産の約一パーセント――を考慮すると、脱却した状態を維持できるのかどうかについては疑問が残るとした[45]。今回の資源の再配分のひとつは、もともと一九九〇年代に導入された最低基本生活保証プログラム（低保）に基づいていた。急速な経済改革の時期に、都市部の労働者を支えたプログラムであり、今回、その考えのもとに農村部の貧困層に現金を給付したのだった[46]。

別の言葉で言えば、中国は経済繁栄をもたらすという毛沢東（いまは習近平）の約束を、ある程度は果たした。中国の約一四億人の人口ひとり当たり所得の中央値は、一七八六ドルだ。世界最大の民主主義国であるインドの場合は、その三分の一程度の六一六ドルしかない[47]。安定した仕事に就き、屋根のある家に住み、キッチンには食料の豊富な買い置きがある。これらがすべて揃っていれば、中国の市民は過酷な抑圧にも監視にも、見てみないふりをすることに異存はない。

企業にとって、成功は――そして障害を最小限に抑えて経営する能力は――高くつく。資金的な要素とともに、政治的な忠誠を誓う必要があるからだ[48]。

習近平が貧困の撲滅を重視することに気づいた、テクノロジー系をはじめとする企業は、習近平の機嫌をとり、政府に目をつけられないよう極端な手段に出た。インターネットのフードデリバリーサービス大手、美団（メイトゥアン）に対して、政府が独占禁止法違反の調査に乗り出すと、同社の会長兼CEOは、教育や科学の振興を支援する慈善基金に二三億ドルを寄付した[49]。また、家電大手の美的集団（ミデアグループ）の創業者は、貧困軽減、医療、文化プログラムのために約九億七五〇〇万ドルを寄付した[50]。インターネット大手のテンセントは、恒例のチャリティキャンペーン「九九ギビングデー」〔テンセント基金会が毎年九月九日に実施する、公共福祉活動の支援〕を開催し、慈善団体のために、オンラインプラットフォームを介して、国民から莫大な資金を集めて寄付してきた[51]。二〇一九年には、約三億八四〇〇万ドルの寄付が集まった[52]。

中国共産党の方針に強制的に従わざるを得ないのは、国内企業に限らない。国際企業も発言を撤回したり、態度を改めたりする。二〇一九年、NBAのヒューストン・ロケッツのゼネラルマネージャーを務めるダリル・モーリーは、香港のデモを支持するツイートを投稿して激しい反発を招いた。「自由のために戦おう、香港とともに立ち上がろう」。このツイート後に、モーリーは謝罪して発言を撤回しようとしたが、すでに遅かった[53]。中国の企業とバスケットボール協会（CBA）が、ロケッツとの提携関係を凍結すると発表したのだ。さらに悪いことに、NBAの試合の配信を一年間中止することが決定した。NBAにとって中国は圧倒的に重要な国際市場だ。その中国によって、厳しいペナルティが科されてしまったのだ[54]。

最も強い影響を受けてきたのは、おそらくハリウッドだろう。この重要な市場のご機嫌を損ねないよう、映画製作会社は自主検閲を始めた。二〇二〇年、《ガーディアン》紙は文学と人権の非営利団体「PENアメリカ」の調査について報じた。調査の指摘するところ、映画製作会社は中国当局の反感を買わないために、「配役、あらすじ、会話、背景や設定」をしょっちゅう変更している[55]。顕著な例をあげれば、「スター・トレック　BEYOND」のプロデューサーはLGBTQ+関係の内容を排除し、「ドクター・ストレンジ」では登場人物の魔術師を、チベット人からケルト人に変更した。脚本家の言葉を借りれば、「一〇億人の観客を敵にまわす」リスクを回避するためだという[56]。

ミシガン大学ロス・スクール・オブ・ビジネスのエリック・ゴードン教授は、アメリカ企業が中国の命令に譲歩することは変化の現れだと指摘している。「私の考えでは、一〇年前であれば、アメリカ企業は中国の要求を無視しただろう。だが今日、どれほど即座に、あるいはどれほど低く頭を下げても、下げすぎることはない[57]」。元国務長官のコンドリーザ・ライスは、ロケッツのツイートに対する中国の反応を「アメリカの国家主権に対する侵害」と呼んだ[58]。

製造拠点であり巨大な消費者市場でもある重要性を考えれば、中国は多くの国際企業を意のままにできる。処方薬、電子機器に加えて、風力タービンや航空エンジンからコンピュータのハードドライブまでのあらゆるものに欠かせない鉱石まで、私たちは多くの必需品を幅広く中国に依存している。パンデミックによってその事実が明らかになったいま、アメリカやほかの市場において、必需品の材料や財を国内生産に戻す取り組みを強化することになるのだろう。二〇三八年には、大きな変化が認められるだろうか。少なくともこの二、三〇年で初めて、国内回帰が実現可能に見え始めたのだ。

二〇二一年の年次報告書によれば、部品調達の専門企業トーマスが調査した企業のうちの八三パーセントが、近い将来に、すべてか一部の製造を「おそらく」もしくは「非常に高い確率で」自国内に戻すと回答したという。つまり、生産拠点の国内回帰だ。[59]この数字は、二〇二〇年の五四パーセントから上昇した。もちろん、政府のインセンティブに大きく左右されるだろう。日本、英国、アメリカを含むより多くの国が、中国本土に進出した企業に、国内回帰を促す政策を打ち出している。

世界のなかで中国が手に入れた新たな地位がある。それを物語る注目に値する変化とは自国優先主義（ローカリズム）の台頭だ。以前の中国では、何でも海外のものが優れているとされ、外国ブランドものの所有がちょっとした自慢のタネだった。ところが、中国人は自国ブランド、メディア発信源、プラットフォームなどの独自の文化にいっそう誇りを抱くようになった。そして、それは当然ながら、ほかの国の消費者向け企業に影響を与える。

検索エンジン「百度（バイドゥ）」の二〇二一年の報告によると、バイドゥ上で（海外ブランドではなく）国内ブランドを検索する割合は、二〇〇九年には三八パーセントだったが、二〇一九年には七〇パーセントに上昇したという。消費者が中国製品を選ぶようになったためだ。[60]中国ブランドを選ぶ傾向は、とりわけ若い消費者のあいだで根強い[61]。同じ動向は映画についても言える。世界最大の映画市場である中国の興行成績のうち、海外映画の占める割合は、二〇一二年の五三パーセントから二〇一九年には三五・九パーセントに低下した[62]。中国の映画製作会社の力強い成長に伴い、ハリウッド映画は大打撃を被ってきた。その理由のひとつは、中国において反アメリカ感情の高まりと関係がある。アメリカの映画プロデューサーで、アメリカ・アジア・インスティテュートの理事を務めるクリス・フェントンは述べている。「何でもアメリカのものに対する中国の消費者感情は、現代ではいまが最低ですね[63]」。

自国優先主義のトレンドは「国潮（グオチャオ）*」と呼ばれる。この動向を受けて、中国の製造業者は伝統的な中国のシンボルやレトロデザインを、製品やパッケージ、包装にとり入れるようになった。「メイド・イン・チャイナ」はいまやみなが欲しがるブランドであり、市民の自己意識の高まりの表れである。

二世紀前、フランスの皇帝ナポレオンはこう言ったとされる。「中国は眠れる獅子だ。眠らせておけ。中国が目覚めた時、世界は震撼する」。ナポレオンが本当にそう言ったのかどうかについてはいろいろと説があるが[64]、この言葉は未来を予知していた。歴史的に見て、中国はいつの時代も大きな力を及ぼしてきた。とはいえ、一般的な宗主国とはタイプが違う。欧州の列強やアメリカと違って、中

＊：国潮：国内の高級市場動向に詳しい中国メディア「ジン・デイリー」によれば、「国潮」とは現代的なデザインとノスタルジックな要素のミックスを指すという。

国の関心は近隣諸国を支配して思いのままにすることであって、遠く離れた土地には関心を示さなかった。だが、それも変わった。二一世紀に入り、かつて孤立していた中国は世界情勢に大きな影響を及ぼす国として登場したのだ。

二〇二一年、ジョー・バイデンは大統領就任後、初となる本格的な記者会見で、台頭する超大国について次のように語った。習近平は「民主主義の精神を……かけらも持ち合わせていません」[65]。バイデンは続けて、次の一〇年は国家対国家の闘いにとどまらず、「二一世紀に機能する民主主義と専制主義との闘い」だと述べた[66]。この闘いに軍事活動は関与しないだろう（そう願いたい）。テクノロジーと科学イノベーション分野での闘いになる。バイデンは言う。中国は専制政治を前進するための方法と考え、現代の複雑な世界において、民主主義は完全に破綻すると信じている。中国と闘うために、アメリカはインフラとリサーチに前例のない投資を行なう必要がある。「中国は我々をはるかにしのぐ規模で投資しています。なぜなら、彼らの計画は未来を我がものにすることだからです[67]」。

未来を掌中に収める計画は、エネルギー、テクノロジー、外交活動を含めてあらゆることの近代化から始まる。国家安全保障関係の専門家であるザケリー・タイソン・ブラウンは、《フォーリン・ポリシー》誌に、中国は「依存と影響力の優れたシステム」を築きあげたと書いている。その方法は、港湾の支配権を買収する、5Gを接続する、近代化国家の発展に資金を投入する、広範囲に及ぶ外交ポストを配置するなど、どれも地球上のほとんどの国が実施している方法にほかならない。そのいっぽう、アメリカは外交業務をぎりぎりまで削減してしまった[68]。

中国の取り組みは功を奏した。パンデミックで経済に大きな圧力がかかるなか、おもな経済国のなかで、二〇二〇年にプラス成長を記録したのは中国だけだったからだ[69]。これを受け、中国がアメリカを抜いて世界最大の経済大国になる時期について、アナリストは予測を前倒しするようになった。IMFの予測に基づいて、野村ホールディングスは二〇三〇年という当初の予測を早ければ二〇二六年に修正した[70]（ほかのエコノミストは、少なくともあと一〇年はアメリカがリードを保つと主張する。その理由は中国の労働人口の縮小にある[71]。これについては後述しよう）。

経済的な駆けくらべがどのような結果になろうと、非営利団体の「アジア・ソサエティ」は中国の台頭をこう表現する。「極地で溶解する氷冠の地政学版だ。莫大な規模で少しずつ変化していたかと思うと、とつぜん劇的な展開を起こす[72]」。そして、勢いを増す中国を、二一世紀を決定づける動向だと指摘する。いまでも、中国の動向を見れば将来のグローバルな動向がわかる。なぜなら、この国は世界を舞台に莫大な影響力を及ぼしているからだ。

経済発展を遂げ、権力を蓄積しているにもかかわらず、世界制覇を目指す中国の道には深い穴が見え始めている。国内的な理由は、毛沢東が約束した経済の公平性を若者が求めるからであり、国外的な理由は、中国の影響力と支配に、ほかの国家がより真剣に対抗しようと動き始めたからである。

ところが、世界制覇を狙う計画において最大の懸案は、国内の混乱から生じるわけでも、対抗する国家から生じるわけでもない。それは、人口動態から生じる。近年の中国は、一五歳以下よりも高齢者のほうが多い。二〇五〇年頃には、年配者（六〇歳以上）の数が二〇二一年の二億五四〇〇万人から、約二倍のほぼ五億人に達する見通しだ[73]。出生率もこの動向を緩和しない。四六〇〇万人だった一九五〇年の出生数[74]は、二〇二〇年にはわずか一二〇〇万人と、この六〇年間で最低を記録した[75]。

そのため将来、労働人口が縮小して年配者を支えられないという問題が生じる。欧米でも状況は似たようなものだが、規模はもっと小さい。中国共産党の指導部は、その動向を逆転させようと躍起になっている。一九七九年、中国がかの有名な「一人っ子政策」を実施すると、夫婦は子どもをひとりしか持てなくなった。人口増加に歯止めをかけるこの政策では、子どもをひとり産んだ女性が、不妊手術や避妊リング（ＩＵＤ）の装着を強制されることもあった[76]（現在、ウイグル人の女性に対して、不妊手術や避妊リングの装着とともに、強制的な中絶が行なわれていると報告されている[77]）。二〇一六年、年配者の増加が大きな社会問題となるのに伴い、中国は一人っ子政策を撤廃し、ふたり目の子どもが持てるようになった。二〇二一年五月の時点で、結婚した夫婦は三人の子どもを持つことが許されている――いや、奨励されている[78]。政府はまた、家庭教師やオンラインコースも合わせて一〇〇〇億ドル規模に成長した民間の教育産業を、全面的に規制してきた。理由のひとつは、そのような高額な教育費のせいで、親がひとり以上の子どもを持つことを躊躇しないようにするためである[79]。

中国発展の道を不気味に覆うもうひとつの障害は、気候変動だ。上昇気流に乗る中国経済は、環境問題という高額のコストを伴ってきた。中国は二〇二〇年にプラス成長を記録した唯一の経済国かもしれないが、温室効果ガスの排出が増加している唯一の国でもある。現在、世界の大気汚染の四分の一以上を中国が排出している[80]。この事実から、気候変動のペースを減速させるために、中国が重要な責任を負うことは明らかだ[81]。二〇二〇年九月に習近平は、二〇六〇年までにカーボンニュートラルの達成を目指すと宣言した。方向性は正しいが、高名な科学者の考えでは、その計画ではとても間に合わない。「気候変動に関する政府間パネル（ＩＰＣＣ）」の二〇一八年の報告書によれば、世界の平均気温の上昇を産業革命前と比べて摂氏一・五度に抑えるためには、二〇五〇年までにあらゆる国がカーボンニュートラルを達成しなければならないという。[82] 摂氏一・五度は、「国連気候変動枠組条約第二一回締約国会議（ＣＯＰ21）」で設定した努力目標だ。

中国には、より迅速な行動を求める圧力がかかるだろう。とりわけ、中国の市民自身が激化する異常気象の影響に苦しんでいるからだ。被害を伝える数字には驚くばかりだ。二〇二一年七月、中国中部の河南省鄭州（ていしゅう）市は、ほんの七二時間のうちに年間降水量に相当する記録的な豪雨に見舞われた。犠牲者の数はほぼ三〇〇人を数え、一五〇〇万人が避難した。[83] 世界中の国と同じように、中国でも異常気象は将来の重大なリスク要因である。

世界の覇権をめぐる米中の闘いには、ふたつの最前線がある。経済的な支配と地政学的な影響だ。シンガポールの元外交官で、大学院の学部長を務めた経験もあるキショール・マブバニは、著書『中国は勝利したのか――アメリカの世界的優位に待ったをかける中国の挑戦（Has China Won?: The Chinese Challenge to American Primacy）』（未邦訳）で、覇権を狙うふたつの超大国の重要な違いを描いた。アメリカが自由を重視するのに対して、中国が重視するのは混乱からの自由（すなわち混乱のない状態）だ。またアメリカは戦略的な決断力を、中国は忍耐を重視する。[84]

どちらが覇権を握るのか。その結果は、非常に重大で緊張も高まっている。とりわけ、中国が宇宙空間において野望を燃やしているからだ（中国は、二〇三三年に最初の有人火星探査を行なう計画だと発表した）[85]。中国の影響力に対抗するため、各国は地政学的な連携や同盟を考え直そうとするだろう。たとえば二〇二一年、オーストラリアは英米と安全保障協力の新たな枠組み（ＡＵＫＵＳ）に合意した。この軍事パートナーシップに基づいて、オーストラリアがアメリカから原子力潜水艦を購入する決定を下した。これによって、オーストラリアはフランスとのあいだですでに結んでいた潜水艦の建造契約を破棄することになり、フランスを激怒させた。グローバル関係は難しい問題を伴う。勢力均衡を新たにする協定が結ばれる時、国家が大きければ大きいほどその影響も大きい。

本章の結論はこうだ。中国が数世紀の眠りから完全に覚め、世界が震撼する理由を多くの人が目撃する。

ここまで第一部において、今後の二〇年をかたちづくる全体像の一部を紹介してきた。たとえば高まるテクノロジー依存、気候変動、ニューノーマルとなった混乱、二一世紀のふたつの超大国のあいだで、そして米中の国内で起こる大きな変化などについてだ。さて、第二部では、私たちの現在と今後に影響を及ぼす文化的な変化について見ていこう。たとえばトライバリズム、曖昧になるとともに強化される境界、スモールなものやヒューマンスケールが持つ魅力、贅沢品の新たな顔ぶれなどである。

第二部

どう生きるのか

時計はカチカチと音を刻んでいる。一秒ごとに人びとの懸念は募るかのようだ。二〇一七年、WHOは不安に苦しむ成人が二億六四〇〇万人にのぼると報告した。[1] それ以来、緊張は増すばかりだ。二〇二〇〜二一年の破滅的なパンデミックはリセットの役目を果たし、いますぐにでも根本的な変革が必要だ、と社会の目を覚ますことになるのだろうか。それとも、今回のパンデミックは、すでに後戻りできない地点に来てしまったという意味であり、世界を取り巻く状況があまりに深刻で、もはや解決の望みが持てないという証拠だろうか。どちらも正しい可能性がある。

世界終末時計は、いつの時代も多くのことを教えてくれる。とはいえ、必ずしも励みになるわけではない。一九四七年、《原子力科学者会報（BAS）》は人類滅亡までの残り時間を表す隠喩的な方法を考え出した。今日、その時計の針の位置を決めているのは、BASの科学・安全保障委員会だ（この組織には一三人のノーベル賞受賞者が含まれる）。二〇二〇年一月までの七十数年間で、終末時計の残り時間が最も短くなったのは一九五三年だった。前年に米ソが行なった水爆実験により、終末までの残り時間が二分になったのだ。[2] 一九九一年、冷戦の終結に伴い、第一次戦略兵器削減条約（START1）が締結された際には、終末時計は一五分も巻き戻されて一一時四三分に修正され、安堵の声が広がった。[3] 二〇二〇年一月二三日——そう、新型コロナウイルス感染症のパンデミックと経済的メルトダウンの直前だ——には、残り時間は歴史上最も短くなった。核兵器の脅威、気候変動に対する無為、「社会の行動能力を蝕むサイバー空間での虚偽情報キャンペーン」[4]という三つが合わさって、残り時間が史上最短の一〇〇秒になってしまったのだ〔二〇二三年一月の時点で、ロシアによるウクライナ侵攻などを理由に、残り九〇秒に修正された〕。

私たちはもっとうまくやれるはずだ。もっとうまく対処しなければならない。もっとうまく対処するだろう、と私は純粋に信じている。私たちが直面する無数の難問に、筋の通った、断固たる方法で取り組むならば、多くの人の心に浮かぶ「さあ、次はどうする？」という問いに対応できないわけはない。最も切迫した問題は、際限ない環境破壊、気温上昇、経済的および人種的に根強い不公平、専制主義超大国の台頭、ナショナリズムの激化、社会政治領域で激化する両極化、サイバー攻撃、そして最後になったが極めて重大な、誰の目にも明らかで、神経をひどく衰弱させる現代の不安感である。

それぞれの問題には（不充分とはいえ）政府レベルで取り組んでいる。だが、二〇三八年頃に、世界がもっと希望の持てる方向へ進んでいるのかどうかを決定づけるのは、世界の市民が、それも特に裕福な国の市民がどんな生活を選ぶのか——私たちが何を優先し、何を容認し、何のために闘うのか——にある。第二部では、トライバリズム、曖昧になるとともに強化される境界、贅沢の新たな定義、富の破滅的な不公平にまつわる社会の変化について探っていこう。どう生きるのか、周囲のものごとをどう捉えるのか。これらの問いについての大小さまざまな変化が、私たちが社会をリセットして、窮地を乗り越えられるかどうかを左右するだろう。

第七章　ライフボートに一緒に乗るのは誰か

一九四四年公開のアルフレッド・ヒッチコック監督の映画「ライフボート（救命艇）」（日本劇場未公開）は、第二次世界大戦下、大西洋上を漂流するライフボートだけを舞台に展開する。ドイツ軍のUボートの魚雷攻撃を受けて、客船の乗客は海に放り出される。だが、一〇人ほどが一隻のライフボートに泳ぎ着く。そこは、人間が生きる条件のほぼ完璧な隠喩だ。生き延びるために、パーソナリティの違いに目をつぶるのか。リーダーは生まれるのか。何かを決める時には民主的な方法で決めるのか。食料や飲み水が残り少なくなった時や、誰かの具合が悪くなった時にはどうするのか。要約すれば、彼らは問題を回避したり覆い隠したりできない場所で、人間社会のあらゆる問題や困難に直面する。

映画のセットは、ハリウッドの映画スタジオの巨大な水槽だけだったが、ドラマや対立を煽るには充分すぎる登場人物の顔ぶれだった。その小さな世界は、大きな世界の縮図だった。一九四四年の映画にしては、驚くほど多様な人物が揃っていた。特権階級の雰囲気を香水のように纏った、裕福で社交的な女性。ご都合主義の大物実業家。従順そうな女性がふたり。そのうちのひとりは、亡骸（なきがら）となった赤ん坊を抱きしめて離さない。沈没した客船の乗組員の男が四人。コックニー（ロンドン下町の労働者階級）がひとり。黒人がひとり。そして、誰も見覚えのない男がひとり。ドイツ人だ。その男も氷のように冷たい海のなかから引き上げられる。男は否定するが、実のところ、そのドイツ人は同じく沈没したUボートの艦長だった。第二次世界大戦の混沌とした戦況のなかで公開された映画にしては、なかなか複雑な設定だろう。

映画のなかのアメリカ人は無力だ。四人の乗組員は優秀だが、下級船員のためにリーダーとはみなされない。艦長だったドイツ人が、いまは優れたリーダーになっていた。ひとりの男が足を切断しなければならなくなる。みな怖気づくが、ドイツ人が切断手術をやり遂げる。そして、ライフボートが進んでいる方向について嘘をつく。ボートが向かっているのはバミューダ諸島の方向ではなく（おっと、ネタバレ注意！）、ドイツ軍が占領する水域なのだ。最終的に、ボートの生存者はそのナチスの艦長を殺してしまう。男が巧みに針路を変更したからではない。飲み水と非常食を隠していたからである。

この映画はカルト的な人気を誇るようになった。ヒッチコックの斬新な撮影テクニックのためだけではない。その芸術的な価値に加えて、Uボートの艦長が発する力強いメッセージが脚本に込められていたからだ。「生き延びるためには、計画がなければならない」

二一世紀の私たちは誰もが、ライフボートの集団バージョンと個人バージョンを演じている。その点を理解しようがしまいが、その船は私たちを巻き込む状況の隠喩となった。差し迫った危機が起こりそうな状況で、多くの人が結びついている。その危機がパンデミックでないなら、地平線上にぼんやりと迫るほかの脅威かもしれない。だから、私たちは将来の可能性をあれこれ占う。Xが起きたら、私たちはどうすればいいだろうか。私たちにYの準備はできているだろうか。そして最も重要なことに、その〝私たち〟とはいったい誰のことなのか。

〝私たち〟の問題は、多くの人にとって非常に気まずい。私たちの国のライフボートに乗れるのは、そのサバイバル劇に参加できるのはいったい誰なのか。運命が不利に傾き始めた時、私たちはいったい誰を頼りにすればいいのか。

そんなことはわかりきっている。遺伝子を分け合った仲間、つまり家族のメンバーだと思うかもしれない。ノアも家族を方舟に乗せた。だがいまの時代、家族のメンバーは政治的・文化的な問題をめぐって疎遠になっている。単に遠く離れた場所で暮らし、あまり連絡をとりたがらないせいもある。家族がなく、ひとり暮らしの人も多い。二〇一五年の調査によれば、六五〜七五歳で、成人した子どもが少なくともふたりいるアメリカ人女性のうち、一一パーセントが、どちらかいっぽうの子どもと疎遠だった。そのうちの六二パーセントが、少なくともひとりの子どもと、月に一回未満しか連絡を取っていなかった。[1]もっと古い調査では、一九八〇年代初めの日本では、高齢者の七〇パーセント以上が子どもと同居していたのに対して、アメリカの場合は二〇パーセントだった。その数字は一九九六年に、それぞれ五二パーセントと一二パーセントに低下した。[2]日本では、二〇四〇年に六五歳以上の四〇パーセント以上が単身世帯になる見通しだ。[3]ハーバード大学住宅研究共同センター（JCHS）の見積もりによれば、アメリカでは二〇一五年に六九〇万人だった七五歳以上のひとり暮らしは、二〇三五年には一三四〇万人に増加するという。[4]

家族の絆は綻(ほころ)びつつある。

高齢者の家族構成（近親者を含めた拡大家族・数世代家族か、それとも核家族か）は、婚姻関係のない共同生活、ひとり親、離婚か再婚、混合家族、祖父母が両親代わり、小世帯などの新たな現実へと様変わりした。

多様化する生き方を考慮すると、誰と一緒にライフボートに乗るかという判断は際限なく複雑になる。数年前、私は感謝祭の素晴らしい食事に招待された。集まったメンバーは、夫婦、シングルマザーと十代の娘、夫に先立たれた女性と彼女の甥だった。その甥はフェイスタイム（アップルのビデオ通話）を使って、彼の〝精子提供の父〟を招待し、バーチャルのパンプキンパイとともに会話を楽しんだ。不自然なところは何もなかった。この一年、私はある休暇を利用して食事会を開き、二二人を招待した。メンバーは私のきょうだい、義理の兄、妹の親友、姪がふたり（ひとりが恋人を連れてきた）、ロンドンからニューヨークに越してきたばかりのインド人夫婦、オランダ人の友だちがふたり、私のパートナーであるジムの四人の子どものうちの三人、彼の姪がひとり（来なかったジムの兄の娘）、そしてジムの妹とふたりの子ども（ひとりが彼女を連れてきた）だった。

私たちはこれを家族の食事と呼ぶ。だがそれは、ライフボートに引っ張り上げる時の家族だろうか。それが、その夜、ディナーテーブルを囲んだ私たちの会話の話題だった。

神話や映画のなかで、多くの人は〝私たち〟が誰かを知っていた。アメリカの場合、私たちは一九四六年のアメリカ映画「素晴らしき哉、人生！」の、ベッドフォード・フォールズという架空の街の市民だった――ちなみに、これは英国人の好きなクリスマス映画だという[5]（アメリカ人の好きなクリスマス映画が「ホーム・アローン」だというのは、アメリカ人について何を物語っているのだろうか[6]）。この美化した現実の世界で、私たちはお互いの暮らしぶりを知っていた。みなよく似ていた。友人だった。いや、どれほど機能不全にせよ、むしろ家族に近かった。映画のベッドフォード・フォールズの実直な市民と違って、みながみな同じ肌の色ではなく、民族も違えば宗教も違ったが、少なくとも同じ階級だった。そう、同じミドルクラスだ。あるいは、少なくともそう思っていた。

ベッドフォード・フォールズでは、ライフボートが沈まない限り、ひとりでも多くの住民を受け入れるだろう。いわゆる先着順に。

ところが現実の世界では、わだかまりやちょっとした違いのせいで、映画のような円満なことは起こりにくい。夫に先立たれた女性が自宅を差し押さえられたとして、その女性の息子は、差し押さえた銀行員をライフボートに引きずり上げるだろうか。小さな亀裂を見逃したために解雇された修理工は、自分をクビにした女性の命を救うだろうか。熱心に教会に通うキリスト教信者のうちの、いったいどのくらいが、町の飲んだくれに手を伸ばして、ライフボートに引き上げるだろうか。あるいは無神論者を？

こう想像してみよう。ライフボートには一〇人しか乗れない。あるいは乗れるのは二〇人か五〇〇人だけとする。いや、一〇億人だとしたら？　あなたなら、誰に乗るように促すだろうか。誰を見放して運命に任せるだろうか。ボートが小さい時のほうが難しいだろう。あなたの大嫌いな兄の三番目の妻よりも、大好きだが年老いた祖母を優先するだろうか。だがその時、もし兄の妻が妊娠していたら？　離婚し、いまもいがみ合っている両親と、その小さなボートに乗りたいだろうか。どちらかひとりを選ぶとするなら、どちらを優先するだろうか。親友と同性愛嫌悪のおじの場合だったら？

もっと大きなボートの場合にも、複雑な意思決定が伴うだろう。その一〇億人を年齢で選ぶだろうか。それとも人種か民族で？　宗教で？　魅力度か知性。生まれた国。多様性。肥満度指数。サバイバル技術かもしれない。もし遺伝的特徴によって自分に最も近い人間を優先するとしたら、どうやってその該当者を見つけるのだろうか。あなたは肌の色で、と答えるかもしれない。だが、それは違う。一〇〇〇年以上も前、ある洞窟で、英国最古の人骨がほぼ完全なかたちで見つかった。サマセット州チェダー村のチェダー渓谷で見つかったことから、チェダーマンと名づけられたその人骨は、青い目をしていたことがわかった。さらに、ＤＮＡ分析の結果、黒い肌に黒い巻き毛の持ち主だったことが判明した。[7] それなら、イエス・キリストはどうだろう。本物のナザレのイエスは、数世紀に及ぶ宗教画で見慣れた、白い肌の北部欧州人とは似ても似つかない容姿だったと思われる。ガリラヤ地方のユダヤ人だったイエスは、茶色い目に濃い茶色か黒い髪、オリーブ色の浅黒い肌をしていた可能性が極めて高い。[8] 保守的な白人のキリスト教徒は、その男を〝我々の仲間〟として扱い、狭いライフボートのスペースを空けてやるだろうか。

世界がますます不安定になり、均質性が失われていくのに伴い、人びとは自分が誰かを知る方法を探し出し、馴染みのあるものに安心を見出そうとする。だが実際、私たちの拡大トライブに属するのはいったい誰だろうか。

自宅用のDNA検査キットが簡単に手に入る時代になって、自分が誰かを知る傾向はさらに高まった。《MITテクノロジー・レビュー》誌によると、二〇一九年初めまでに、おもな四つの遺伝子データベース（アンセストリー、23アンドミー、ファミリーツリーDNA、マイヘリテージ）のひとつを使って遺伝子分析を受けた人は二六〇〇万人を超え、二〇二二年にはその数字は四倍になるという[9]。私の友人は、この検査のおかげで兄弟の存在を知ったらしい。あるいは、家族だと思っていた人とは何の血縁関係もなかったことが判明した、という話がインターネットには溢れている。

＊＊＊

白人至上主義団体の代表を務めるクレイグ・コブは、あるテレビ番組に出演してDNA検査を受けたところ、遺伝子の一四パーセントがサハラ以南のアフリカ系黒人の遺伝子だと知らされた[10]。その反対に、黒人だと思い込んでいたシグリッド・ジョンソンは、自分が養子であるばかりか、アフリカの遺伝子が三パーセントにも満たず、それよりもヒスパニック、中東、欧州の遺伝子のほうが多いことを知った[11]。

DNA検査の結果にコブやジョンソンが受けた衝撃――とはいえ、コブはそんなものは「統計ノイズ」だと即座に反論した[12]――は、人間のアイデンティティの捉えどころのなさや、思い込みによる帰属意識の強さを物語っている。それらの〝アイデンティティの目印〟が意味するのは、民族的に、もしくは文化的に受け継いだ遺伝的特徴の割合だけではない。最も個人的なレベルで自分はいったい誰なのか、という問いである。アメリカで多いのは、もし誰かがアルコール好きか詩人の片鱗を見せたりすると、ああ、やっぱりアイルランド系だ、などと納得することだ。瞬間湯沸かし器だと、ギリシャ系かイタリア系。ケチだとやれスコットランドの遺伝子だ、整理整頓好きだとやれスイス人の血が混じっているから、といった具合だ。

それらの先天的な「事実」がまったくの偽りだと判明したら、どんなことが起こるだろうか。そのような〝アイデンティティの目印〟が剝ぎ取られた時、自分は実際、誰なのだろうか。

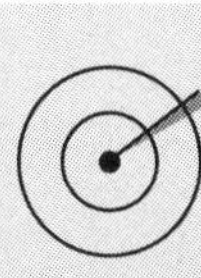

レーダー予測　二〇三八年

現在の最大公約数的な医療は、二〇三八年にはDNAに基づいたもっとカスタマイズされたアプローチに変わっている。驚くかもしれないが、「ニュートリゲノミクス（栄養ゲノム学）」の進歩に伴い、食品メーカーがパッケージに、この食品はどのDNA〝タイプ〟にお勧めかを知らせるマークを表示しているだろう。

＊＊＊

世の中が安全で安定し、平和でモノ余りの時代には、誰を「仲間」とみなすのかを見分けるために、あまり目を凝らす必要はない。民族性、類似性、忠誠を誓う相手が誰かを分ける境界は曖昧かもしれない。しかも、複数のアイデンティティのあいだを移動しても、さほど非難は浴びない。だが、混乱と不確実性の時代には？　さほど簡単ではなくなる。

居心地のいい帰属意識を掻き乱すために必要なのは、不安を掻き立てるか、不足するかもしれないという予測だけで充分だ（思い出してみればいい。感謝祭翌日のブラックフライデーに店に押しかける反狂乱の買い物客の姿を。それに、パンデミックの最初の頃、人びとはトイレットペーパーや消毒薬を奪い合った）。必要なのは政治的なご都合主義者だけだ。彼らは古い不満の傷口を開き、「私たち対ヤツら」の感情を掻き立て、人びとに「私たちの仲間か敵か」の踏み絵を迫る。そういうわけで、グローバリゼーション、欧州の統合、難民危機によって、「肌の色」「言語」「宗教」（たいていこの三つ）が違う人間が隣の部屋に越してくる可能性が高まるのに伴い、この一〇年で白人至上主義と極右のナショナリズムが急激に台頭した。

多文化主義という概念を（少なくとも理論上は）受け入れている地域や国もある。だが、移民にとっての現実は、その土地の住民が思う以上に階層化し、はるかに不寛容なことが多い。ベルリンは、本国以外で最もたくさんのトルコ人が暮らす街だ。その多くが、二〇世紀後半に出稼ぎ労働者としてベルリンにやってきた。二〇〇一年初め、ある調査によって、移民の四二パーセントが失業者として登録されていたという事実を知って、多くのドイツ人が啞然とした(13)。実際には、ほとんどのドイツ人は移民と離れて暮らし、彼らとの接点はエスニックレストランで注文する時か、特定の街区を車で素通りする時だけだ(14)。彼らがどんな生活を送っているかについて、まったく何も知らない。

二〇世紀、私たちは多文化主義を受け入れていた。文化の違いを認め、高く評価していた。二一世紀になると、その国本来の共通文化が、多様性によって蝕まれたのではないかと疑う人が増え、多文化主義に対する支持は薄れた。[15]そこには、年齢層による考え方の違いが働いている。二〇一七年、ドイツのある調査によると、二五歳以下の回答者のほとんどが、自国の文化と移住者の文化の融合を好ましく思っていた。[16]対照的に、七〇歳以上の回答者の三分の二は、移民に彼らの文化を捨ててドイツの文化に馴染んでほしいと望んでいた。

多文化主義対共通文化の議論は、今後いっそう激化するだろう。世界各地で起きる衝突、経済的困難、気候変動が組み合わさって、国境を越えざるを得ない人が増加するからだ。いまも約八二〇〇万人が——難民として文字通りライフボートに乗り込んで——移動している。[17]移民が到着した国では、多くの住民が大規模な移民の流入に反対している。彼らは、誰がどこに「帰属し」、誰が誰に「帰属する」のかを問題にする。最も極端な場合、それは移民排斥主義のかたちで現れる。つまり、「その国で生まれるか、長い歴史を持つある民族として生まれた者だけが、そこに住む権利がある」というイデオロギーだ。この考えは、歴史と起源にという重大で不穏な問いを提起する。現在、歴史と起源はＤＮＡ分析によってより明瞭（かつ複雑）になる。

歴史、人類学、社会学は、イン・グループ（内集団）思考とアウト・グループ（外集団）思考について、さまざまな例を教えてくれる。人びとはトライブ、クラブ、協会、政党など多様な集団を成す。社会的な生き物である私たちにとって、集団の形成は正常で実際、必要なことだ。そしていま、デジタルテクノロジーを使えば、多くの人は新たな方法でみずからを分類することが可能になった。意見によってグループ分けする。利害を共有する者どうしで絆を築く。社会的に有益なグループ分けもあれば、あまり有益でないグループ分けもある。

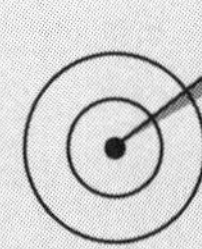

レーダー予測　二〇三八年

二〇三八年には、世代や特定の関心をもとに一緒に集まって住む暮らし方がいまよりも普通になる。その理由は、持続可能性、コストパフォーマンス、そして現代特有の危機である孤独と関係が深い。リビング・アンド・ラーニング〔特定のテーマやプログラムに関心のある学生が、寮で一緒に生活しながら学ぶ体験〕コミュニティは今日、大学生に非常に人気があり、このスタイルは世界的に拡大するはずだ。

二〇二〇年、新型コロナウイルス感染症は人類の半分をロックダウンに追い込み、多くの人に、コミュニティに対する考え方の見直しを迫った。私が「ズームイン」と「ズームアウト」と呼ぶ現象である。すなわち、私たちは地理的か情緒的な絆によって自分に近い人や企業に焦点を合わせた。そしてそれとともに、この恐ろしい時代を乗り切るためにリスクを負ってくれた、「自分たちとは違う」人たちにも——おそらく初めて——配慮する姿勢を見せたのである。二〇二一年七月、ニューヨーク市は二年ぶりに紙吹雪の舞う大パレードを開催した。この時、みなが称えたのは？　優勝したスポーツチームでも宇宙飛行士でも、大物政治家でもない。それは「地元の英雄」ことエッセンシャルワーカーだった。医師、看護師、清掃作業員、バス運転手をはじめ、自分たちの命を危険に曝して市民の暮らしを支えてくれた人たちだ。トライブが拡大したのである。

　第二次世界大戦以来、世界の人たちは今回のパンデミックによって、集団的な体験を味わった。デジタル時代には馴染みのない結束だった。私たちには共通の敵がいた。共通の関心の的があり、共通の恐怖があった。そして、目標も共通していた。生き延びることだ。このような体験の共有が、コミュニティの感覚だけでなく連帯感を生んだ。

「私より私たち優先（ウィ・ビフォア・ミー）」。これは、個人主義より集団主義を高く評価する社会に備わった考え方である。だからこそ、今回のパンデミックのはるか以前から、日本人が公共の場でマスクを着用していたのは珍しいことではなかった。日本の文化では、自分が風邪をひきそうか具合が悪ければ、周囲の人に迷惑をかけないために口元を覆うことは当たり前の行為である。対照的に、英米のような文化の中心にあるのは、妥協のない個人主義だ。長年のマントラは「私優先（ミー・ファースト）」である。

　問題は、パンデミックのあいだに私たちが味わった、物理的に離れていながら団結するという体験が、将来、私たちの態度や行動にどんな影響を及ぼすか、という点である。私たちは一緒に働く方法を純粋に学んだのだろうか。それともやはり、希少な資源を奪い合う競争相手として互いを捉えるのだろうか。私は二〇一三年に、「共同……」とついた言葉（共同制作、共同育児、共同起業家など）の流行は、世界に渦巻く怒りの解毒剤だと述べていた。その新たな証拠を目にするのは、ほっと安堵する体験である。ニューヨークで、エッセンシャルワーカーを英雄と称えた大パレードが開かれた。

パンデミックが始まった最初の数カ月間、あちこちで利他的な行為を目撃した。こんな極端な例もある。ニューヨーク在住の彫刻家ロンダ・ローランド・シアラーは、自宅を担保に六〇万ドルを借り入れて個人用防護具を購入し、市の医療ワーカーに配布したのである[18]。

ワクチンを接種するのか、税金の正当な割り当て分を支払うのか、何気ない人種差別や性差別を見過ごすのか。これらに関係があるかどうかにかかわらず、多くの人は自己の意思決定が他者にどんな影響を与えるのかについて、パンデミック以前よりさらに強く意識している。これまでこの世界で一緒に生きてきたというのに、必ずしもそんなふうに感じたり行動したりしてこなかった。そしていま、みなが同じボートに乗っていると考える人が増えたのだから、このところ吹き荒れている嵐を——そして、地平線上にぼんやりとかたちをとり始めた嵐を——乗り切るためには、協力や協調が欠かせないことが理解できる。

ズームやグーグルミートでビデオ会議をしたりオンライン授業を受けたりして、多くの時間を一緒に過ごす人が増えると、将来の共同住宅の役割を徐々に思い描けるようになるだろう。個人だけでなく、コミュニティをつなぐデジタルプラットフォームを想像してみよう。コーポラティブハウスは、数世代家族の生活スタイルに対応する。イートインはなく、テイクアウトとデリバリーに特化した、共有の〝ゴーストキッチン〟があれば、たとえば家に子どもがいるかほかにも重要な家事があり、時間と仕事に追われる将来の起業家にとっては利便性が高い（ゴーストキッチンは非社交的なトレンドだとみなす人もいる。レストランで一緒に食事を楽しむという伝統的な体験を犠牲にして、効率性とプライバシー、もっと言えば匿名性を重視することだ、というのだ。だが私には、ゴーストキッチンは家族での食事や職場での協力を促すように思う）。

将来に目を向ければ、パンデミックの隠れた希望の兆しは、本当のコミュニティと責任を共有する感覚が戻ってくることだろう。「ミー」文化は最近、うまくいっていなかった。

二〇二〇年六月、新型コロナウイルス感染症ですでに動揺していた世界は、別の事件を体験して団結した。ミネアポリス警察の警官がジョージ・フロイドを殺害するという、残酷な事件を目にしたのだ。近年、武器を持たない多くのアフリカ系アメリカ人の男性（そして女性と子ども）が、〝犯罪〟行為を理由に、警察によって命を奪われてきた。たとえば交通ルールを無視して道路を横断したとか、二〇ドルの偽札を（故意か偽札とは知らずに）使おうとしたとか、公園でおもちゃの銃で遊んでいたなどの〝犯罪〟行為である。

フロイドの死は、これまでの事件とどこが違ったのか。一部始終が動画に撮られていたからだけではない。警官に射殺されたフィランド・カスティールやショーン・リード、窒息死させられたエリック・ガーナーの場合にも動画は残っていた。フロイドの死がほかの事件と異なるのは、パンデミックに原因がある。数カ月も家に閉じ込められていたために、私たちは世界の公平性に敏感になっていた。ひとつには、感染率と死亡率が有色人種のあいだではるかに高かった[19]。そしてもうひとつは、パンデミックのあいだ、肌の色が黒や茶色か低所得の人たちが原動力となってこの国を動かしてくれたからこそ、より運のいい人たちが家に引きこもることができたのだ。

二〇一四年に警官に射殺されたタミール・ライスやマイケル・ブラウンをはじめ、アフリカ系アメリカ人の多くの事件に胸が張り裂ける思いがし、激しい怒りを覚えた者は多い。だが、私たちはジョージ・フロイドの事件に別の感情を抱いた。数世紀にわたる、制度化された人種差別や虐待に遭ってきた人たちとのあいだで、連帯感が高まったのだ。どんな場合にもよくある話だが、この考えを拒絶して団結するトライブも存在する。それでも、パンデミック以前と比べて、悪いシステムを改善する責任を何もかも、他者に押しつけようとする者は少なくなった。人びとは通りで抗議デモに参加した。ミネアポリスや全米だけではない。日本、メキシコ、英国、ブルガリア、バーミューダ、デンマーク、アイスランドなど、世界のあちこちで抗議デモが呼びかけられたのだ[20]。この連帯感は、忠誠と帰属という概念に影響を及ぼす。これまで以上に多くの人が同盟者として、これまで以上に堂々とした態度でふるまっている。ところが、それが反対の反応を掻き立て、いっそう高い壁を築いてしまうのだ。

ニューノーマルである混乱に、そして確実性とコントロールの集団的な喪失に取り組む時、私たちはそれぞれ特有の方法で対応する。スイスでロックダウンが始まった時、仕事仲間の男性の妻は、生活必需品を近所に届けることを使命としていた。私も、全米のあちこちで遠く離れて暮らす家族に同じような行動に出た。自分の愛する親族が事足りていると思えることで、自分がコントロールを失っていないと感じる必要があったのだ。またロックダウンのあいだ、深刻な経営危機に陥った小さな店を応援したかったし、甘いお菓子を送るというサプライズで、親族を元気づけたかった。人と気軽に会えない生活が多くの喜びを奪ってしまうことを、嫌というほど知っていたからだ。二〇二〇年のクリスマス時期、私たちは家族に贈るギフトの大半を買い控え、その代わりにコネチカット州の慈善団体「4―CT」と協力して、地元の貧困家庭に直接寄付をした。

ある友人の友人は、この混乱にまったく違う方法で対応した。彼の態度は、コミュニティと自分の身を守ることで言えば、私の対極に位置すると言えるだろう。彼はロサンゼルスの小高い丘の上で暮らし、自宅に銃を揃えている。とはいえ、暴力的な人間でもなければ、攻撃的なタイプでもない。彼は自分自身を実践的な人間とみなしている。彼は私の共通の友人に次のようなメールを送っていた。

もし街が混乱に陥り、腹を空かせた人で溢れかえり、スーパーマーケットが略奪されたら、破れかぶれになった人たちは食料を求めてここに押しかけてくるでしょう。彼らがうちの敷地の外に現れたら、散弾銃をちらつかせて阻止します。もし、敷地のなかに入ろうとしたら、ライフルを発砲しなければならないかもしれません。そして、自分かヤツらかという緊迫した事態に陥った時には、銃を使います。彼らが単に冷蔵庫や冷凍庫の中身を奪うだけだとは、とても思えないからです。

この男性は、自分のライフボートに乗せるのは誰かを知っている。家族だけだ。あなたの場合は誰だろうか。

本章の冒頭で紹介したヒッチコックの映画ではないが、あなたは自分の命が危機に曝される事態が本当に起きるとは思っていなかった。そして、いま大慌てしているとしよう。あなたはロサンゼルスの小高い丘で暮らす男性ではない。だから、重大な危機の前に準備万端だったと、あるいは、少なくともほとんどの人よりも準備ができていたとは思っていない。超富裕層でもない。プライベートな島も、完璧に要塞化し、逃げ込める場所も所有していない。万が一、市民社会が無法地帯と化しても、政府があなたを助けるために駆けつけてくれないことくらい、百も承知だ。それなら、あなたは誰を頼りにするのか。正面ゲートに襲撃者が現れた時、誰があなたを守り、背後から支えてくれるのか。

頭のなかで描く映画のその場面で、私たちは苦い現実と向き合わざるを得ない。つまり、私たちはリアルな世界でますます孤立している。この二〇年をかけて、バーチャルなコミュニティを築いたというのに？　フェイスブックやインスタグラムで、遠く離れた友だちや知り合いを見つけてつながっているというのに？　リンクトインでは、多くの人と接続しているというのに？　何の意味もない。バーチャルな関係はまったく安全ではないのだ。

それなら、本当に重要なのは誰だろうか。同じ質問は、個人に対してだけではなく、政府に対しても問うことができる。国家のライフボートに乗るのは誰か。地球というライフボートに座席があるのは誰だろうか。時計は時を刻み続けている。

＊＊＊

よく耳にする海難事故と違って、パンデミック後の世界で直面する最大の脅威は、暗闇に浮かび上がる氷山にとつぜん衝突して、ライフボートに致命的な穴が開くことではない。むしろ、氷山は目の前にはっきりと見えている。しかも、接触はすでに起こり、スローモーション型の衝突のため、一部の地域ではすでにその影響を強く受けている。意外な要素はない。異常気象は激化するばかりだ。温室効果のせいで、地球の温度は年を追うごとに最高記録を更新する。氷床や氷河が溶けて海面が上昇し、火災は風に煽られ、家や作物を焼き尽くす。

さらに不和の問題がある。自分とは違うとみなす相手とは、落ち着いて、前向きに、礼儀正しくコミュニケーションすることが、ますます難しくなってしまった。そのような相手を、私たちがライフボートに乗せないことは明らかだ。一部の人には使い切れないほどの必需品を与え、それ以外の人には与えないという、不公平が起こり続ける。

ある意味、大惨事と衝突進路は、私たちにとって救いになるのかもしれない。別のライフボートはないのかもしれない。地球上の私たちが乗る、大きなライフボートがひとつだけ。八〇億人にたった一隻のみ。私たちはすでに乗船して、席に着いている。船の側面にしがみついている、と表現する人もいる。

このライフボートを降りることはできない。だが、残された選択肢はある。怯えながら漂流し、次の悲劇的なヘッドラインを待つのか。それとも、勇気を振り絞り、知性を使って、全員が生き残る可能性を高めるために必要なことを為すのか。自分のトライブを優先するのではなく、全員を公平に扱うのか。困難を跳ね返してきた人類の歴史を振り返るならば、私が賭けるのは後者の選択肢だ。

私たちが一丸となって為すこと、すなわち今後二〇年間の集団的な意図と行動は、極めて重大な結果を生み、混乱の蔓延を許すのかどうかを決める。イントロダクションで紹介したように、もしあれほどの大群で一斉に空を飛ぶ本能がムクドリに発揮できるならば、もちろん私たち人間にも、行く手を脅かす混乱を一体となって抑制できるはずだ。

第八章　境界を越える。境界をリセットする

境界は変化する。これまでも変化してきたし、これからも変化する。問題は、どのくらい速く、どの程度まで、どの方向に変化するかである。タイムトラベルの感覚を摑むために、半世紀前の文書、雑誌、写真を見て、当時の境界がどこにあったのか、ちょっと考えてみよう。古い地図を見ると、いまはもう存在しない国家や、新たな国境とともに生まれた国家に気づくだろう。人気雑誌に掲載された人びとの写真を見ると、見えない境界が漠然と浮かび上がってくるはずだ。それによって、「重要」とみなされていた個人や集団がわかる。それだけではない。人種、ジェンダー、国や地域など、どの部類の人を記録する価値があると考えられていたかもわかる。さて今度は、いまから半世紀後の文書、雑誌、地図がどんなふうに変わっているかを考えてみよう。どの境界が消えかかっているか、消滅しているだろうか。どんな境界が新たに引かれているだろうか。

さまざまな境界がある。物理的、心理的、社会的／文化的な境界、知性上の境界、性別に関わる境界、一時的な境界など……。事実上、どの境界もほぼ絶え間なく変化し、今日ほど目まぐるしく変化

する時代はなかったのではないだろうか。いまは、ハイブリッド化の時代だ。それは、私たちがどこでどうやって働き、どんな服装をし、何を食べ、誰とパートナーになり、どのように自分を表現するかなど、さまざまなことに影響を及ぼす。一世紀前、病院の新生児室を訪れると、性別、生まれた場所、宗教、家族の社会経済的地位によって、タオルに包まれたその赤ん坊が将来どんな人生を送るのかは、たいてい見当がついた。それらの変数をもとに、その赤ん坊が結婚する相手の特徴もたいてい察しがついた。境界はくっきりと太かった。その線を跨ぐのは、勇敢で強い意志の持ち主だけだった。今日、生まれる赤ん坊について考えてみよう。生まれた時に割り当てられた性別でさえ、正しいかどうかわからない。一世紀前には、生まれた女の子が（もし職業に就くとして）、どんな職業を目指すのか、経験に基づいてだいたい推測できた。ところがいまの時代は、そもそもどうやって推測すればいいのか。そんなことはとても不可能だ。選択肢は増え、境界は減った。確実と感じられるものは何ひとつない。

歴史的に最も長く残ったのは、文化的な境界だった。一〇〇人以上が暮らすコミュニティなら、ほぼどこででも見つけられた。階層と階級の長い歴史が示すように、境界はエジプトとリビアとを、カナダとアメリカとを隔てる物理的な国境線と同じくらい、きっちりと引かれていた。何世紀ものあいだ、これらの暗黙の境界は、コメディアンに、劇作家に、小説家にインスピレーションを与えてきた。社会的境界は、有名な人物の経歴や背景を知る簡単な手がかりである。なぜなら、世界の一部の地域において境界は不変に見えるため、それが相手を知る大きなヒントになりやすいからだ。たとえば、イングランドでは今日でも、社会の頂点に君臨するのは広大な土地を所有する貴族である。イングランドの土地のだいたい三分の一は、貴族と伝統的な地主階級が所有する[1]。

人は社会的境界を人生の早い時期に身につける。地位や身分が血筋や先祖代々の富によるものである時、そこから漏れた者は物理的に烙印を押されたも同然だった。その典型的な例が、作家のチャールズ・ディケンズだろう。ディケンズの父は、借金を返済できずに債務者監獄に収監されてしまった。そのため、一二歳のディケンズが靴墨工場で働いて家族を養った。ディケンズは当時の英国で最も有名な作家になったあとでも、その汚点を決して完全に拭い去った気がしなかったという[2]。

英国に限った話ではない。インドにはカースト制がある。フランスの裁判所は階層に分かれ、ドイツの名字には貴族を表す「フォン」という称号がある。私たちのDNAには、社会的境界を求めるものがあるようだ。私たちとヤツら。身分の高い者と低い者。称賛される者と非難される者。ドクター・スースの絵本に出てくる、スターベリー種とプレーンベリー種[3]（自分たちを優れた種族だと思う者と、仲間はずれにされる者という意味）。ところが、その明らかな例外はアメリカだ。少なくとも、その意図のもとにアメリカは建国された。

まだ若い国家だったアメリカが、冒険好きで野心に燃える者を惹きつけた最大の魅力は、大陸の半分が未開だったことだろう。歴史家のフレデリック・ジャクソン・ターナーは著書『アメリカ史におけるフロンティアの意義（The Significance of the Frontier in American History）』（未邦訳）のなかで、アメリカ西部を民主主義の最も重要なインキュベーター（孵化器）だと述べた。彼はこう主張している。一八四〇年代、開拓者が西へ一マイル進むたびに、欧州の価値観を少しずつ置き去りにしていった、と。一八六八年、作家のホレイショ・アルジャーが著書『ぼろ着のディック』を発表した。このヤングアダルト小説は、生まれ落ちた貧困階級から、美徳と長所を武器に立身出世する十代の少年が主人公である。人を勇気づけ、心に強く訴えかけるその教訓は、文化的なメッセージになりやすかった。フロンティアはまもなく消滅したが、手を伸ばせば社会の流動性（上の階層への移動）と富を摑める、という神話は生き残った。カリフォルニアでは、生まれ変わることができた。必要なのは知性と野心だけ。ユダヤ人に映画スタジオが所有できたのだ。

二〇世紀半ばのアメリカにおいて、境界はいっそう消滅したように見えた。それが始まったのは、ジョン・F・ケネディ大統領の時代だろう。「グレーのフランネルのスーツ」を着た一九五〇年代の退屈な男たちの価値観を、リベラリズムのそよ風が吹き払った。それはおそらく、一九六〇年代後半のセックス、ドラッグ、ロックンロールの若者文化だった。公民権運動と反戦運動だった。ピル、フェミニズム、看護師や教師という伝統的な職業にとどまらない、女性の社会進出だった。ソフトパワーの台頭であり、影響を及ぼす新たな道が切り拓かれたのだ。

理由はどうあれ、境界のせいで何かができないと感じたことは、少女時代の私にはまずなかった。みな自由に旅をした。金銭的な余裕が増えた。境界を感じずに済むことは、生得権よりも重要だった。純粋に心理的な問題として、境界を捉えるようになった。一九九〇年代に入ると、女性はセラピストにかかるようになった。もはや何かの関係に抑圧されたくないためであり、「健全な境界」を築いて維持することを学んだ。そして、間違いなく初めて、境界は押しつけられるものではなく、自分自身のために設定するものとなった。

新たなミレニアムが訪れ、社会の境界はますます消滅していった。インターネットが一気に普及し、金融で膨らんだ富はより豪奢（ごうしゃ）で、より自由放任主義（レッセフェール）の文化を生み出した。同性愛者が結婚する。異なる人種どうしのカップルが、もはやじろじろ視線を集めることもない――少なくとも都市においては。アフリカ系アメリカ人が大統領に就任した。

やがて、ニュートンの運動の第三法則である「作用・反作用の法則」が働き始める。二〇一五年六月、ドナルド・トランプが、かのトランプタワーのエスカレータに乗って降りてきて、アメリカ大統領選への出馬を表明した。おおぜいの信奉者の望みが相乗りした。トランプのメッセージは露骨だった。我々の国にやってくるメキシコ人は「問題だらけだ。彼らは問題を持ち込む。麻薬を持ち込む。犯罪を持ち込む。彼らはレイプ犯だ」。そして、こうつけ加えた。「一部には、たぶんいい人もいる」。[4]

アメリカでは、反移民感情はなにも新しい現象ではない。トランプが大統領選で用いたレトリックがそれまでと異なるのは、まずその言葉遣いである。そこに遠慮や配慮というものはない。そしてもうひとつは、侵入不可能な境界の必要性を、全米中に名前を知られた人物がずけずけと言い放ったという事実である。壁を建設する――自分たちとヤツらとのあいだに物理的な境界を築く――と呼びかけるとは、なんとも見事な政治手腕ではないか。高さ五・五〜八メートル超の壁を建設すれば明確な境界を築き、暗黙のメッセージを送ることになる。白人だけが――それもとりわけ白人男性だけが――本当のアメリカ人だという、この上なく不快なメッセージを。どういうわけか、白人は持って生まれた権利を取り上げられてしまった。そして、いまや被害者だ。トランプ政権のメッセージをそのまま強調していたのが、国務長官を務めたマイク・ポンペオの言葉だ。彼は、トランプ政権が終わる二日前にこう非難したのだ。「ウォークイズムに多文化主義。あらゆる主義（イズム）は、アメリカ本来の姿ではない」[5]〔ウォークは「政治的に覚醒した」などの意味。環境問題や人種差別などの社会問題に目覚め、社会正義を実現しようという主義〕。

実のところ、今日、〝イズム〟はアメリカ人の体験に欠かせない。アメリカを数十年前の理想的な姿に戻したい人たちがどれだけ必死になろうと、ひとたび外に出てしまった魔人（ジーニー）を再び閉じ込めることはできないのだ。人種的な構成や民族的な構成も、人種の平等からセクシュアリティやジェンダーまでのあらゆるものごとに対する態度も、変わり続けてきた。性別の境界はぼやけ、〝彼女〟は複数形で〝彼ら〟と呼ばれたりする。あるいは〝彼〟と呼ばれる可能性もある（第一四章参照）。境界はますます曖昧になり、〝ジェンダー流動的な文化〟に置き換わっていく（同じく第一四章参照）。その文化のなかで、自分の役割（ロール）を探し出すことは本当の自分自身を見つけ出すことだ。

そして、二番目の勢力も登場した。今回、新たな境界を引いたのは女性たちだった。数十年にわたって、未成年の少女との性行為は、文学の名作を生み出す前提だったかもしれない。ウラジーミル・ナボコフの『ロリータ』がそうだ。映画「ハイスクール白書　優等生ギャルに気をつけろ！」（日本劇場未公開）や、「アメリカン・ビューティー」も同じテーマを扱っている。映画「マンハッタン」で、ウディ・アレンは一七歳の女子高生とデートする四二歳のライターを演じた。最初にこの映画を見た時、性的捕食の関係を世間がどう捉えるか理解していた批評家は少なかった。ところが、この映画は、ウディ・アレンの最高傑作のひとつという評価を得たのだった。

ジェフリー・エプスタイン〔実業家、大富豪。未成年の少女に対する性的虐待、性的人身売買で逮捕されたあと、拘置所で自殺したとされる〕や、ハーヴェイ・ワインスタイン〔ハリウッドの元大物映画プロデューサー。性的暴行事件で逮捕された〕は、女性蔑視を容認しうる態度とし、性的暴行や性的捕食をただ単に「男とはそういうものだ」という言葉で片づけてしまっていた。ワインスタインは、芸術的な映画のプロデューサーとしては暴君であっても、趣味の良い人間と思われていた。ところが、例の〝配役を決定するソファーでのできごと〟よりも、はるかにダークな面があった。その公然の秘密が長年、新聞のゴシップ欄を飾らなかったのは、彼の権力のなせるわざだった。そして、ワインスタイン事件によって＃ＭｅＴｏｏ運動が起き、すべてが変わった。一〇年前には存在しなかった世間の大きな支持に勇気を得て、被害者の女性たちが口を開き始めたのだ。映画製作者、映画スタジオの重役、広告代理店の重役をはじめ、多くの大物がドミノ倒しとなった。民主党のアル・フランケンは、極めて嘆かわしいセクハラ疑惑〔コメディアン時代のセクハラ行為を複数の女性に告発された〕によって上院議員を辞職した。また、五六歳の時、別れた妻の養女（二一歳）とつきあい始めたウディ・アレンは映画界を半ば追放状態になった[6]。ニューヨーク州知事時代のアンドルー・クオモは、パンデミック対応で手腕を発揮して無敵に見えたものの、セクハラ疑惑で政治家としての支持をなくし、ついには知事の地位も失った。先日までであれば見過ごされたかもしれない行為でも、いまでは仕事を失うことに、いや刑務所行きになるのかもしれない。

ジェンダーや社会的立場と関係のある文化的境界の多くは消滅し続け、新たな境界が生まれつつある。そのいくつかを規定しているのは、かつて被害者とされた人びとである。

そして、政治世界の境界が復活し始めた。二〇二〇年までの数年間に、個人の自由が消滅し、厳格なイデオロギーがあちこちで再制度化された。トルコ、北朝鮮、ロシア、中国で専制者が反対勢力を弾圧した。右派の活動家は武装蜂起を呼びかけ、選挙で選ばれた政治家を暗殺し、国家元首が変わると実際、それは独裁者の誕生を意味した。

最も思いがけない展開は、欧州で起きた境界の引き直しだろう。英国がEUから離脱したことで、英仏海峡は〝トランプの壁〟になった。離脱推進派は、「太陽に照らされた高み」〔第二次世界大戦中のチャーチル首相の言葉〕の到来を約束するキャンペーンを繰り広げて、有権者の心を摑もうとし[7]、プロパガンダやでっちあげも厭わなかった[8]。どうひいき目に見ても、現実はその約束にはほど遠かった[9]。離脱に投票した有権者は、英国内で肌の黒い人や茶色い人たちを見たくなかったが、多くの移民が出て行ったあと、その影響を実感することになった。エクセレンス経済統計センター（ESCoE）によれば、二〇二〇年にロンドンだけでも約七〇万人の外国生まれの住民が出て行ってしまい、ロンドンの人口が八パーセント減少したという[10]。移民が去ったために、英国全体で約一二〇万人の労働力が不足し、トラック運転手が絶対的に必要になった[11]。商品不足が発生して小売店の棚が空になり、長い列ができ、買い占めが起きた[12]。英陸軍の兵士が輸送支援につき、国中のガソリンスタンドにガソリンを輸送した。

大きな被害を受けたのは、スコットランドの水産業だ。それまで漁師はアカザエビやホタテ貝を獲った翌日には、欧州市場に出荷していた。ところがブレグジットによって、衛生証明書、税関申告書などの煩雑な書類仕事が増え、出荷に時間がかかるようになった。ある業界団体は、輸出用魚種の漁をやめるように助言している[13]。

ブレグジット後の税関規則のせいで、EUからとつぜん輸入ができなくなったと、英国のあるワイン業者は《ガーディアン》紙に不満を漏らしている。「私たちは小さいながらも優良な企業でした。商売はかなりうまくいっていました。そして、ブレグジットが起きたのです」。男性は続ける。「ブレグジットは自動車事故だとわかっていました。でも、まさか、多くの犠牲者を出す霧のなかの多重事故になるとは思っていませんでした[14]」。

英国のEU離脱が完了した二〇二一年一月一日、英仏海峡を挟んだオランダの港では、職員が輸入品の「少なからぬ山」を没収したと報じられた。そのなかにはチキンのフィレ肉、トロピカーナのオレンジジュース、スペイン産オレンジ、さらにはシリアルまであったという。彼らは「英国から食品を持ち込むことはできません」と注意されたのだった[15]。

本当の問題はもちろん、ワインでもフィレ肉でもシリアルでもない。国家の内部に境界を引くことであり、ライフボートに席のある人間は誰かという議論である。それは悪循環を生みやすい。英国から移民が消え、それがサプライチェーンの問題を招き、不可欠な仕事の労働者が不足するいっぽう、経済的な激変がナショナリズムを掻き立てる。もとはと言えば、それがそもそもブレグジットへと至る道を開いたのだ。グローバル化が進展する世界において、ほとんどの人が望むのは、〝我々のもの〟が極めて神聖なまま保存されることなのだ。

かつて曖昧だった境界が強化されている例をあげるならば、ハロウィンのかたちがそうだろう。たくさんの子どもが大好きなこのお祭りは、文化の盗用だ、無神経だと非難が飛び交う機会になってしまった。ハロウィンはもともと、古代ケルト人の「サウィン祭」が起源とされ、その日、この世とあの世の境目が曖昧になるとされた。そのお祭りを、新世界の住民が好きなようにアレンジしてしまった。一九〇〇年代初めには、アメリカ人が「自分たちの文化や人種とは違う、別の文化を持つ別の人種を描くために、顔を黒塗りしてアフリカ系アメリカ人を真似たり、かつて〝極東〟あるいは〝異国情緒が漂う〟とされていた地域のターバンを頭に巻いたり、シンボリックな装飾を身につけたりして仮装するようになった」[16]。さらに二〇世紀半ばになると、「カウボーイや先住民（インディアン）」の仮装が人気になり、後者の場合には、先住民が儀式で身につける伝統的な衣装を真似るようになった[17]。それは実際、開拓時代の西部（ワイルドウェスト）の歪んだかたちのお祝いだった。

　恥を承知で打ち明けるが、子どもの頃の私には、インディアンの酋長や芸者ガールの格好を真似るのが不快なことだという意識は、これっぽっちもなかった。「私たちは文化であって、衣装ではありません」などのキャンペーン〔オハイオ大学が二〇一一年に展開した、文化の盗用に対する意識を啓蒙するポスターキャンペーン〕のおかげで、今日の若者はよく理解している。いや、少なくともよく理解すべきである。ステレオタイプの利用は相手を侮辱する行為であり、ステレオタイプとして描かれた集団の感情を傷つける行為だということに、私たちの世代よりも若者たちのほうがずっと敏感だ。アメリカ先住民の女性が危機的なレベルで性暴力の犠牲になってきた歴史を考えれば、彼女たちを性的対象として扱う衣装はとりわけ有害だと思う。

『黒い顔から黒いツイッターまで――ブラックユーモア、人種、政治、ジェンダーに関する考察

（From Blackface to Black Twitter: Reflections on Black Humor, Race, Politics, and Gender）』（未邦訳）の共著者のひとり、ミア・ムーディ＝ラミレスは、《ワシントンポスト》紙にこう語っている。

その文化を表現しているコミュニティが、その衣装をどう捉えているのかを考える必要があります。自分にこう問いかけてください。自分が真似ている文化に、抑圧の歴史はないだろうか。その文化を無断で借用することで、自分は利益を得ていないだろうか。その真似に飽きた時には脱いだり取り外したりして、自分は特権的な文化に戻れるが、その人たちにそんなことができるだろうか、と[18]。

文化の盗用をめぐる議論が激化するのに伴い、報いを受ける著名人も増えた。そのひとりが《ボナペティ》誌の編集長だったアダム・ラポポートだ。ハロウィンパーティで顔を茶色に塗り、「プエルトリコ人」に扮した写真が明るみに出たあと、辞任を余儀なくされた[19]。

盗用と好意的な評価とのあいだのどこに境界を引くのかについて、さまざまな意見があるが、結局はその文化に対する知識と敬意ということになる。女優でありシンガーでもあるゼンデイヤは、その違いを次のように説明する。「その文化にとって、本当に神聖で重要なことがあります。だから、ただ身につける前に、それらの重要性について政治的に認識しておかないと[20]」。女優のアマンドラ・ステンバーグは、「盗用が起きるのは、一時的に参加するその文化の深い重要性を盗用者が知らない時[21]」だと語った。あるいはユーチューブで簡潔に述べている。「私のコーンロウ（髪型）を商品にしないで[22]」。

文化の融合の妥当性については、混同が起きやすい。文化のブレンドという話になると、どこに境界を引くのだろうか。

文化の融合に関する境界の変化は、食事についても見られる。文化の盗用と文化の好意的な評価とのあいだに引く境界は、極めて主観的だ。自称「彫刻家、漫画家、ハッフルパフ」のマレーシア系アメリカ人のシン・イン・コールは述べている（ハッフルパフは、「ハリー・ポッター」シリーズに登場する魔法魔術学校の寮のひとつ）。自分がコミック「ジャスト・イート・イット」を描いたのは、「人びとが〝本物の〟食べ物にこだわるいっぽう、〝エスニック〟料理について深く考えもせず、自分たちの料理としてとり入れる傾向」について考えるためだった。彼女は、こうアドバイスするとともに願っている。

食べて。でも、その食べ物を選んだ自分の勇気がゴールドスターものだとは思わないで。食べて。でも、その食べ物から、私たちの〝エキゾチックな〟暮らし方について文化的な洞察を得たふりはしないで。食べて。でも、その食べ物を私たちも食べていることを忘れないで。そして、私たちの日々の食べ物は、あなたの冒険物語ではないことも。ジャスト・イート[23]。

これらの水域を人びとが泳ぎ渡る時には、もちろん間違いも起こり、世間の非難も続くだろう。重要なのは、ルールを決定するのはもはや権力階級だけではないことだ。

従業員の立場で言えば、境界の問題はほかにもある。パンデミックを無事に乗り切ったホワイトカラーの仕事は、ＷＦＨ（work/working from home）いわゆる在宅勤務だ。一部の者にとって、標準的な一日の労働時間の指針はなくなった。それとともに、古い考えの雇用主や管理職は、これで従業員の夜、週末、休暇に配慮する必要はなくなったと考えた。従業員は、仕事のほかに何をしなければならないと言うのだ？

それでも、一日の労働時間の決まりが消滅したことは、明るいニュースだった。パンデミックは伝統的な働き方を壊した。そのため、一日の労働時間は自分で決め、もはや企業が決めた時計の言いなりに働く必要はない、と考える従業員が増えた。九時〜五時は選択肢のひとつにすぎない（皮肉にも、その時間割りは、企業が労働組合に譲歩した結果だった。当初、労働者を搾取から守り、家族と過ごす時間が充分にとれるよう、フォード・モーターが制度化した時間帯である）[24]。その時計は変わった。一分、一時間、一日と時計は時を刻む。だが、重要なことに、時間を無為に過ごす人は減った。パンデミックは私たちに、時間を味わうというシンプルなすべを教えてくれたのだ。

そのために自由時間を使える人にとって、それは読みたい本を読み耽り、家族と充実した時間を過ごし、ラップトップを（罪悪感なしに）脇に置いて散歩に出かけたり、泳いだり、お酒を飲んだり、スポティファイのプレイリストを作成したりできるという意味だ。

スウェーデンとノルウェーには、そのような時間や行為を表すラーゴム（lagom）という言葉がある。「ほどほど。ちょうどいい」という意味である。ラーゴムはその瞬間を味わおうと誘う。たとえば朝、その日最初に飲むコーヒー。アイロンをかけたばかりのシーツのあいだに滑り込む瞬間。その時間を味わうというシンプルな楽しみを教えてくれたいまの時代に、私たちの多くが意識することなく、ラーゴムな暮らしを楽しんでいる。

もちろん、パンデミック後の世界を予測することは難しい。もとのせわしない生活に戻ってしまうのだろうか。大急ぎで子どもたちを学校に送り出し、そそくさと生活必需品を買い出しに行く。ただでさえわずかな「私だけの時間（ミー・タイム）」を台なしにし、慌ただしい生活に疲れ果て、Lサイズのコーヒーが手放せない。そうならないように願っている。私の理解するところ、その時間を楽しむという「ミー・タイム」が秘めた可能性は、パンデミックの状況を考慮するまでもなく素晴らしいことがわかっている。

スウェーデン人は、ラーゴム以外のリラックス方法も知っている。脱出である。アメリカ人は、休暇をとらないことで――あるいは有給休暇を消化しない国民として――有名だ。たとえば二〇一九年、インターネットコンテンツ発行業者「バンクレート」の調査によれば、アメリカ人の一〇人に四人以上が予算を理由に、その前年に休暇旅行に出かけなかったという。[25] それに引き換え、スウェーデン人は五人にひとりがサマーハウスを所有し、人口の半数以上が利用する。[26] そして、暖かくなると出かけて行く。しかもほんの二、三日ではない。教師のアンナ・ウィキルンドは語る。

サマーハウスで過ごす日々は、家で過ごす日々の義務から脱出するのを助けてくれます。サマーハウスで長く過ごすため、ここで暮らしているような気になりますね。二週間、海外を旅する時には、すごくいろいろなことを体験したり試したりします。でも、必ずしもリラックスしません。サマーハウスに来て一、二週間もすると、だんだんのんびりし始めます。ああ、これこそが私の求めていることだ、と感じます、ゆっくりと心身がほぐれていくんです[27]。

頭のなかでは、私たちはみなスウェーデン人やノルウェー人だ。仕事や雑用との境界をきっちりと引き、現代の慌ただしい生活のなかで一息つきたいと願っている。マキシン・ウォーターズ下院議員の不朽の言葉を借りれば、私たちは自分の時間を〝取り戻し〟たい。そして、私たちのまわりで目まぐるしく渦巻く混乱をもっとコントロールしたい。そのために、境界を設けて悪い行動を思いとどまらせ、それと同時に、もはや容認できない方法で私たちを分類し、閉じ込めようとする境界を打ち破る。

混乱をうまく制御する別の方法は、世界を小さな構成要素に分解して、複雑なものを扱いやすくすることだ。巨大で漠然としたものを拒否し、親密で具体的なものを選ぶのだ。

第九章　スモールはニュービッグ

「大事は、小事の積み重ねによって成し遂げられる」。フィンセント・ファン・ゴッホはそう言った。難しいものごとの一つひとつの要素に焦点を当て、複雑なものごとを絞り込む。その大切さを、ゴッホはよく理解していた。流動と混沌に満ちたいまの世の中で、私たちは撤退するか、ものごとをもっと対処しやすくしようとする。一日一日手探りで進み、身のまわりの積極的行動主義を大切にし、より良い人生へと続く道で小さな一歩を重ねていく。一気に大きな変化を起こそうとしない。それが、正気を保つためのメカニズムだ。

二〇〇〇年代初め、心理学者のバリー・シュワルツは「選択のパラドックス」という言葉をつくった。あまりに多くの選択肢を並べられ、あまりに多くの可能性がありすぎると、どんなことが起こるかを説明した言葉だ。その場合、人間は不安になり、満足度が薄れ、ついには頭が麻痺して決断が下せなくなってしまう。シュワルツは、選択肢がないと「耐えられない」が、選択肢が多すぎても途方に暮れてしまうと主張する。「その時」と、シュワルツは注意を促す。「選択はもはや私たちを解放するどころか、押し潰します。選択は暴威を振るう、と言ってもいいかもしれません」[1]。

ものごとを決める際に、頭が麻痺したり無力感を覚えたりするのを防ぐ方法がある。選択肢を分類して二者択一に減らすのだ。アメリカには、有料テレビチャンネルのＨＧＴＶが放映する「ハウス・ハンターズ」という長寿番組がある（世界中で放映している）。このリアリティテレビでは、番組が選んだ三つの物件のなかから、家探しをする出演者がまずひとつを却下し、残りのふたつの選択肢から最終的にどちらかを選んで購入する。番組が設定した決まりだが、人間が何かを選択する時の思考もたいていそのように働く。

同じように、決断を下す時に陥る思考停止に対処する方法はほかにもある。不和の時代には、自分が心地よく感じられることとか、自分にコントロールできることに焦点を絞るのだ。たとえば、私には地球の平均気温の上昇に歯止めをかけることはできない。だが少なくとも、電気自動車やサステナブル（持続可能な）ファッションを買うことはできる。ロックダウンのあいだ、私は遠く離れて住む家族をハグできなかったが、焼き菓子を送って私の愛を伝えることはできた。パンデミックのあいだ、フォーカスグループの人たちは、家のなかで心地よく過ごせながら、ズーム会議の場にふさわしく、また専門職らしい洗練された服装をしていた。心地よさ、利便性、能力はもちろん重要だ。だが、世界のバランスが崩れている時、自分はものごとをコントロールしている、と主張できることも重要だ。

いま正しいのは〝スモール〟だ。今後の数十年もそうだろう。生活の小さなものごとを楽しみ、地元のもの、真正のもの、親しみを感じるものを大切にし、そこに慰めを見出す。

だが、〝スモール〟をどう定義するのか。センチメートルなどの測定単位で表されるもの、というよりは、主観的なものであり、もっとずっと感情的な要素が大きい。

一九八〇年代後半、あるおそろしくお金持ちの青年がいた。彼は、フランスの画家アンリ・マティスの絵画を所有していたが、自分にはあまり必要がないと思った。そこで、一点一八〇〇万ドルで二点売却した。現金に余裕ができたために気前が良くなり、そのお金でフランスのワインを十数ケース購入して友人たちに配った。それはペトリュスだった。ボルドー地方のわずか一一ヘクタールほどの畑で収穫されたブドウで生産される世界最高峰のワインである。彼が一九八〇年代後半に、一九七三年もののヴィンテージを購入した時には、一本一〇〇ドルにも満たなかった。あれほど評価の高いワインにしては、ずいぶんお買い得だった。

その青年は友だちにひとり三本ずつ配った。青年の気前良さを祝して、すぐに飲んでしまった者もいた。あるいは、貯蔵して年月による熟成を待つ者もいた。私の友人が、ワインキャビネットに寝かせた、その贈り物のワインを見せてくれた時、彼はこのワインが自分より長生きする可能性が大いにあると言った。こんな高価なワインは、とてももったいなくて飲めない、と彼は考えていたのだ。数年後、彼は離婚し、多くの財産を失った。その痛手を和らげるために、ワインを専門業者に一本一〇〇〇ドルで売った。彼がワインを四五年も寝かせておいた理由を、業者はただのひとことも訊かなかったが、彼にはそれがなぜなのか、よくわからなかった。後日、オンラインで知ったのは、香港のバイヤーが一九七三年もののペトリュスを、一本一八〇〇ドルで売りに出していたことだった。

どういうことなのか。一九八八年、そのおそろしく裕福なアメリカ人の青年にとって、マティスの絵画は小さなものだった。彼の純資産にとって、誤差の範囲ですらなかった。だから、ワインはさらに取るに足りないものだった。その贈り物を受け取ったほとんどが裕福な友人たちにとって、ペトリュスはその男性の気持ちを表す心のこもった贈り物だったが、やはり小さいものだった。ワインの専門業者にとっても、その買い物は小さな、さほど重要でもない商取引だった。私の友人からワインを引き取る前に、その業者と香港のバイヤーとのあいだですでに話はついていたのだろう。香港のバイヤーにとって、ペトリュスはおそらく誇大な夢とつながった小さな額だった。あるいは、何でもないさと手を広げた裕福な青年にとってそのワインは、気恥ずかしく思いながらも、自分を友人に大きく見せるための贈り物だった。ところが、離婚した私の友人にとっては違った。彼にとって、ペトリュスは小さなものではなかった。贅沢の象徴だったのだ。高価であり、年を経るごとに価値が上がっていくものだった。彼にとってそのワインの贈り物は大きく、忘れられないものだった。重大なできごとであり、もしかしたら重荷だったのかもしれない。

　それがどのくらい重要かは、あなたが誰で、何を持ち、人生のどの地点にいるのか、そしてそれらすべてについてどう考えているかによる。すべては相対的なものだ。

　私たちの宇宙は果てしない。それでは、実際にどのくらい大きいのか。イングランドのダラム大学の天文学者ピート・エドワーズは、その大きさを理解しようとしてもほとんど無駄だという。「その話はやめたほうがいい……宇宙の本当の大きさは、人間の頭にはとても理解できないんだ」[2]。

　その巨大なサイズを理解する方法はない。それなら、私は〝スモール〟の意味をこう捉える。ヒューマンスケール。自分のものごととして捉えることのできるサイズ。私たちが理解できるのは、両手をまわして囲める空間、それが私たちにコントロールできる範囲だ。

ところで、なぜいまヒューマンスケールなのか。

多くのものごとがそうであるように、境界を引き直すことも、パンデミックとともに始まった。範囲は狭くなった。野心は萎(しぼ)んだ。消費も減った。パンデミックによって、内向き思考にならざるを得なくなった。自宅が全銀河になったのだ。多くの人にとって「出かける」は近所の散歩を意味し、遠くまで車を走らせることではなくなった。バーやレストランに出かけたり、スポーツで汗を流したり、文化イベントに参加することでもない。もちろん飛行機に乗ることではない。

このように活動範囲が狭くなったために、何が重要かについて、すなわち身のまわりのものごとの相対的な価値について、私たちの考え方が変化した。二〇二〇年、アメリカで家庭用品の売上げが五一・八パーセント増加したのは偶然ではない[3]。世界規模で見れば、オンラインの室内装飾市場は、最も好調な欧州市場に牽引されて二〇二〇〜二四年には一三パーセント増の見通しだ[4]。パンデミック中に、室内装飾にお金をかける余裕のある人が注目したのは、自分たちを監禁しているミクロな空間を魅力的に彩るアイテムだった。鉢植えの植物を育て、家具を修理し、それまでは興味を持たなかったようなものを購入した。こうして出費は、癒しの空間、気分転換を図る楽しみ、技術や知識の遅れを取り戻すプロジェクト、スキルアップに振り向けられた。二〇二〇年春の数週間、ソーシャルメディアを賑わせたのは、天然酵母のサワードゥの生地をじっくり発酵させてつくった、焼き立てのパンの画像だった。市販のドライイーストがほぼ入手不可能になってしまったのだから、それも納得がいく[5]。

とはいえ、小さくて親密なものを好むトレンドが始まったのはパンデミックのはるか以前のことだ。インスタグラムは、リッチな有名人の豪奢なライフスタイルの写真（と、自分もその仲間だと見せたがる、涙ぐましい努力のフォトショップ版）のショーケースだ。そのいっぽう、この二〇年は、虚飾や馬鹿バカしいほどデカい家、安っぽい成金趣味を拒絶する傾向も見られた。建築ライターのケイト・ワグナーが、趣味の悪い建築デザインやインテリア装飾を痛烈に批判するブログ「マクマンション・ヘル（安もの豪邸の地獄）」のファンは私ひとりではないはずだ[6]〔マクマンションとは、質よりサイズや外見、内装の豪華さを重視して、安い建材を使って郊外に建てられた大量生産の分譲住宅。〝マク〟は、マクドナルドのチェーン店のように次々建てられることや、画一性を揶揄した表現〕。

だからといって、この小さくて親しみの湧くものを好むという揺り戻しによって、ごく一部の選ばれし超富裕層が、頭がくらくらするような富を掻き集めることを思いとどまったわけではない。彼らは、たいていの人の想像を超える――宇宙のごとき――巨万の富を蓄えている。二〇二〇年、《フォーブス》誌の第三五回世界の億万長者リストは、前年より六六〇人増えて、空前の二七五五人を記録した[7]。彼らはその富をいったい何に使っているのだろうか。世界の超富豪であるアマゾンのジェフ・ベゾス、ヴァージングループのサー・リチャード・ブランソン、テスラのイーロン・マスクは、巨万の富を宇宙開発競争に投じてきた。この三つ巴の戦いを最初に制したのはブランソンだった。二〇二一年七月一二日、ブランソンは自分の宇宙旅行会社ヴァージン・ギャラクティックの宇宙船で、地球の大気圏と宇宙空間との境い目に到達する旅に成功した[8]。ベゾスが、そのすぐあとに続いた。わずか八日後の七月二〇日、自分が創業した航空宇宙企業ブルー・オリジンの宇宙船ニューシェパードで、宇宙へと飛び立ったのだ。世界最大のオンライン署名サイト「チェンジ・ドット・オーグ」は、ベゾスがそのまま地球に戻ってこないように求める嘆願を立ち上げ、約二〇万人が署名した[9]。おっと、これはイタい。

かつて私たちは起業家の成功を褒め称えた。自力で成功を摑むことはアメリカ人の理想であり、どの文化でも共感を呼んだ。ところがいまは、富の不公平に人は非常に敏感に反応し、その感情は過剰な個人資産に反対するキャンペーンにつながる。ベゾスがアマゾンのCEOを退任すると発表した理由が、そのような逆風にあったことはまず間違いない[10]。テスラとスペースXの創設者であるイーロン・マスクが、人気バラエティ番組「サタデー・ナイト・ライブ」でホスト役を務める前、番組製作者のローン・マイケルズは、マスクとの共演が嫌であれば、どのゲストにも出演を強要しないと視聴者に請け合った[11]。とはいえ、当のマスクでさえ、富の象徴には——少なくともしばらくのあいだは——戸惑っていたようだ。アメリカでこのところ注目の「少なく暮らす」という考えを受け入れ、豪邸からプレハブの小さな家に住み替えたらしい[12]。二〇二〇年末に「フィデリティ・ナショナル・ファイナンシャル」の子会社が実施した世論調査によると、パンデミックが始まって数カ月のあいだ、家に閉じ込められて過ごしたにもかかわらず、アメリカ人の五六パーセントが小さな家で暮らすことを考えるようになったという[13]。

欧州では、極端にバランスの悪いものごとに批判的な風潮がある。その傾向を、アメリカは追いかけている。ゼネラル・エレクトリックとAT&Tの株主は、CEOの行きすぎた報酬体系に正式に反対票を投じた。報酬体系という暴走列車にブレーキをかけるために少なくともわずかな圧力をかけ、株主が……その……より小さなアプローチにもっと自信を持つよう前例を示したのだ[14]。もちろん、これはごく一部の限られた超高額報酬者の話であって、ブレーキをかけたところで莫大な額だ。私たちが目撃しているのは、アメリカ史上最も拡大した富の不平等なのだ[15]。

人間は、圧倒的に大きなものや壮大なものに感銘を受ける（だから、世界一高いビル[16]や世界最大のダンプトラックをめぐる競争は永遠に終わらない[17]）。だが、私たちの心を摑むのはミニサイズのものだ。小さな生き物を見ると可愛いと思うように、私たちの脳は配線されている（赤ちゃんや仔犬、仔猫がそうだ[18]）。ミニチュアの絵画やドールハウス、米粒に詩を彫るといった職人技に驚嘆する。何もかもが巨大に、メガサイズに、数兆単位に膨れ上がる（人口、ピクセル、データ容量、負債など）世の中にあって、小さなものはそれ以上に魅力的だ。小さなもののほうが、人生にも周囲の世界にも、何とか立ち向かえそうな気がする。おそらく、ほんの少しだけ手に負えそうな気がする。小さなものは、膨張や巨大化するものとのバランスをとる、歓迎すべき対抗勢力だ。

その現象は、エンターテインメント分野において劇的なかたちで現れる。いつの時代も、アクション満載のスペクタクル超大作がある。そのいっぽう、私たちはもっとこぢんまりした親しみやすい番組も楽しむ。フードネットワークの「パイオニア・ウーマン」というテレビシリーズがそうだろう。オクラホマ州のパフスカという町に住むリー・ドラモンドは、自宅のキッチンを舞台に活躍する素晴らしい女性である。インターネットの人気者だ。彼女には夫のラッドと、娘のアレックスとペイジ、息子のブライスとトッドという四人の子どもがいる。私はリーに親近感を覚える。なぜなら、彼女のレシピを試すことはないにせよ、リーは私がスイスの眠れぬ夜を過ごす時の友だちだからだ。彼女は、「普通の」人たちが親しみを感じられる相手である。

リーは、「スモールは新たなビッグだ」というトレンド宣言の一部だ。人気チャートのトップに駆け上がったアンチセレブだ。見たところ、ごく普通の一般人である。だが、家事の優れたスキルを持ち、非常に高い基準を設定してスタイルメーカーになった代表格だ。ホーム&ライフスタイル分野には、リーと同じような人たちが多い。リノベーション番組で人気を集めた、ジョアンナとチップのゲインズ夫妻もそうだ。ふたりのブランド「マグノリア」帝国は大きな成功を収めた。英国で言えば、ガーデナーとして活躍するアラン・ティッチマーシュ。あるいは、比較的新顔のエリンとベンのネイピア夫妻。家のリノベーション番組「ホームタウン」で見せるふたりの気取らない魅力は、現代のトレンドである。

そしてまた、スモールなもの――本物で親密なもの――を求める動向は、エッツィ、アートファイア、アフトクラ、フォークシイ（英）などのハンドメイドのオンラインマーケットの人気にも見てとれる。たくさんの職人やハンドメイド作家が集い、ハンドメイド作品やオリジナルグッズを販売するエッツィでは、パンデミックのあいだ、買い物客も売上げも急増した。二〇二〇年に新たに参加したか復活して、実際に購入した買い物客は約六一〇〇万人を数える。マスクや顔を覆うもの（大ヒットした）を除いて、エッツィの独立した出店者は、一〇～一二月の販売総額が三三億ドル相当にのぼった[19]。アロマキャンドル、ハンドクラフトのアクセサリー類、ちょっとした雑貨が人気だ。もちろん、多くの買い物客にとってポイントが高いのは、それらのアイテムがプラスチックや安っぽい素材を使って、地球の裏側の工場でつくられた大量生産品ではないことだ。どれも職人やハンドメイド作家（あるいは少なくとも個人）によって、ひとつずつ大切につくられた。それらを購入することは、何もかもコモディティ化――チャイナ化と呼ぶ者もいる――が進む現状に対する、反対の意思表示のように感じられる。プライスレスな（お金で買えない）価値である。

ハンドメイド作家のサイトで買い物をする魅力は、商品だけにあるのではない。購入体験に伴う気持ちにもある。それも特に、苦境に陥っている小さな店や個人作家を支援する時には、快い気分を味わう。最近、友人から聞いた話では、ニューヨーク市でアイリッシュパブのオーナーを務め、六人の子どもを抱えて日々奮闘するメアリー・オハロランは、パブが休業に追い込まれたうえ、パンデミックで航空便が運航停止になったせいで、夫がアリューシャン列島に九カ月も足止めされてしまった。「ヒューマンズ・オブ・ニューヨーク」（二〇一〇年に始まった、路上のニューヨーカーを撮影する写真プロジェクト）のフェイスブックで紹介されたところによれば、オハロラン家がぎりぎり生きていく方法のひとつは、ソーダブレッドのスコーンを焼いて売ることだった。アイルランド在住の母のレシピだという。「ヒューマンズ・オブ・ニューヨーク」のカメラマンであるブランドン・スタントンは、そのスコーンを限定版のパッケージに入れ、プレミア価格で売り出すようメアリーにアドバイスした。ケリーゴールド・アイリッシュバターの〝風味〟を活かした、ホームメイドのスコーンが六個。手作りのブラックベリージャムと、さらにいちばん下の娘である八歳のエリンがお絵描きしたカードも添えて。これで三〇ドル。

もちろん、と私の友人は思った。メアリーと彼女の家族を応援するわ。ということで、彼女も注文した。彼女だけではなかった。（文字通り）たった一晩で、メアリーは一〇〇万ドル相当のスコーンを売ったのだった[20]。

経営者はいつの時代も、「大きいことはいいことだ」という考えを心に刻んでいると思われがちだが、例外もある。一九五〇年代、成長が至上命令で、大きいことが目標だった時代、スイス生まれのアーネスト・ベーダーはその反対路線を歩んだ。イングランドで化学企業「スコットベーダー」を創業して、三〇年後の一九五一年、彼は会社を譲渡した。誰に譲渡したのか。「社会的責任のある事業は、己の利益だけで存在することはできない」という、クエーカーの信徒の信条に基づいた共同信託会社「スコットベーダー・コモンウェルス」に贈与したのである。[21] もちろん、企業が利益を必要とすることはわかっている。だがスコットベーダーにとっては、利益と同じくらい大きな目標は、従業員、コミュニティ、社会に仕えることだった。もしどれかひとつを選ばなければならないとしたら、アーネスト・ベーダーは従業員を第一に選んだに違いない。彼は、従業員を搾取すべき労働単位とはみなさなかった。彼にとって、従業員は協調を重んじる文化において、潜在能力を発揮できる価値ある個人だったのだ。

一九五一年には、それがどれほど急進的な決断だったのかを考えてほしい。アーネスト・ベーダーがみずからの会社を共同信託会社に変更した時、企業の言語は一変した。リーダーシップは新しく、「命令ではなく同意」に基づくものとなった。[22] リーダーと一三一人の労働者は相互責任を担った。慈善活動への参加を奨励された。全利益の四分の一はボーナスに、残りの四分の一は慈善活動に使われた。スコットベーダーはその組織体制ゆえ、買収されることがない。[23] そのため、資産剝奪を狙う大企業や未公開株式投資家に会社が売却される可能性も、その誘惑に駆られることもない。

一般的な企業の基準に照らせば、スコットベーダー・コモンウェルスはかなり業績がいい。利益は年約八〇〇万ドルだ。[24] アーネスト・ベーダーの基準に照らせば、創業者の慈善精神を守り続けたという意味で、企業はさらに成功している。一九八二年、九一歳でこの世を去った時、アーネスト・ベーダーにはほとんど私財がなかった。個人的な事業資産は所有しておらず、自宅も賃貸で、車すら持っていなかったという。[25]

経済学者のE・F・シューマッハーなら、スコットベーダー・コモンウェルスを、高潔な営利企業の模範として称えたに違いない。[26] 一九七三年に刊行された論文集『スモール　イズ　ビューティフル』（講談社）のなかで、シューマッハーは成長と利益をひたすら重視する資本主義を退け、グローバリゼーションの新たな福音を拒んだ。この本はベストセラーになり、不朽の名作になった。一九九五年、「タイムズ文芸付録（TLS）」は『スモール　イズ　ビューティフル』を、この半世紀に刊行された最も影響力のある一〇〇冊の一冊に選んでいる。

シューマッハーのメッセージは、「強欲は善だ」（一九八七年の映画「ウォール街」の主人公である投資銀行家の台詞）という考えや、その後数十年続く「株主価値の最大化」という風潮からは大きく外れていたが、もっと親しみの湧くスケールに人びとが慰めを見出すという、いまの時代には共鳴する。企業にとっての適切なサイズとは、従業員一人ひとりに敬意を払う大きさだと、シューマッハーは説いた。仕事は味気ない職務の連続ではない。従業員は冷酷に排除できるものではなく、利益を最大化するためにレイオフされるか「余剰人員とみなされて解雇される」ものではない。それどころか、仕事は自己実現のプロジェクトであって、満足、知識、さらには喜びをもたらすべきである。言うなれば、企業と労働者の使命は同じく「正しい生計」であるべきだ。[27] シューマッハーの考えによれば、「精神的な健康と物質的な幸福は敵対しない。自然な味方である」。[28] 企業の目的は「最小限の消費で最大限の幸福を獲得すること」でなければならない。[29]

シューマッハーの考えでは、大きな都市は人口五〇万人の規模を指した。その規模の都市において、エコロジーは重要だった。近所はコミュニティだった。シューマッハーはより多くを望む人間の衝動は理解したものの、彼が支持したのは、古代ローマの詩人ウェルギリウスの考えだった。ウェルギリウスはこうアドバイスしたという。「大きなブドウ畑を褒め、小さなブドウ畑を耕せ」。この古代の格言は、二一世紀の一五分都市の考えに反映されている。[30] 一五分都市は現在、世界各地の大きな都市圏で実施されている。都市開発の指針として、住民が自宅から少し歩くか自転車に乗る範囲で、生活に必要なものがたいてい揃うような、コンパクトな都市をつくるべきだという考え方である。これは欧州の古い都市や町にとってさえ、大きな方向転換だ。ましてや、資本主義と商業の擁護者の要求に譲歩して、都市計画家が都市の中心に多車線の幹線道路を通してきた国にとっては、かなりの方針変更と言えるだろう。

一五分都市の概念は、フランス系コロンビア人の都市理論家カルロス・モレノが主唱し、パリ市長のアンヌ・イダルゴによって支持が広まった〔二〇二〇年、イダルゴ市長はパリが一五分都市モデルを目指すと表明した〕。都市開発にもっとヒューマンスケールを持ち込むことを提唱するリーダーやインフルエンサーが増えるなか、大西洋を挟んで最も注目を浴びているのが、元ニューヨーク市交通局局長のジャネット・サディク＝カーンだ。[31] さらに、パリやニューヨーク以上に野心的なのが、古い工業用地にハイテクの一〇分都市を建設すると発表したソウルである。[32] 都市のなかに都市をつくることは、フラワーチルドレン〔一九六〇～七〇年代のヒッピーを指す。花は平和と愛の象徴〕の理想主義や、旧世界の奇抜な発想ではない。そこに暮らす誰にとっても利便性の高い大都市エリアを開発する計画だ。より安全でより健康的で、よりインクルーシブ〔包摂。社会的に周縁化された人たちを社会の一員として受け入れ、居場所を与えること〕に暮らし、働く場所である。

世界のトレンドがヒューマンスケールを求める方向へと移行するのに伴い、様々な国や地域から貴重な教訓が引き出せる。地形は私たちのものごとの捉え方を決める。ヒューマンスケールという考えは、国土の面積が狭くて人口密度が高く、ひしめきあって住んでいる国の人たちに、より自然に身についている。

欧州とアメリカとの違いを考えてみよう。どちらもだいたい面積は同じだが、欧州にはアメリカ（約三億三〇〇〇万人）の二倍以上の人が住んでいる。[33] もう少し詳しく見ていくと、テキサス州はフランスよりも面積が大きい。だが、人口二九一〇万人のテキサスに対して、フランスの人口は六三五〇万人だ。欧州では人口密度が高く、言語と文化が多様化しており、そのことが人びとの社会行動に大きな影響を及ぼしている（多くの専門家や都市計画家から見て、欧州の例のほうがアメリカの都市のスプロール化よりも生態学的に健全なアプローチであることは、言うまでもない）。一八〇〇年代初期のアメリカのモルモン教徒を見ればわかるように、宗派などの集団が都市や町を出て、人里離れた土地でひっそりと暮らすことは北米では可能でも、欧州では不可能だ。なぜなら欧州では国土が狭いために、誰かの所有地である可能性が高いからだ。しかも、その誰かとは違う方言を話すか、違う言語を話す人たちかもしれない。何世紀にもわたる恐ろしい対立を経て、欧州の人たちはこの七〇年間に、混み合った土地を共有し、互いに容認し合って生きる方法を見つけた。もちろん、バルカン半島や北アイルランドなどの誰もが知る例外を除いては、という意味である。

欧州で最も寛容な文化を身につけた国といえばオランダだろう。その理由のひとつが、国土面積であることは間違いない。モナコ、バチカン市国、マルタのような極小国家を除けば、オランダは一平方キロメートルの人口密度が五一八人と、欧州でいちばん人口密度の高い国だ[34]。アメリカのどの州よりも高い。オランダの面積は約四万一五〇〇平方キロメートル（ニュージャージー州の約二倍）。アムステルダムとロッテルダムという、最も人口の多いふたつの都市のあいだは、自転車で四時間もからない。しかも、アムステルダムの面積はニューヨーク市の三分の一しかない。ロンドンの八分の一だ。これをヒューマンスケールと呼んではどうだろうか。

一九九〇年代半ば、私はオランダで暮らし、働いていたため、あの国は私の心のなかで特別な位置を占めている。過剰なプレッシャーがかかるニューヨークをあとにして、アムステルダムに移住した時には、アメリカとのあまりの違いに驚くやら（夜中に自転車でバーに出かけるなんて……）、民族学的な好奇心を掻き立てられるやらだった。

私が学んだのは、オランダの中心には社会の安定のために、ふたつの原則があることだった。そのひとつは「フェルザウリン」（柱状化する）。これは社会をサイロ化（縦割り）して、それを基盤に社会秩序を築くやり方だ。宗派や支持政党ごとに、社会を柱のように縦割り構造にして、それぞれの組織や制度を発達させる。ラジオ局。新聞。労働組合もスポーツクラブも、さらにはパン屋まで別にする。その結果、どの宗派や政党も支持していない店や組織には誰も行かない。それでも、オランダは人口密度が高く、文化は実際的で、市民は小さなバブルのなかで暮らしている。そして、もうひとつの原則は「ヘゼリグハイド」（心地よさ、あるいは愛する人とともにある温かさ）。これは、その縦割り構造を横断する考え方である。カフェの椅子に腰かけて数分もすれば、まず間違いなく誰かが話しかけてくる。汝の隣人を愛せよ、ではないにせよ、それが隣人を知るカギだからだ[35]。

となると、寛容は、あらゆる重要な問題に対する社会的な方策ということになる。オランダは、第二次世界大戦中に殺されたり、迫害されたりした同性愛者を追悼する記念碑を最初に立てた国だ[36]。二〇〇一年には、同性愛者婚を世界で初めて合法化した国でもある[37]。安楽死も合法だ[38]。オランダの議会はマリファナの少量（五グラム以下）の所有を、すでに一九七六年の時点で非犯罪化している[39]〔合法ではないが、犯罪とはみなされない〕。

このような寛容な文化は、何だか話がうますぎて信じられないのではないだろうか。確かにそう思える。オランダ人は愚痴るのが好きだ。特に天候について。しかも、オランダの当局者が気候危機を「非常事態（コードレッド）」と呼ぶほど悪化するはるか以前からそうなのだ（温室効果ガスが充分に削減されない場合、低地にあるオランダは、二一世紀末には海面がいまより一・二メートル上昇する[40]）。

そして、国土面積が狭く人口密度が高い国と言えば日本だ。山地の多い日本では、オランダ以上に狭い空間にぎっしりと人口が詰め込まれている。世界的に人口の多い東京では、平均的な住宅は六六平方メートルだ。それが一軒家である。アパートやマンションはもっと狭い。東京の住民の四人にひとりが二〇平方メートルほどの部屋に住んでいる（アメリカでは、一一平方メートルのバスルームは珍しくない）[41]。美しく剪定（せんてい）した木のミニチュアである盆栽を、日本人が愛でるのも不思議ではない。そして、東京の人口の四〇パーセント以上が単身世帯だという現状にも驚かない[42]。オランダ以上に孤独だ。

日本は伝統的に集団主義の文化だ。個より集団を尊重する。「私たちは調和して暮らすことに重点を置く必要があります。だからこそ、（集団で何かをするという）仲間からの圧力がとても高まっているのです」。人口密度の高い日本の現状を、ある日本人経済リサーチャーはそう説明する[43]。最近のトレンドは、その衝動の逆を行くおひとりさま現象だ[44]。オランダ人が互いに容認する方法を見つけたのに対して、日本人はぎっしり詰め込まれた場所から避難して、ひとりになることを求めた。ほんの一〇年前、ひとりで食事をする人は便所メシを選んだかもしれない[45]。人づき合いの苦手な高校生や大学生によって始まったこの傾向は、職場にも広がった。そしていま、ぼっちで食事をするレストランや、ひとり飲みを歓迎するバーは増え、ひとりでいることは少しも恥ずかしいことではなくなった。

さらに、空間と孤独から生まれる文化的行動というものもある。私たちはスケールに対するアプローチを改めるとともに、文化的行動からも学ぶことができる。

今度は、人口密度の低い国に目を向けてみよう。人口密度が一平方キロメートルにわずか一六人というフィンランドは、欧州でアイスランドとノルウェーに次いで人口密度の低い国だ。フィンランドで誰かの給料を知りたければ、税務署に電話をかけるだけでいい。情報公開されているからだ[46]。そんなことはほかの国ではあり得ない。それでいて、寡黙はフィンランド文化の中心にある。平均的なフィンランド人はあまり社交的とは言えず、無口で知られている。[47] 社交の場で彼らの典型的な反応と言えば尻込みだ。ほかの人に囲まれていればいるほど、彼らはひとりになりたがる。『フィンランド人の悪夢――人生の気まずい瞬間に対する不敬なガイド（Finnish Nightmares: An Irreverent Guide to Lifes Awkward Moments）』（未邦訳[48]）は〝フィンランド人の喜劇〟という新たなジャンルを切り拓いた。その本では、フィンランド人が絶対的な境界を偏愛する場面を集めている。「あなたと話している時、内向的なフィンランド人は自分の靴を見つめる。外交的なフィンランド人はあなたの靴を見つめる」といった具合だ。フィンランド人がアパートメントの部屋を出ようとする――だが、隣の部屋の人間が廊下にいて、部屋を出られない。バスの待合所が混んでいる――すでにひとり待っているからだ。フィンランド人にとっての悪夢？　それはスピーチだ。大声で話す人間がひとりいる部屋に、閉じ込められてしまったからである。

パンデミックが終わったあと、フィンランド人の気持ちがよくわかるようになった人は増えたはずだ。外交的な友人でさえ、私にこう漏らしたくらいだ。おおぜいの人に囲まれるもとの生活に戻るのは、何だか躊躇する、と。ウイルスが怖いのと同じくらい、新たに社会不安や気後れを感じるせいだ。私たちの社会スキルは錆びついてしまった。

人口密度の低さが国民性に影響を与えているのは、フィンランドだけではない。ニュージーランドもそうだ。英国よりも国土面積は広いが、人口は英国の六八〇〇万人に対して、五〇〇〇万人しかいない。人間ひとりに対して羊が九匹。人間対羊の割合が世界一大きい。[49]

多くのアメリカ人にとって、ニュージーランドは薔薇色の眼鏡で見たアメリカだ。雄大で美しい自然に囲まれ、働き者で独立心旺盛な人たちが、自給自足の生活をたくましく送っている。自分たちよりももっと完璧で、はるかに遠い場所で暮らしているにせよ、アメリカ人はニュージーランド人をかつての自分たちの姿だと思うのだ。アメリカ人がニュージーランドに抱く、この勝手な空想をよく物語っているのが、二〇二〇年のアメリカ大統領選の夜に起きたできごとだ。グーグルで「ニュージーランドに移住する方法」を検索する人が爆発的に増えたのである。[50] 検索をしたのは、おそらく自分たちと同じ価値観を共有する国に移住したい人だろう――新たなトライブ主義のひとつだ。すなわち自分とは違う相手から距離をとって、「自分と同類」の人たちが暮らす土地に避難したい。ペイパルの共同創業者で、二〇一六年大統領選後にトランプの政権移行チームのひとりだったピーター・ティールは、二〇一一年にニュージーランドの市民権を取得した。豪邸を購入した。そして、二〇一五年には湖畔に立つ一〇〇〇億ドルの豪邸をまたもや購入した。[51] ここまで読んで、あなたも不動産物件に投資しようと思ったのではないだろうか。残念ながら、ちょっと遅すぎた。

ティールをはじめ数えきれないほど多くの災害プレッパーがニュージーランドに移住し、あの国の状況は劇的に変化している。欧州系の人口は減少している。マオリの人口は二五パーセントの増加が見込まれる。近い将来に、アジア系は七〇パーセント増加するだろう。[52] ニュージーランドは小さな国に変わりないが、多様化する。

スケールに対する私たちのアプローチは、地形や都市の人口密度からわかる。オランダや日本と、フィンランドやニュージーランドとは両極端にある。だが、そのアプローチ方法はまた、野心や成功の定義にまつわる考え方とも関係がある。シューマッハーの『スモール　イズ　ビューティフル』に対してもさまざまな反応があり、そこには相入れない考え方が働いている。シューマッハーが「巨大主義」と呼んだものに対する彼の批判は、一部のビジョナリーには高く評価されたものの、ビジネス界では歓迎されなかった。おそらく、最も強く反発したのはアメリカだろう。第二次世界大戦後に起きた目覚ましい経済成長では、「どうせやるならデカくいけ（Go Big or Go Home）」という信条がもてはやされた。新たなミレニアムが始まる頃には、シューマッハーの「スモールイズビューティフル」という考えは、一部の非主流派には支持されたものの、一般人には見向きもされなかった。彼の本は、進歩主義によってカルト的人気を誇る一冊に祀（まつ）りあげられ、あちこちの大学で指定図書になったが、世間に広く受け入れられて話題となったのは次のふたつのスローガンだけだった。「地元の店で買おう（バイ・ローカル）」「フェアトレード」。

この二、三〇年、シューマッハーの「足るを知る」という哲学をとり入れる大企業が現れた。英国のザ・ボディショップやアメリカのアイスクリームブランド、ベン&ジェリーズがそうだ。だが、どちらの企業も成功を収めたあと、大企業に買収された。正気の企業経営者であれば、とても断り切れない莫大な額を提示されたうえ、もとの会社のDNAを変えないという契約の下、ザ・ボディショップはロレアル（最終的にブラジルのナチュラ・コスメティコス）の、ベン&ジェリーズはユニリーバの傘下に入った。

ほとんどの企業は速く成長し、より遠くに進出した。より大きな規模を目指すのは〝ベター〟なだけではなく〝ベスト〟だった——企業の最終損益の点で言えば。だが、人員の点では違った。投資銀行は不正な経理操作を行なった。従業員は、年金や医療給付を減らすために〝コンサルタント〟になった。ロボットに複雑な仕事はできないだろうか。ドローンに、デリバリー運転手の代わりは務まらないだろうか。

振り子の揺り戻しを見ることになるのだろうか。大企業が（少なくとも自発的に）大規模な人員削減に踏み切るのを、固唾(かたず)を呑んで見守るのはやめよう。従業員の健康状態やライフバランスに、企業はもっと真剣に取り組むことになるだろう。パンデミック以前、多くの従業員にとって職場は宇宙の真ん中にあった。ところが、そのような考え方は支持を失い、多くの労働者が物理的、感情的な距離から生まれる視点や考え方を持つようになった。

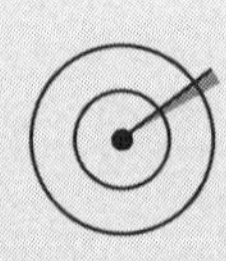

レーダー予測　二〇三八年

企業は小さくならないかもしれないが、（企業がそう望むかどうかは別として）もっと透明になっていくだろう。二〇三八年には、賃金や報酬の情報はもっと簡単に手に入れて比較できるようになり、不公平な賃金体系についていま以上に圧力が高まり、企業の経営陣は説明を余儀なくされるだろう。

「大きいことはよりいいことだ」は、アメリカ建国後の二世紀には広く浸透した精神だったかもしれない。だが、歴史は決して一直線に進むわけではない。二〇世紀末の無法状態に見えた資本主義の表面下では、より暖かく、より穏やかな暮らし方について、あちこちで囁くような会話が聞かれた。ワシントン州ウィドビー島の人口一〇〇〇人の町で暮らす建築家のロス・チェイピンは、一九八〇年代にもっと人間中心の暮らし方について考えるようになった。

本人も認めているように、チェイピンの解決法は決して新しいものではない。

人間は群れで生きる動物だ。人に囲まれて暮らすことを好む。その反面、私たちは自分だけの空間を欲しがる。いや、おそらく必要とする。ところが、ひと世代前のいつかの時点で、プライバシーの欲求が大きく膨れ上がり、私たちは「自分だけの家」という夢に取り憑かれてしまった。波のように連なる家々のなかで、孤島のような自分だけの家で暮らすという夢に……。私の頭のなかで徐々にかたちをとり始めたのは、ロシアのマトリョーシカのようなイメージのコミュニティだった。ポケット・ネイバーフッド（ポケット型ご近所さん）である。[53]

一九九六年、チェイピンは最初のポケット・ネイバーフッドを建設した。これは、シューマッハー型のコミュニティに、「スコットベーダー・コモンウェルス」の特徴をプラスしたような場所に思える。そのご近所さんには、数えられるくらいの戸数しかない。ミニ版のマクマンションではない。一・五階建てのこぢんまりした住宅だ。一棟は六〇平方メートルほど。ロフトは最大で一八平方メートル。どの家も一九世紀風の人気あるスタイルだ。フロントポーチの柵は低く、前を通りかかった住民は立ち止まっておしゃべりができる。フランスの村かイタリアの小高い丘の町で暮らすことを夢見る人にとって、シアトルから通勤圏内にある、この島のこのコミュニティは強力な魅力を放っている。

新たなミレニアムが始まって最初の一〇年間、企業の利益は信じられないほど莫大なレベルにあった。だが、ほとんどの人はまったくかけ離れた体験をしていた。とりわけ二〇〇八年の金融危機によって所得、住宅資産、貯蓄が大打撃を受けたからだ。スケールダウンを望むアメリカ人が増えた。そうせざるを得なかった者もいた。郊外の土地の価格は上昇するいっぽうだ。一〇〇〇平方メートルの土地に建つ、馬鹿デカい家を投げ出したくても投げ出せない。特に都市部では物価高騰が著しい。アメリカで、賃貸アパートのサイズは二〇一〇～二〇年のあいだに五パーセントも狭くなった。もともと狭かったアパートの部屋はいっそう狭くなった。新しいスタジオタイプの部屋は、二〇〇八年と比べて一〇パーセントも狭くなってしまった。[54]ロードアイランド州プロヴィデンスにある、アメリカ最古のクローズド型ショッピングモールだったウェストミンスター・アーケード（一八二八年～）は、一部が「極小アパート」に生まれ変わった。いちばん狭い部屋は二八平方メートル以下だという。[55]

狭い空間は、新しい生活を始めるミレニアル世代（第一章参照）のためだけではない。重役室へのはしごで足止めを食っているカップル。なけなしの401k（確定拠出年金）と社会保障給付金で、長く乗り切っていかなければならないベビーブーマー。オレゴン州ユージーンでは、「コネストガ・ハット」と呼ばれる極小の小屋（ハット）が、都市のホームレスに一時的なシェルターを提供している。大きさはわずか五・六平方メートル。一万ドル、つまり小さな家およそ一軒分で、八棟の小屋を建てることができる。この五・六平方メートルが明日への土台となる。「所持品をあちこち持って歩くより、荷物が濡れる心配のない安全な場所があれば」と、ここの住民のひとりは口を開く。「まずは生活を安定させて、さて、次はどうするか、考えられるでしょ[56]」〔コネストガは、一八～一九世紀に使われた大型の幌馬車の種類。コネストガ・ハットは、この幌馬車のかたちを模してつくられた〕。

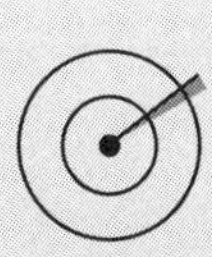

レーダー予測　二〇三八年
電波も届かない人里離れた土地の小さな家が、多くの都市生活者や郊外居住者の新しい「田舎の家」になるだろう。自然に囲まれ、現代生活から離れていっときの休息を与えてくれるだけではない。自然災害や暴動などの社会不安や感染症から逃れる場所にもなる。

スモールは、アスファルトの隙間に生える雑草のようなものだ――生きる意欲があれば、生きる方法が見つかる。住居の新しいトレンドについても同じことが言える。極小住宅は可動式になった。長距離トラックの運転手は、運転席後方の空きスペースに、トイレ、シャワー室、キッチン、テレビを装備している[57]。週末に、ニューヨーク郊外の高級リゾート地ハンプトンズに行きたい？　大半の人には無理である。だが、週末に極小住宅で過ごすことはもっと多くの人たちにも可能だ。

ジェンナ・ハリスは、テキサス州ラルー近くで、だだっ広い森に囲まれた四六平方メートルの家を借りた。彼女の新たな大家はゲッタウェイ。一一の大きな都市へ二時間以内にアクセスできる敷地で、極小のレンタルキャビンを運営している[58]。二〇二〇年のパンデミック中には、稼働率が九六パーセントを下まわったことはなかった。キャビンは安全で社会的な距離も保たれている。ドアに鍵はなく共有空間もない。キッチン、プライベートなバスルーム、ファイヤーピット（屋外の焚き火台）、ワイファイが完備したスタイリッシュなデザインのキャビンだ。ひと晩九九ドルから借りられる。「滞在中に誰ひとり、見かけませんでした」。ハリスは答える。「自分が世間から遠く離れた、とても安全な場所にいると感じられます[59]」。

パンデミックのあいだ、車輪つきの極小住宅を配達してもらい、そこで暮らした人たちもいる。友人や親戚を母屋（おもや）に泊めるのではなく、オレゴン州の「ルーム＋ホイール」のレンタルハウスを利用すれば、敷地内に極小の住宅を設置して、数日から数週間、そこに滞在してもらうことが可能だ。ソーシャルディスタンスを保ちながら、親しくつきあうこともできる[60]。ウイルスを家に持ち帰って、家族や愛する者を感染させるリスクを犯したくない医療従事者をはじめ、エッセンシャルワーカーにとっても、優れた解決策である。

つい最近まで、スモールはしばしば「可愛い」の同義語だった。あるいは、強制的な規模縮小や格下げの印だった。だが、いまは違う。タイメックスは新たなロレックスだ。テスラは、二〇二四年までに二万五〇〇〇ドルのハッチバックを生産する計画である[61]。

今回のパンデミックは、多くの人に、自分に必要な量を考え直すきっかけを与えた。オレゴン州ポートランドに住むエリザベス・チャイは、何かを新しく購入するよりも、手元のものを修理したり借りたりすることにし、すでに持っているものを捨てる計画を立てた。計二〇二〇点を、売るか寄付するか捨てることを目標とし、しかも達成した[62]（必要ないものを二〇〇〇点以上も所有する人がいるなんて、考え込んでしまう）。

ほぼ一世紀にわたって「大量」「大規模」「グローバル」を何の疑いもなく受け入れてきたいま、私たちはスケールの大きなものから利益を得ながら、ヒューマンスケールに対する欲求をよりうまく満たす方法を考え出すだろう。起業家であり、ニューヨーク大学の教授でもあるスコット・ギャロウェイは、その現象を「グレート・ディスパージョン（大分散）」のひとつと捉える[63]。たとえばこういうことだ。「分散とは、ゲートキーパー（門番）を迂回し、不要な摩擦とコストを取り除き、最も必要な場所に最も必要なタイミングで、より広い範囲に製品とサービスを配布することだ[64]」。

今後数十年のあいだ、私たちは何度もパンデミックを体験するだろう。集団感染を未然に防ぐ方法を専門家が見つけ出せるかどうかについて、確実性はない。ひとつにはその不確実性ゆえ、より小さなもの、ヒューマンスケールを好む傾向が広まるだろう。となると、大きなオフィスではなく小さなポッドで働くことになる。小さな都市が繁栄する。シンプルなものを求めるムーブメントが繰り返し起きて、より小さく希少なものと最先端のものとが組み合わさる。人びとはフットプリントの小さなものを求める。

何より「それはスケールするのか」という古い問いの代わりに、こう訊ねることになるだろう。

「それはヒューマンスケールなのか」。

第一〇章　自由と時間は現代の贅沢品

全長一三八メートル、五億九〇〇〇万ドルのヨット「ライジング・サン」。所有者は、エンターテインメント業界の超大物、ドリームワークスの共同創設者デヴィッド・ゲフィンだ。ライジング・サンに乗り込んだ一八人の客をもてなすのは四五人のスタッフだ。長年、彼のヨットが招待してきたゲストには錚々（そうそう）たる有名人が名を連ねる。オプラ・ウィンフリー、ブラッドリー・クーパー、オーランド・ブルーム、ケイティ・ペリー、クリス・ロック、ブルース・スプリングスティーン、マライア・キャリー、レオナルド・ディカプリオ、ジェフ・ベゾス、オバマ夫妻、トム・ハンクス。

おそらく彼らのような――あるいはそれ以外でも――セレブが、ライジング・サンに乗ったところの写真は見たことがないはずだ。だが、そのヨットのことは知っている。二〇二〇年三月末、パンデミックが始まって最初の数週間、ほとんどの市民がパニックになって自宅に閉じこもっていた時、ゲフィンは、ドローンから撮ったと思しきライジング・サンの写真を、インスタグラムの八万七〇〇〇人のフォロワーに紹介した。「昨日の夕陽。ウイルスを避けて（カリブ海の）グレナディーン諸島に隔離されている。みなが安全でありますように[1]」。

　ゲフィンがこれを投稿した日、新型コロナウイルス感染症で一八万九〇〇〇人を超える感染者が新たにアメリカで確認され、犠牲者は三九〇〇人以上を数えた[2]（世界全体で、少なくとも三万九五〇〇人の犠牲者が報告された[3]）。ゲフィンの投稿はすぐさま炎上した。こんなツイートもある。「誰か驚いた者はいるか……デヴィッド・ゲフィンがあんな現実離れした写真を投稿したことに。彼が撮った写真は、全アメリカ人に中指を立てたようなもんだ[4]」。

《フォーブス》誌の推測によれば、ゲフィンの資産は一〇〇億ドルを超えるという。エンターテインメント業界一裕福な人間だ[5]。彼の超巨大なヨットは、まさにギャツビーの伝統そのものだ。富を手に入れたら、派手に見せびらかせ。だが、その伝統はもはや流行遅れではないだろうか。

　美と同じく〝贅沢も見る者の目に宿る〟と言われる[6]。華やかなオークションで絵画に一億ドルを支払うことは、その人が芸術の愛好家だという以上の意味がある。その驚くようなニュースを読みながら、たいていの人の記憶に残るのは、誰それには一億ドルを支払う余裕があるという事実だけだ。その論理によれば、一六万八〇〇〇ドルのベントレーSUVを所有する喜びの大部分は、その高級車を運転するあなたを見る人びとの顔の表情にある。もちろん、あなたが六万八〇〇〇ドルのアリゲーターのバーキンを手にレストランに入って行くと、誰もが振り向く。レストランの案内係は、あなたの席の隣に低いスツールを恭しく用意し、バーキンが〝ぞっとするような〟フロアに直接触れることのないように配慮する。

　ところが、すべては一変した。二〇二〇～二一年に起きたほかの多くのことと同じように、私たちが長年抱いてきた贅沢に対する考え方も覆った。階級間の怒りが噴き出した。「金持ちを食っちまえ（イート・ザ・リッチ）」は、ソーシャルメディアで人気のキャッチフレーズになった〔もとは一八世紀の政治哲学者ジャン＝ジャック・ルソーの「これ以上食べ物がなくなったら、人びとは金持ちを食べるだろう」という言葉。二〇二二年夏には、イーロン・マスクやジェフ・ベゾスなど超富裕層の顔を模したアイスキャンディ「イート・ザ・リッチ」を、一〇ドルで販売するアート集団も現れた〕。ほとんどの富裕層は、このところの幸運の見せびらかしをトーンダウンさせた。ベントレーはどうなったのか。〝小さな別荘〟――とはいえ、イーストハンプトンに建つ、ゲートに守られた三〇〇〇万ドルの豪邸――の五台並ぶガレージに収まったままだ。バーキンは？　ベルベット製の専用の収納袋に入れられて、ニューヨークのアパートメントに匹敵するほど大きなクローゼットに眠っている。それなら、デヴィッド・ゲフィンは？　ヨットの投稿が炎上騒ぎを起こしたため、インスタグラムのアカウントを非公開にした(7)。

贅沢品は、商品以上のものを纏っている。それは贅沢品をめぐる感情である。パンデミックによって店が休業を決め、ショーウインドーに板が打ちつけられる以前のことだ。「ティファニーのカウンターで」と、二〇二〇年にある女性が私に打ち明けた。「プラチナカードを無造作に取り出す時と、誰が見てもティファニーだとわかる、あのブルーのボックスに入った高い買い物とともに店の外へ出て行く時ほど、満足感を覚えることはないわ」。たとえ私の考えとはまったく相入れない発言だったとしても、彼女の気持ちはよくわかった。多くの人が彼女と同じ気持ちだろう。そして、なぜ彼女が買い物に一種異様な愉しみを見出すのかも理解できたに違いない。その女性は洗練され、成功した女性だった。だが、その人生には愛が欠けていた。だからこそ、自分のステータスを表すモノが与える慰めと安心が必要だったのだ。

彼女の愉しみは、はかないものだった。私たちはそのことを知っている。彼女にもわかっていた。またすぐに高級ブティックを訪れ、特に必要でもないモノを買うこともわかっていた。高額な買い物セラピーというわけだ。

とはいえ、パンデミック後の新しい考え方では、ティファニーの安物には〝贅沢品〟と言えるだけの資格はない。これまでも言えたことがない。彼女が衝動買いした商品は、アウトレットで見かけるアクセサリーよりは上等かもしれない。だが、ティファニーの中間価格帯の商品は、贅沢品の周辺といった位置づけだ。中間価格帯は長いあいだ、高級ブランドにとってスイートスポットだった。つまり、大量生産品ではないものの、熟練した職人が長い時間をかけ、その技を振るって生み出す商品でもない。値段は張るが、さほど特別でもない商品が買い物客に提供するのは、最高級店の最高級品が醸し出す排他的な雰囲気である。そして、それが欲望を刺激する。あともう一段駆け上がれば、彼女は得意げにカードを取り出して、高額な宝物を買い求めるのかもしれない。

だが、ほとんどの人にとってそのような愉しみは終わった。贅沢は変わった。ベルベットのカーテンが彩るプライベートルームでシャンパンを飲みながら、パーソナル・ショッパーが選んだ高級品を品定めするような生活に慣れた人にとっても、贅沢の定義は変わった。とりわけ若い世代はそうだろう。問題なのは、もはやステータスではない。重要なのは、本物かどうかでありフィーリングなのだ。スイスの名門、ローザンヌホテル学校（ＥＨＬ）の情報サイト「インサイト」は述べている。「健康、幸せ、マインドフルネス。このような内省的なコンセプトが急速に、ラグジュアリーの新たなコモディティになりつつある[8]」。

顧客にとっていっそう的を射ているのは、もっと個人に寄り添った贅沢である。「快適さを与える消費主義」よりもさらに深く、幸福という概念を組み込んでいる。富の大部分がつくり出されてしまったいまの時代、贅沢はモノから体験に変わった。

イアン・シュレーガーが名声を手にしたのは、一九七〇年代のマンハッタンで毎夜セレブが押し寄せて悦楽に浸った、伝説のディスコ「スタジオ54」の共同仕掛け人としてだった。その後は洗練されたラグジュアリーホテルをオープンさせてきた。こぢんまりしたバスルーム。独房を思わせる無駄を削ぎ落としたシンク。ベッドの壁を飾るデザイン性の高いポストカード[9]。二〇一七年、シュレーガーは方向転換を図り、「すべての人へのラグジュアリー」をコンセプトに、宿泊客だけでなく一般人にも開かれたホテルをつくった。

シュレーガーは語る。「時代遅れの古い贅沢」を定義したのは、「あなたがどのくらいお金持ちで、どこに住んで、どんな車に乗って、どんなブランドの服を着ているか」だったが、新しい贅沢とは「自由な時間」のことだ[10]。

シュレーガーの新たな世界観において、贅沢の中心にあるのは「心地よさ、くつろぎ、便利さ、そして心を乱すできごとや煩わしさから解放されること」だという[11]。意味のないサービスやアメニティは提供しない。彼によれば、心地よいベッドとはシーツの縫い目の数ではない。最高のコーヒーは、健全な価値の一杯であることが望ましい（フェアトレードとか、アフリカ系の人たちが経営する農園のコーヒー豆とか）。顧客との交流は、くつろぎ、迅速性、的確な対応が重要だ。「ゴルディロックスと三匹のクマ」の童話のように、新たな贅沢の消費者は「ちょうどいい」ものを求めている（ゴルディロックスという女の子が、森のクマの家で三つのおかゆを見つける。ひとつ目は熱すぎ、ふたつ目は冷たすぎたが、三つ目はちょうどいい温かさだったため女の子が食べてしまったという話）。

古い贅沢から新しい贅沢へ。この変化は大きい。贅沢とは裕福でステータスの高い人が定義するものだと、これまで私たちは年齢に関係なく条件反射的に考えてきた。つまり、豪邸、美術品、趣味の良い家具、完璧な仕立てのドレスやスーツ、エリート校、高級住宅地、クラブなど私たちと富裕層とを分けるものだ。どれも保守的で伝統的な価値を表すモノばかり。旧世界の価値観、欧州中心の価値観である。

そのような世界では、高級品は売りに出されない。譲り受けるか、もっといいのは、相続することだ。高級品が市場に出まわることはない。目に見えないベルベットのロープの奥にひっそりと存在し、はるか雲の上の人たちだけにアクセスが許される。古い試金石だ。価格を訊かなければならないのなら、あなたには絶対に手が届かない。

いまはたくさんの高級品が広く入手でき、しかもローンやサブスクなどを利用すればさらに購入しやすい。高性能で人気のフィットネスバイク「ペロトン」は、一九九〇ドルという価格ゆえ、かつて所有者のステータスを物語る商品だった。ところがいまはテレビでコマーシャルを打ち、「月額三九ドル」で手に入るようになった[12]（確かに「月額三九ドル」に利息はつく。だが、X世代［イントロダクション参照］が平均して七〇〇〇ドル超のクレジットカード負債を抱えている理由を、少しは説明するのではないだろうか）[13]。パンデミックのあいだ、数百万人がお菓子やパンづくりを学び、自分が焼いたパンは、プロのパン職人にも負けない美味しさだと発見した。ガーデニング好きの郊外生活者は、高級食材店で売っているような、見栄えが良く栄養たっぷりの野菜を育てられることを知った。ホームシアターで見る映画も大画面の薄型テレビで見る映画と、たいして変わりなかった。

もちろん、高額な贅沢品はいまもある。だが、それらはどちらかといえば、貴重なコレクションとして扱われやすい。通りで見せびらかすというよりも、クローゼットを公開する時用のディスプレイだ。たとえばエルメスのバーキン。このバッグにまつわる何もかもが、超一流のステータスを物語っている。まずはかなりのレアものである。エルメスは最低一万一〇〇〇ドルのバーキンを、年に一万点しか生産しない。しかも、つい最近まで、バーキンを購入するのはほぼ不可能だった。もしあなたがエルメスにとって重要な顧客でないなら、ウェイティングリストに載せられる。順番がまわってくるまで、二年は待たされるかもしれない。そしてようやく順番がまわってきた時点で、どんなかたちや色やサイズであろうと、エルメスがあなたに売ってくれるという、そのバッグを買うことになる。

あなたはパンデミックのせいで、バーキンの売上げもずいぶん落ちたに違いないと思うかもしれない。通りでこれ見よがしに持って歩けないなら、バーキンを買って何の意味があるだろうか。ところが、それは贅沢品に対する古い考え方だ。新しい考え方は、手に入れ、味わい、保護し、さらには投資ポートフォリオの項目として管理する。近年では、バーキンはゴールドやほとんどの株よりも優良な投資対象になった。二〇一九年、どんな贅沢品の投資よりも利益率が高く、年一三パーセントだった[14]。二〇二〇年、「ラリー」という会社は、バーキンの投資対象としての魅力にヒントを得て、バーキンを買えない人たちを仲間に加えた。一株二六・二五ドルで二〇〇〇株を設定し、全部で二〇点のバーキンを用意したのだ。最低投資額（最小株数）も設定しなかった[15]。ラリーは、これを価値ある投資だと約束する。二〇二〇年七月、クリスティーズのオンラインオークションで、ヴィンテージのハンドバックは、全部で二二六万六七五〇ドルをもたらした。そのひとつは、三〇万ドルの値がついた、クロコダイルの「エルメスダイヤモンドヒマラヤバーキン25サイズ」だった[16]。

もしいまバーキンを買うのなら、ボックスに入れ、高温を避けて湿気のない場所に保管する。これは、たいていフランス人のやり方だ。控えめな態度こそ最適という理論に従ってフランス人は行動する。彼らはお金を重視しない。よほど親しくなければ、裕福なフランス人の自宅に招かれることはないだろう。

彼らが質素である経済的理由はご存じだろう。一八世紀末に起きたフランス革命の時、貴族はギロチンで処刑され、税金は見かけの富をもとに計算された。これには戸窓税、つまり家の戸や窓の数も含まれた[17]。これがいまも、フランス人の富や虚飾に対する態度に影響を与えている。《ニューヨークタイムズ》紙もこう指摘している。「パリジェンヌは、めったに大きなダイヤモンドを身につけて出歩かない。それが必須アイテムなのは、ニューヨーク界隈の一部の女性たちだ[18]」。

二〇二〇年、贅沢品とは、ひけらかしたり見せびらかしたりする財ではなく（見せびらかすにも、誰がどこへ行くというのだ？）、賢明な投資だとみなすようになった人が増えた時、彼らはさらに価値のあることを見つけ出した。プライバシーと隠遁（いんとん）だ。洗練されていない（アンウォッシュド）とみなす大衆の世界を逃れて、安全に身を隠して生活する能力である。とはいえ、誰でも知っているように、その頃には大衆も手を洗わない（アンウォッシュド）どころか、消毒液をたっぷり手に塗りつけていた。

富裕層はとっくにプライバシーを保ち、〝現実世界〟から距離を置いていた。ただそれがどれほど貴重なことか、よく理解していなかっただけだ。そして、世界がホラー映画と化すと、彼らは都市の住居から、手入れの行き届いた何エーカーもの自然に囲まれた田舎へと移り住んだ。特権階級でない人たちは、自宅のカウチでパンデミックをやり過ごした。ストリーミングのドラマを一気見して、勇気を振り絞って外に出かける時にはマスクを着けた。マスクをしていない相手とすれ違う時には、不安に怯えた。そのいっぽう、富裕層は新鮮な空気を吸い、最先端のホームジムでエクササイズに励んだ。彼らが住んでいるところでは、救急車のサイレンがひっきりなしに鳴り響いたりしなかった。静寂な暮らしを享受した。富裕層でない子どもたちは、ズームで授業を受けた。富裕層は家庭教師を雇い、お抱えシェフやナニーと同じように、彼らもしばしば「住み込みで働いた」。

医療従事者がゴミ袋でつくった個人用防護具を着て、ウイルス感染から身を守っていた時に、富裕層は最高の贅沢品である健康に投資していた。「コンシェルジュ・ドクター」すなわちセレブお抱えの医師は、何でもかんでも特別扱いされなければ気が済まない顧客に、年間二万ドルも請求する。だが、それはこの一〇年の話だ。二〇二一年の新しい話として、富裕層は列に並ばず、最初にワクチンを受けた。ニュージャージー州でワクチン接種の資格があったのは、まず最前線の医療従事者と長期ケア施設の居住者に限られていた。それにもかかわらず、ハンタードン医療センターでは、昔ながらのふたりの寄付者と医療ディレクター、理事、重役の少なくとも七人のパートナーとふたりの成人した子どもたち――二十代の者も含まれていた――がワクチン接種を受けた。「ワクチン接種の適格者がほかに見つからず、そのワクチンを使わなければ期限切れで廃棄処分になってしまう時」だったと、病院側では説明する。[19] 同じことは、少なくともフロリダ州南部の三カ所の病院でも起きた。

それでは、ニューヨークではどうだったのか。マンハッタンや高級リゾート地のハンプトンズで、富裕層は単に列を無視するどころか、自分が寄付している病院から医療従事者を呼び寄せ、自宅でワクチン接種を受けたに違いないと思うかもしれない。だが、そんなことは起きなかった。なぜなら、当時、州知事を務めていたアンドルー・クオモが、倫理的ではない方法で――つまり不公平に――ワクチン接種を行なった医師、看護師、緊急医療担当者に対し、最高一〇〇万ドルの罰金（と医療免許の取り消し）を科すと脅したからである。この発言が単なるブラフだと思われないために、クオモ知事は、医療従事者よりも前にワクチンを投与する行為を禁ずる法案を提出した。ところが、パンデミックが始まってすぐの頃、検査キットの供給がまだ充分でない時に、クオモ知事の家族がニューヨーク州の職員によって、新型コロナウイルス感染症の検査を自宅で受けていたことが報道で明るみに出た。これは一部の者にとって、叩きがいのある偽善だった。[20]

パンデミックの最初の頃に、みなが健康の価値に気づいた。だが、私たちが気づいたのはそれだけではなかった。時間の価値にも気づいたのである。この狂乱時代に、イアン・シュレーガーが時間を究極の贅沢と呼んだことは正しい。すでに伝説となった二〇〇五年のスタンフォード大学の卒業式のスピーチで、スティーブ・ジョブズは卒業生に、貴重な時間を大切にしてほしいと熱心に訴えた。「あなた方の時間は限られています。本意でない人生を生きて、時間を無駄にしないでください」[21]。そしていま、時間は単に貴重なだけではなく、特権的なものとなった。若い女性が卵子を凍結して、妊娠可能な期間をより長く伸ばそうとする。彼女たちは時間を稼いでいる。年配の者は静養に出かけ、気功を試し、柔軟性を取り戻している。彼らも時間を稼いでいる。オンラインの自動再配達システムを利用して、食料品を購入する家族もいる。これも時間の節約だ。大学に入る前の一年間、我が子にＰＧイヤー〔一種のギャップイヤー。高校卒業後、大学入学までの一年間、寮に入って、大学進学に向けた準備をする猶予期間〕を体験させ、我が子がより優位にスタート台に立てるようにする親までいる。彼らもまた時間を稼いでいる。時間の価値を充分に理解しているからだ。

人口動態構成が新しくなり、今日、贅沢はまったく違う姿を見せている。

地球は傾いた。そして、この数年間で高級品市場の重力の中心は、欧州から中国やアジアの舞台に移動した。そこでは、大富豪が毎日のように生まれている。二〇〇〇年、中国の購入者は、高額贅沢品の購買者のわずか一パーセントにすぎなかった。コンサルティング会社のベイン・アンド・カンパニーの推計では、二〇一九年にはその割合は三三パーセントに急増した[22]。ところが、彼らの購入品の大部分、おそらく七〇パーセントが海外で生産されたものだ。別のコンサルティング会社マッキンゼー・アンド・カンパニーの報告では、欧州旅行での購入が多いという[23]。

ロマンチックコメディとして、史上六番目の興行収入を記録した映画「クレイジー・リッチ！」[24]を見た人なら、アジアの高級品市場についてちょっと詳しいかもしれない。シンガポールが舞台のこの映画では、アジアの富裕層が見せびらかし消費と高級ブランドを好む様子が描かれている。プロデューサーは、世界的ブランド（プラダ、ボッテガ・ヴェネタ、ディオール）と、東南アジアのブランド（カーベン・オン、マイケルシンコ、ロード1974）を巧みに組み合わせることで、時代をうまく映し出していた。

二〇一〇年代後半、欧州の富裕層向けファッションブランドは、買い物熱がこのままパリから上海へ移動することを願った。アトリエから遠く離れた場所で、これまで通り、高級品が大量に売れ続けてほしい。しばらくは、利益の増大が見込めるかもしれないからだ。ルイ・ヴィトン（世界最大の高級ブランドグループLVMH傘下）や、グッチ（フランスの別の高級コングロマリット「ケリング」傘下）のようなブランドは、中国市場では同じ商品に欧州市場より三割以上増しの値段をつけているのだ。

アメリカではいま、高級品売買のトレンドは控えめだ。デザイナーズブランドは、よりシンプルな衣類の高額バージョンであり、見る人が見なければわからないため、なおさらステータスを見せびらかすためのものだ。プラダのデザイナー、ミウッチャ・プラダの次の言葉は正しい。「二極化の時代ですね。何もかもが対照的です[25]」。最近の動向は、高級品の擬似民主化である。シャネルのヴィンテージTシャツが二〇〇〇ドル[26]。高級百貨店のニーマン・マーカスは、バレンシアガの四九五ドルのTシャツと二〇〇〇ドルの財布を販売する。そのすぐそばで売っているイケアの青いキャリーバッグは一ドルだ[27]。同様の例はレストランでも見られる。イタリアのミシュラン一つ星レストランのシェフ、カルロ・クラッコは、市販のポテトチップスを使った料理で話題を呼んだ。

だからといって、富裕層が控えめになってきたわけではない。「空の空、空の空、いっさいは空である」。人生の虚しさ、虚栄のはかなさを述べた「コヘレトの言葉」（旧約聖書）の一節を、富裕層は読み飛ばす。成功者のなかには、ゴーストライターに依頼して、家族や友人に配布する自費出版の回想録を執筆してもらう者もいる。最近流行の虚栄心プロジェクトは、個人のドキュメンタリー映画の制作だ――人生が不確かに思えて、はかなく感じられるいまの時代に、とりわけ魅力的な計画ではないだろうか。イングランドでは映画製作者のアンドルー・ゲメルが、個人ドキュメンタリー映画製作ビジネスに乗り出した。顧客の家族や友人に取材して編集し、本人の自尊心をくすぐるような姿に描き出す。顧客はその映画に最高五万ドルを支払う。出来上がった映画のお披露目には、最大一〇万ドルの費用がかかる[28]。

想像を超える富の多くは相続されるため、私たちがつい軽視しがちな事実がある。それは、富のうちの多くが、決して価値を失うことのない投資勘定からではなく、家系のステータスを慎重に維持する努力から生まれることだ。例をあげれば、富裕層は自分自身や子どもの教育を絶対的に優先する。この点を見落とす人もいるが、二〇一九年にアメリカの名門大学で起きた不正入学スキャンダルを見れば、彼らが教育を重視する傾向がよくわかる。大学入学資格判定を却下したり、専門家に向かって二流市民と罵ったり、自分の知性を大袈裟に売り込んだりするようなことは世間の人に任せておけばいい。富裕層はもっといい方法を知っている。

富裕層は、質の高い教育から得られる最大の利益は、クリティカル・シンキング（批判的思考）の能力を身につけることだと知っている。違いを見分ける。真実を見つけ出す。彼らは、みずからの体験を通して経験的にそのことを知っている。意思決定が金銭的利益を生む。だからこそ、我が子には一流大学に入ってほしい。そこで同じように一流の家庭の子どもたちと出会い、人脈を築く。それが卒業後に役立つ。ところが、大学が多様性と公平性を重んじ始めると、そのような夢は急速に萎んでしまった。二〇二一年、ジョンズ・ホプキンズ大学、マサチューセッツ工科大学（ＭＩＴ）、アマースト大学をはじめ、あちこちの一流大学が、卒業生の子どもの入学優先制度を廃止した。これがゲームチェンジャーとなって、状況が一変した。この文脈で言えば、二〇一四〜一九年に、ハーバード大学全体の合格率はわずか六パーセントだったのに対し、レガシー志願者〔親や親族にその大学の卒業生か在籍者がいる志願者〕の合格率は三三パーセントだった[29]。

第三代アメリカ大統領のトーマス・ジェファーソンは、「知識は力なり、知識は安全なり、知識は幸福なり」と書いている[30]。

裕福だということは、ジェファーソンのこの言葉に投資できるということだ。

富はほかの贅沢も授ける。人生の最も重要な領域で選択できる。経済力があれば、女性は結婚という選択肢を消去できる。韓国では「オールドミス」は「ゴールドミス」になった。

裕福である時、ほかの選択肢は親になることだ。私の若い友人のひとりは、妻がパンデミックの初期に妊娠した。彼らの知り合いの十数組のカップルのうちの半数が、同じ月に妊娠したという。彼らの共通点は？　裕福であること。彼らのようなバブルの外では、パンデミック中にベビーブームは起きなかった。出社禁止となり、カップルの両方がリモートワークになった世帯が増えたにもかかわらず、シンクタンクのブルッキングズ研究所は、パンデミックの影響でアメリカでは「大幅な少子化傾向が長く続く」と予想し、二〇二〇年だけで、出生数が三〇万人減少すると見積もった。外出禁止令が出た九カ月後、病院は二〇一九年と比べて二〇二〇年の出生率の低下を報告した。オハイオ州で七パーセント、フロリダ州で八パーセント、アリゾナ州では五パーセントの減少だった[31]。

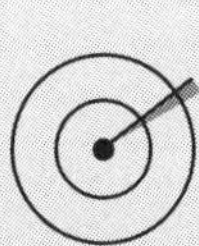

レーダー予測　二〇三八年

パンデミックによって国境が閉鎖されると、代理母出産ビジネスは大混乱に陥り、生物学上の子どもたちは、遠く離れた代理母の手先に残されたままになってしまった。二〇三八年には、この産業はいま以上に受け入れられ、規制化も進み、各国で広がるだろう。オーストラリア、イタリア、英国では、すでに商業的な代理出産ビジネスの合法化を求める声が高まっている。

パンデミックが私たちに、生活の速度を落とし、自己の内面を見つめ、〝本物〟を探し出すよう教えたことがあちこちで散々書かれてきた。超富裕層はそうしたかもしれない。だが、彼らにとって重要なのは、いまの時代に贅沢とは何を意味し、それを使ってどうやって最大の利益を上げるのかを理解して、みずからの支配を盤石にすることである。

贅沢をめぐっていま世間で起きていることは、物質主義や高まる願望について富裕層の態度に現れた変化を反映している。富裕層の一部で〝アフルエンザ〟と呼ばれる金満病から、我が子を守ろうとする態度が見られるようになったのだ――彼らは、買い物中毒のようにモノを買って幸福感を得ようとするが、少しも幸福感が得られない〔アフルエンザは裕福な若者に多い「金持ち病」。「アフルエンス＝富」と「インフルエンザ」の合成語〕。アフルエンザという言葉が使われ始めたのはもっと以前だが、世間の注目を一気に集めたのは二〇一三年だった。イーサン・カウチという少年が飲酒運転によって四人の死者を出したあと、刑務所には入らず保護観察処分となった。被告側で証言した心理学者は、当時一六歳だった少年は「アフルエンザの犠牲者」であり、裕福で特権を持つ両親がこの少年に制約を設けなかったために事故が起きたのだから、少年の行為に完全な責任を課すべきではないと主張したのである。[32] アフルエンザはもちろん、交通死亡事故とよりも、人生に対する不満と結びつけられることが多い。《シドニー・モーニング・ヘラルド》紙は数年前、こんな記事を掲載している。「マクマンション、二台の車が収まるガレージ、キッチンには欧州製の設備や家電、デザイナーブランドの首輪をつけたラブラドゥードル〔ラブラドールとプードルの雑種〕。前のどんな世代よりも多くを手に入れたにもかかわらず、私たちは自分の境遇に満足していない」。[33]

自分の境遇に幸せを感じない。そのうえ、非常に大きなストレスを抱えている。これらは、時間を稼ぎ、時間を味わうことを、私たちの時代の聖杯に――すなわち、追い求めてもなかなか手に入らない貴重なものに――している。とりわけミレニアル世代やZ世代に当てはまる傾向だ。彼らは、親や祖父母時代の「おもちゃをいちばんたくさん持って死ぬ者の勝ち」という考え方を、時代遅れだとして拒絶する。多くのZ世代は反物質主義者だ。その傾向を踏まえて、世界的ブランド戦略企業「エクイテ」のCEOダニエル・レインガーは、「二〇二一年に営業している高級ブランドの五〇パーセントは、次の一〇年を生き残れないだろう」と予測する。[34]時間が与える自由は、どんな高級ブランドの商品よりもずっと価値がある、と考える若者が増えている。

とはいえ、あらゆる贅沢品がそうであるように、時間も、誰もが手に入れられるわけではない。次章ではそれをテーマに見ていこう。ぎりぎりの生活を続けている人に、時間を稼ぐことはできない。

第一一章　富の不公平

贅沢は富のひとつの側面にすぎない。持てる者が持てる物を表現する方法だ。それは所有物かもしれない。素晴らしい体験を味わう自由や時間かもしれない。富にはもっと深い意味を持つ別の側面もある。不公平という特徴だ。私たちがどう生き、どう考え、今日の生活をどう体験するのか――その方向性を決めた過去二〇年の要因と動向を考察する時、裕福と貧困、特権を持つ者と持たない者とのあいだで拡大した亀裂の影響を無視することはできない。

新たな世紀が始まって以降、一部の開発途上国において、ミドルクラスの増大とともに不公平も増大し、格差に対する人びとの意識も高まった。インド洋に浮かぶモルディブにある水深五メートルの「イター」水中レストランで、オシェトラ・キャビアやフォアグラ、トリュフ入りの餃子を楽しむ富裕層とは対照的に、世界には一日二ドル五〇セント以下で暮らす人が一〇億人以上、充分な食べ物のない人が八億人も存在する。[1] 富裕層は第二、第三の邸宅に引きこもるが、世界には劣悪な住宅環境で暮らす人が一六億人を数え、ホームレスも一〇〇万人にのぼるという。[2] パンデミックのあいだに投資利益が飛躍的に上昇した人が多くいるいっぽう、世界中で約一七億人の市民が銀行口座を持っていないか、基本的な金融サービスにアクセスできない[3]。

世界的に見て、そして同じコミュニティにおいても、資源の極めて不均衡な分配は、生まれてから息を引き取るまでのあいだ、程度の差はあれ、あらゆる人に影響を及ぼす。

私たちはよく不公平を困難な状況として捉え、いまでは深刻な問題として話題にする。だが、今後の動向を予測するビジネスにおいて、富をはじめ資源、きれいな空気、清潔な飲み水、教育、機会の不公平こそ、まさしく将来を左右する何よりも重要な要因だろう。経済格差はこれまでも文化的に普遍の要素であり続けた。そして、そのルーツはほぼ人類史の始まりにまで遡るが、不公平は、二一世紀にはさらに注目を集めるだろう。その理由は単純だ。不公平を隠すことはもはやそれほど簡単ではないうえ、指数関数的に増大するからだ。しかも、そのパターンが変化する兆しはほとんどない。

この問題に取り組む前に、まずはこう問わなければならない。富とは何か。

富を定義するのは難しい。あなたの住んでいる地域では、何を富とみなすだろうか。あなたの家族や友人は？　地方の工場で働く職場の仲間たちは？　高級住宅街で豪邸に住む富裕層は？　『オックスフォード英語辞典（ＯＥＤ）』の定義では、富とは「高価な財産や金銭が豊富にあること」だという。だが、豊富とはどういう意味だろうか。それこそ、〝見る者（そして資産を所有する者）の目に宿る〟。つまりその人の主観に左右され、多くの要因に左右される。たとえば社会経済的な経歴、収入源、年齢、ライフスタイル。資産一万ドルの知覚価値（一万ドルをどう感じるか）と実際の価値は、その人が住む地区や周囲の人間によって異なる。テキサスの石油会社経営者ネルソン・バンカー・ハントは、大損をしたあとに肩をすくめて次のように言ったことで有名だ。「もはや一〇億ドルに昔ほどの価値はない[4]」。

多くの人と同じように私にとっても、富を測る基準は、富が与えてくれる安全と自由にある。人生があなたをどんな目に遭わせようと（少なくとも最終的には）、安全であれば対処できるとわかり、やりたいことを自由にできれば充足感を味わえる。私の知る限り、一九世紀の思想家ヘンリー・デヴィッド・ソローは正しかった。彼は富を「人生を充分に体験できる能力」と定義したのだ。

富の対極にある貧困はもっと正確に測定できる。貧困を測定する普遍的な基準は、国際貧困ラインだ。二〇一五年の時点で、その貧困ラインは、世界の最貧一五カ国の平均貧困ラインをもとに、一日一ドル九〇セントと設定された[5]。国が裕福であればあるほど、貧困ラインも高く設定される。二〇二一年、アメリカでは貧困の閾値（いきち）——「ベーシック・ヒューマン・ニーズ」すなわち人が生きていくうえで最低限かつ基本的に必要な欲求を満たすレベル——は、大人ふたりに子どもふたりの家庭で、年間所得二万六五〇〇ドルと設定されている（生活費が高く、貧困の閾値が高いハワイとアラスカを除く[6]）。

貧困と比べると富はわかりやすい。その格差には目も眩むばかりだ。《フォーブス》誌によれば、二〇二一年、世界には二七五五人の億万長者がいた[7]。資産の合計は、前年の八兆ドルから急増して一三・一兆ドル。億万長者の四分の一以上（七二四人）がアメリカ在住だが、六九七人を抱える中国が急速に追い上げている[8]。アメリカに億万長者が多いことは、勤勉、独創的なアイデア、健全な経済、運の良さの表れだとしても、それは一面にすぎない。富の大部分は相続によるものだ。富豪のリストに、「ウォルトン」や「マーズ」といった名前をよく見かけるのがその証拠だ。そのうえ、富裕層に有利な税制という強い味方もいる。つまるところ、巨額の資産を持つ者は大枚をはたいて、政治家を味方につけることができる。[9]しかも、これらの税制は適者生存によってさらに強化される。この逆ロビンフッド倫理〔ロビンフッドのように重税に喘ぐ貧者を救済せずに、富裕層を救済すること〕が最も極端なのは、おそらくアメリカだろう。

そのような税制のおかげもあって、アメリカの上位二〇パーセントはアメリカ全体の富の九〇パーセントを所有してきた。[10]上位一パーセントの平均実質所得は、一九七〇年以来、三倍以上増えた。上位〇・〇一パーセントの平均実質所得は、七倍近く増加した。[11]あなたも、何らかのパターンを実感しているかもしれない。対照的に、アメリカの下位五〇パーセントの税引き前の平均所得は、わずかしか増加していない。[12]

ほかの国でも、アメリカと同じくらいか、さらにはもっと著しい富の不均衡が見られる。オランダでは、上位一〇パーセントが純資産全体の六〇パーセントを占める。[13]ロシアでは、上位一〇パーセントが国全体の富の八七パーセントを所有する。[14]英国の国際NGO「オックスファム」によれば、ブラジルでは最富裕の六人――全員が男性――が蓄積した富は、人口二億一三〇〇万人の下位五〇パーセントの合計に相当し、上位五パーセントの富裕層の所得は、残り九五パーセントの所得に相当するという。[15]アジアでは驚くことに、最富裕の二〇家族が四六三〇億ドルを所有している。[16]

すでにあった格差は、パンデミックによってさらに拡大した。過去の景気後退では、億万長者も私たちと同じように打撃を受けた。ところが、二〇〇八年の金融危機のあと、アメリカでは《フォーブス》四〇〇（人の富豪）が損失を取り戻すのにわずか三年もかからなかった。今回のパンデミックは、一九三〇年代の世界恐慌以来と呼ばれる最大の経済危機だったにもかかわらず、アメリカの億万長者の富は減少しなかった。それどころか、三分の一増加したのだ。[17]〝一パーセント〟という呼び方（第二章参照）を、変更すべき時ではないだろうか。たとえば「不死身」とか「無敵」とか。あるいはシンプルに「ダイヤモンド」はどうだろう。傷つきにくいと言われる、地球上で最も硬質な物質だ。

富の本質とは何だろうか。富の大部分を所有する者は経済危機の影響をまったく受けないように見え、それ以外の者はフードバンクや失業保険申請の列に並ばなければならない。何とか我が子に食べさせるために、数百万人もの人が恐ろしい感染症のリスクを知りながら、最低限の賃金を稼ごうとするのに対し、富裕層はゆったりとソファーに座り、資産が膨らんでいくのを見つめていたのだ。

パンデミックにおいて、とりわけ懸念されるのが、所得の不平等が健康の不平等につながることだ。英米で実施され、パンデミックが本格的になる以前に発表された調査によれば、富裕層は最貧層よりも約九年も長生きするという[18]（差がそのくらいで済んだという事実に私が驚いたことが多くを物語る）。理由のひとつは、医療ケアの不公平な基準にある。私は医療の差異を直接目にした経験がある。同じ医療施設においてさえ、個室の患者は特別な階に入院し、スタッフも多く、オンデマンドメニューは一流ホテルのルームサービス並みに充実している。電話一本で駆けつけてくれるホームドクターがいる富裕層と違って、貧困層は医療スタッフの不足する救急で何時間も待たなければならない。

医療や人生のほかの面において、不公平の影響を示す証拠はほかにもある。アメリカでは二〇一八～二〇年に、おもにパンデミックが原因で平均寿命が一・八年短くなった。ところが、この数字にアフリカ系およびヒスパニック系アメリカ人は含まれていない。アフリカ系の寿命は三・三年、ヒスパニック系の寿命は三・九年短くなったのだ[19]。

経済や健康関係の統計において、数字はひとつの現実だ。だが、夢や希望、充足感、あるいは安全は別物だ。一九六二年に、エルヴィス・プレスリーは囁くような低音で歌った。「貧乏人は金持ちになりたがり、金持ちは王様になりたがる」[20]〔プレスリー主演のミュージカル映画「恋のKOパンチ」の主題歌「広い世界のチャンピオン」〕。一六年後、ブルース・スプリングスティーンは、この歌詞の二行をそのまま使うとともに、三行目を加えた「バッドランド」をリリースして歌った。「そして、王様はすべてを支配するまで満足しない」[21]。

より多く欲しがるのは人間特有の性らしい。マーク・トウェインは、欲を掻く人間の性向を、ほかの動物にはない人間の特徴と捉えた。皮肉に富んだエッセイ「最も下等な動物」のなかで、トウェインはある体験について綴っている。

私が気づいたのは、使い切れないほど莫大な財産を貯め込んだたくさんの人が、もっと多くという狂気じみた欲をあからさまに見せることであり、金に対する欲望を少しでもなだめるために、無知な者や無力な者から、何の躊躇もなく、なけなしの貯蓄を巻き上げようとすることだ。私は一〇〇種類もの野生の動物と飼い慣らされた動物を対象に、たくさんの食料を貯め込む機会を与えたが、どの動物もそんな真似はしなかった……。この経験から私が確信したのは、人間と最も上等な動物たちのあいだには、次のような違いがあることだった。人間は貪欲でケチだが、上等な動物は違う[22]。

プリンストン大学の行動経済学者ダニエル・カーネマンとミクロ経済学者のアンガス・ディートンは、所得のスウィートスポット（収入によって生活の満足度が上限に達するポイント）を、ひとり年間七万五〇〇〇ドルと定義した[23]。ふたりの研究によると、その年収を超えると幸福度は頭打ちになり、それ以上の幸福は感じなくなるという。そうと知りながら、もっと稼ぐ機会が与えられた時、ほとんどの人はその機会を断るだろうか。あなたはどうだろうか。

世界の大半の人は富の概念を大衆文化に見出す。映画、テレビ番組、書籍は、自分が直接体験できない外の世界へと連れて行ってくれる。違う世界を覗く窓は、富の序列において自分の位置を感覚的に教えてくれる。以前はそんなことは不可能だったため、昔の世代にとってはそのほうが良かったかもしれない。「知らぬが仏」というわけだ。新旧のメディアによって簡単に他人と比較できるようになったものの、比較は痛みをもたらしやすい。今日、あちこちで過剰な富の証拠を目の当たりにし、自分のダメさ加減をなおさら強く感じる。第二六代アメリカ大統領セオドア・ルーズベルトは、賢明にもこんな言葉を残した。「比較は喜びの盗人である」。

作家のF・スコット・フィッツジェラルドは書いている。とびきり裕福な連中は「君や僕とは違うんだ[24]」。この言葉は正しい。アイビーリーグで学んだ私自身、その違いをひしひしと感じた。金持ちとミドルクラスと貧しい者が、同じキャンパスで一緒に学び、同じものを食べても、公立学校の出身者と私立のプレップスクール出身者とのあいだには格差があった。市や街のプールで夏休みを過ごす者もいたが、裕福な者は高級リゾート地のイーストハンプトン、山岳リゾートのアディロンダック、マーサズヴィニヤード島で夏を過ごす。私たちが夏の別荘と聞いて頭に浮かぶ姿と、彼らの頭に浮かぶ姿とはまるで別物だ。彼らが思い描く（あるいは暮らす）のは、ロードアイランド州ニューポートやメーン州バー・ハーバーにあって、一〇〇〇平方メートル近い敷地に建つセカンドハウスなのだ。もっと控えめな育ち方をした者は、自分が何を知らないかさえ知らないまま、巨万の富と初めて遭遇する。

かつて礼儀正しい会話では避けられたそのような富や体験の格差は、いまでは文化的な会話の一部である。

二〇一九年、ウォルト・ディズニーの大姪にあたるアビゲイル・ディズニーは、《ワシントンポスト》紙に意見記事を出し、ウォルト・ディズニー社の強欲と映る賃金不平等を痛烈に批判した。アビゲイルは書いている。アメリカは「バーベルが歪（いびつ）に傾いた国」になってしまった。大多数の人がほんのわずかしか所有していない反面、「超富裕層が政治家や政策、社会的メッセージに多額を注ぎ込み、それでなくても自分たちに都合のいいグロテスク（異様）な利益を、さらに膨らませようとしています」[25]。

二一世紀には、富裕層の生活はどのくらい違うのだろうか。いわゆる〝一パーセント〟の極端な例をふたつ並べてみよう。

ジェフ・ベゾスの富：二〇〇九年は六八億ドル[26]。二〇二〇年は一八七〇億ドル[27]。
マーク・ザッカーバーグの富：二〇〇九年は二〇億ドル[28]。二〇二〇年は一〇五〇億ドル[29]。

一〇億ドルを一ドル札で積み上げると、高度約一一〇キロメートルまで見上げなければならない。地面に座ると、その札束は熱圏まで届く[30]。さて、今度はベゾスの一八七〇億ドルか、ザッカーバーグの一〇五〇億ドルについて計算してみよう……どういうことがわかるだろう。想像もつかない富である。

ある時、あなたは思う。これほどたくさんのお金で、いったい何ができるだろうか。毎日、グルメな食事をお腹いっぱい楽しめる。次々ベッドを変えて眠ることも可能だ。企業もたくさん買収できる。自分専用のヨットや自家用機も好きなだけ所有できる。だが、一日の時間は決まっている。死を免れることもできない（スティーブ・ジョブズは晩年の数カ月、そのことを身をもって教えてくれた）。『クリスマス・キャロル』の守銭奴エベネーザ・スクルージが理解したように、金持ちというだけで尊敬は勝ち取れない。いつかの時点で世界が覚えているのは、あなたがお金をどのように使ってその所有を正当化したか、なのだ。

二〇二〇年、世界人口のほとんどが家賃の支払いに頭を抱え、食料品を買うために四苦八苦していた頃、アメリカの超富裕層は約一兆ドルを蓄えていた。クリントン政権で労働省長官を務めたロバート・ライシュは、富の平等の忌憚のない擁護者だ。ライシュは、アメリカの裕福なエリート層は、パンデミック中にアメリカの全国民に三〇〇〇ドルの小切手を郵送したところで、彼らの富にわずかな傷もつかないだろうと指摘した[31]。

食物連鎖のはるか下に位置する人たちは、そのような戦利品を共有するどころか、富裕層の過剰なライフスタイル消費の代償を押しつけられる。英国のＮＧＯオックスファムの調査によれば、たとえば世界の上位一〇パーセントの富裕層は、二酸化炭素の全排出量の半分を排出しているという。これは、世界の最貧困層下位一〇パーセントの平均的カーボンフットプリントの六〇倍にも及ぶ[32]。そうであるにもかかわらず、気候変動の影響をまともに受けるのは最貧困層なのだ。なかには、身の安全と生計手段を求めて、住み慣れた土地を逃れて気候難民となる人たちもいる。

英国のグラスゴーで開かれた「気候変動枠組条約第二六回締約国会議（ＣＯＰ26）」でフランスのエマニュエル・マクロン大統領は、気候変動で最も影響を受ける人たちは、その変動の原因である開発モデルから利益を得ていない実情を認めた。「小さな島々、脆弱な土地、先住民は、気候攪乱の影響を最初に受ける犠牲者なのです[33]」。セーシェルのワベル・ラムカラワン大統領は、単刀直入だった。「我々はすでに生き残りを賭けています。明日という選択肢はありません。それでは遅すぎるからです[34]」。

持てる者が持たざる者から奪うという問題は、新しいわけではない。八世紀にインドの哲学者で詩人の寂天は、その状況をずばりこう表現した。「この世のあらゆる喜びは、他者の幸せを願うことから生まれる。この世のあらゆる不幸は、己の喜びを望むことから生まれる[35]」。

あるいは、アメリカのヒップホップアーティスト、チャンス・ザ・ラッパーは、こう書いている。

「ひどく貧しいヤツらがいる。ヤツらはカネしか持ってない[36]」。

重要な問題はこうだ。どうすれば、それらの富をより良く使えるだろうか。どのように分配すれば、おおぜいの持たざる者の生活を改善できるだろうか。

幸い、私たちは――少なくともある程度までは――その答えを見つけ始めている。企業が利益だけでなく目標の達成を迫られているように、大物や有力者も人びとや地球に還元するよう促されている。そのような考えから、二〇一〇年、ビル・ゲイツとウォーレン・バフェットは、「ギビング・プレッジ」という寄付啓蒙活動を立ち上げた[37]。生きているあいだかその死後、遺言に従って、ゲイツとバフェットは少なくとも資産の半分を、慈善事業に寄付すると約束した。マーク・ザッカーバーグ、サー・リチャード・ブランソン、イーロン・マスクも同じくその誓約書に署名した。

億万長者の慈善家たちの共通点に気づくだろうか。彼らは白人だ。アフリカ系アメリカ人の億万長者に、気前良さという遺伝子が欠けているからではない。アフリカ系アメリカ人の億万長者の絶対数が少ないからである。

富が富を生むと長くいわれてきた。一八九〇年代、ジョン・D・ロックフェラーは、聖職者のフレデリック・テイラー・ゲイツを慈善活動の指南役として雇った。ゲイツはロックフェラーの資産を査定したあと、石油王にこう進言した。「ミスター・ロックフェラー、あなたの富は増え続けて、雪崩を起こさんばかりです！　増える前に分配しなければなりません！　もしそうなさらないなら、あなたを押し潰し、あなたの子どもも、その子どもまでも押し潰してしまいます！[38]」。

急増し続ける富は、おもに白人に特有の〝問題〟だ。なぜなら、富とは根本的に権力と、そして影響力とも密接に結びついているからだ。さらには、同じように権力を持つ相手とつながり、その相手とともに権力やポートフォリオを築くこととも結びついているからだ。ますます明らかになるように――とはいえ、もちろん否定する者もいるだろうが――アメリカでは、非白人系アメリカ人が権力を手に入れることを、それゆえ彼らの家系が数世代にわたって富の果実を享受するかたちで富を蓄積することを、制度的に阻止しようとする力が働いてきた。その影響は長く続いてきた。連邦準備制度理事会（ＦＲＢ）のリサーチャーの調査によれば、金銭的な相続は、子どものＩＱ、パーソナリティ、教育を合わせた以上に、子どもの将来の収入を占う重要な要素だという[39]。

いわゆる冷酷な資本主義にも常に例外がある。自分の資産を手放すことで、みずからの価値観に沿った生き方を目指す、社会主義志向のミレニアル世代の相続人まで現れたのだ[40]。

さらに、マッケンジー・スコットの件がある。彼女は、二〇一九年にジェフ・ベゾスと別れてそれぞれの人生を歩むことにした[41]。離婚に際して、マッケンジーはアマゾンの株式の四パーセントにあたる一九七〇万株を譲渡された。これは約三八三億ドルに相当した。一年後、パンデミックのあいだにおもにオンラインショッピングが急増したおかげで、その価値は六二〇億ドルに膨れ上がった。もしマッケンジーの保有分が減ったならば、それは彼女が二〇二〇年一二月までの時点で、四二億ドルを寄付したからである[42]。

寄付にあたってマッケンジーは申請書をいっさい求めず、当初、彼女の慈善活動の基準は謎だった。

アドバイザーのチームと相談し、寄付する価値のある団体を独自に割り出して詳細に調査する。だから、実際に寄付した時にはたいてい相手に驚かれる。これまでの寄付先の多くは、基本的ニーズを満たすために活動している団体が対象だった。たとえばフードバンク（歴史的に最大規模の「バーモントフードバンク」には九〇〇万ドルを寄付した[43]）や、「ミールズ・オン・ウィールズ」（高齢者、からだの不自由な人をはじめ、自分で食事を準備できない人を対象とする宅配サービス）などである。歴史的にアフリカ系アメリカ人の大学だったボルチモアのモーガン州立大学には四〇〇〇万ドルを寄付し、個人の寄付として開校以来、最高額を記録した[44]。同じく歴史的にアフリカ系アメリカ人の名門私立大学であるハワード大学は、〝とてつもない〟額の寄付を受け取った[45]。それ以上に驚く数字がある。それは、非営利団体に関するデータ追跡などを行なうＮＰＯの「キャンディッド」によれば、新型コロナウイルス感染症に関連して、二〇二〇年に世界中で寄付された全慈善基金の二〇パーセントが、マッケンジーの寄付だったことだ[46]。

シンクタンク「政策研究所」の慈善改革イニシアティブのチャック・コリンズ代表は、マッケンジーが「億万長者の慈善活動の基準を破壊して」いると指摘する。私立財団を設立して、最終的にマッケンジーの子孫が資金を分配するよりも、彼女がはるかに速く動いているからだという[47]。

マッケンジーは、慈善目的の寄付に伴う官僚主義を無視することで――富の権力力学を強化する制度のベールを取り払うことで――慈善活動を破壊していた。古いタイプの慈善家は、芸術を支援し、貧しい者に施し、自分の名前を建物に刻むために寄付をする。いろいろな付帯条件をつける場合も多い。ところが、マッケンジーは違う。別れた夫が蓄えた富を使って、人びとに力を与え、自信を持たせるために個人と組織に寄付をする。何の条件も設けない。柔軟性をもたせることで、寄付を受け取った側がふさわしいと思う使い方ができる。これは慈善のより積極的行動主義のかたちであり、間違いを正し、貧困や不公平との闘いの最前線で取り組む人びとを支援しようという意図がある。

富裕層と貧困層との分裂は、目の前でひしひしと感じる痛みではなかったかもしれない。とはいえ、ロックダウンのあいだ、困窮する国民がいるいっぽう、401kの値上がりに目を見張る国民がいる状況で、ふたつの層の分裂を見て見ぬふりをすることはより難しかった。学術誌《ネイチャー・フード》に発表された論文によれば、今回の感染症によって栄養不良に陥った人は、世界で三人にひとり以上にのぼるという[48]。パンデミックが社会の下層階級に及ぼした代償がすべて明らかになるまで、長い年月がかかるかもしれない。貧困に喘ぐ家庭の子どもは、それでなくても教育で不利な立場にある。単に通う学校のレベルの問題ではない。一九九五年にアメリカで行なわれた画期的な調査によれば、専門職に就いている親の子どもは平均して一時間に二一五三語を耳にするという。これは平均的な労働者階級の子どもが耳にする平均（一二五一語）の二倍近くに及ぶ。それなら、生活保護を受けている平均的な家庭の子どもの場合は？　一時間に六一六語。これは大きな問題だ。なぜなら、就学前の子どもの語彙発達は、のちの読解力や学業全般の成績と相関関係にあるからだ[49]。

語彙力の不足は、今回の感染症と学校閉鎖、リモート授業によってさらに加速するだろう。そのことが、二〇三八年の労働人口――と社会――にどんな影響を及ぼすだろうか。なぜなら、多くの成人が二〇二〇年当時に、重要な学びの一年を、いや二年を失ってしまったからだ。保険会社の「ホーレス・マン」の報告によれば、すでに公立学校の教師の大半が、パンデミックは生徒や児童に「深刻な」学習体験の損失をもたらしていると述べている。その影響は学業の面でも、社会的、情緒的な発達の観点でも感じられるという。この三つは、とりわけ影響を受けやすい分野だ[50]。たとえば数学では、二〇二〇年一二月のマッキンゼーの分析は、白人の生徒が四～八カ月分の学習を失うのに対し、有色人種の生徒の場合は六～一二カ月分を失うと予想した[51]。「生徒はみな影響を受けるが」報告書の著者はこんな結論を導く。「教育機会が最も少ないままパンデミックに巻き込まれてしまった生徒は、学習体験を最も損失したかたちで卒業する道をたどる[52]」。

それより半年早く二〇二〇年六月に公表されたマッキンゼーの調査では、アメリカの生徒全員が二〇二一年一月までに授業に戻ったとしても（実際は無理だった）、授業を受けられなかったことによる四〇年間の生涯収入の減少は、アフリカ系アメリカ人で八万七四四〇ドル、ヒスパニック系で七万二三六〇ドルだという。これに対して、白人の場合は五万三九二〇ドルの減少と予想される[53]。白人と非白人との格差は、こうしてさらに拡大する。

＊＊＊

まったく異なるふたつの場所に住むという体験によって、私はアメリカの富の格差について新たな考えを持つようになった。もう記憶もだいぶ薄れてきたが、私はニュージャージー州のリバーエッジという、居心地のいいミドルクラスのバブルのなかで育った。そして、いまは大半をスイス西部のヴォー州で暮らし、働いているが、つい最近まで、私と家族はふたつの街を行ったり来たりしてきた。メキシコとの国境に近いアリゾナ州トゥーソンと、コネチカット州ニューケイナンだ。このふたつの街はまったく違う。

アメリカ以外で生まれた住民の割合は、トゥーソンが一五パーセント、ニューケイナンが一三パーセントと同じくらいだが、トゥーソンはメキシコの延長といった雰囲気が強く、ほとんどヒスパニック系の街である。いっぽうのニューケイナンは、J・クルーのカタログに出てくるステージセットのような見かけや印象があり、実際、ここが撮影場所であってもおかしくない。二〇一五〜一九年の国勢調査局のデータを見ると、トゥーソンの世帯年収の中央値は四万三四二五ドル（二〇一九年ドル）、貧困層は全体の二二・五パーセント。いっぽうのニューケイナンは著しい対照をなし、世帯年収の中央値は一九万二七七ドル。貧困ラインを下まわるのは、わずか三・二五パーセントにすぎない[54]。

ふたつの街の本当の違いは、人口動態上の分析のなかにあるのではない。それは、住民の期待と夢のなかにある。彼らは何を望んでいるのか。夢の実現にはどんな代償が伴うのか。

これをドラマ化した短篇がある。SFをメインに優れた作品の多い作家アーシュラ・K・ル・グィンの「オメラスから歩み去る人々」（ハヤカワ文庫『風の十二方位』ほか所収）だ[55]。物語の舞台である街はとても幸せな場所だ。だが、その幸せはひとりの子どもの不幸の上に成り立っている。その子は、わずかな光が差し込むだけの湿って汚い、道具部屋ほどの狭い地下室の穴蔵に閉じ込められている。男の子とも女の子とも見分けがつかないその子は「六つぐらいに見える」と、ル・グィンは書いている。「だが、実際はもうすぐ一〇歳になる。知能が低い。生まれつきの欠陥かもしれない。もしくは、恐怖と栄養不足と無視された境遇のために知能が退化したのかもしれない」。

街の住民はその子に食べ物を持っていく。誰も話しかけない。その小さな囚われ人が「出してちょうだい。おとなしくするから！」と訴えかけても、誰も助けてやらない。

なぜそんな残酷なことが続いているのか。それは「彼らの幸福、この都の美しさ、友情の優しさ、彼らの子どもの健康、学者たちの知恵、職人たちの技術、そして豊作と温和な気候までが、すべてこのひとりの子どものおぞましい不幸におぶさっていること」をみなが知っているからだ。

街の人たちは罪悪感を抱いていないのだろうか。大いに抱いている。だが、彼らの幸福を脅かすことはできない。住民にはよくわかっている。もしあの子を太陽の下に出してやり、きちんと世話をしてやったなら、オメラスの繁栄と美と喜びは何もかも枯れ萎み、滅び去ってしまうことを。だから、あの子を牢屋から出してはならない。

極めてドラマチックな言葉で言えば、これは近代経済システムのジレンマだ。伝統的に悲惨な境遇を和らげ、慰めを与えるものとみなされてきた富は、今世紀に大きな分裂を生み出してきた――そして、それは富める者とミドルクラスの上に成り立ち、彼らは恵まれない人びとの窮状をともに見て見ぬふりをする。ＥＵから離脱した英国人が発見したように、不当に低い賃金しか支払われない移民と外国人労働者が英国をあとにしたため、もはやトラックを運転する者も、作物を収穫する者もいなくなり、システムが崩壊し始めた。そのくせ、彼らに残ってもらうよう、どれほどの人が努力したというのか。

あちこちの先進国において、私たちは非常に安価な衣服や商品を買うことに慣れてしまっている。

だが、それらはたいてい安全とはほど遠い労働環境で、最低生活レベルで暮らす労働者が働いてこそ可能な値段なのだ。二〇一九年、英国の六歳の女の子がクラスメートに送るクリスマスカードを書いていた。その子の両親が大手スーパーで、一・五ポンドで購入したパック入りのカードである。すると、そのうちの一枚のカードに英語で何か書かれていた。「私たちは中国の上海青浦(せいほ)刑務所の外国人受刑者です。強制労働をさせられています。私たちを助けてください。人権団体に知らせてください」[56]。その小売業者は、もし刑務所の受刑者を使っていることが判明したなら、そのカードの製造業者をリストから削除すると公表した。だが、受刑者であろうとなかろうと、新興市場の多くの労働者が、私たちの生活の質を向上させるために、彼らの生活の質を犠牲にしていることを、すでに私たちはみな知っている。

その問題の一因は距離である。物理的な距離。なぜなら、その商品がどんなふうにつくられているのか、近所の通りで目にすることはできないからだ。そして情緒的な距離もある。なぜなら、持てる者と持たざる者との生活のあいだには、大きな裂け目がぱっくり開いているからだ。

二〇一一年、大統領選を前に《ニューヨークタイムズ》紙は、政治家でもメディア関係者でもない人たちにこう問いかけた。あなたが大統領なら指導者としてどんなことに取り組みますか。ハーバード大学の政治哲学者であるマイケル・サンデルの提案は、私たちが生活と考えるものから、富裕層がますます乖離していく現象に直接取り組むことだった。

私が大統領なら、アメリカ人の生活のスカイボックス化〔スカイボックスは、競技場の高い場所に設けられたガラス張りの特別観覧席〉に反対する運動を、先頭に立って行ないます。ほんの少し前まで、球場ではCEOも郵便室で働く事務員も並んで座り、雨が降ればみな濡れて観戦していました。今日、ほとんどのスタジアムには企業のスカイボックスが設置されています。そこでは、エアコン完備の特別室で特権階級が快適そうに座り、一般の観客ははるか下の席に座っています。私たちの社会では、同じようなことが起きています。富裕層は公立学校、軍隊、そのほかの公的機関や施設には近寄らなくなり、いろいろな階級が交わる場所はますます少なくなっています。富裕層と貧困層が別々の生活を送る傾向は進むばかりです[57]。

私の知る限り、この運動に取り組んだ政治家はいない。それどころか、みずからの「幸せ」を盤石なものとするために、オメラス式の解決方法を承認した者は、無関心の上に身勝手な残虐性も加えたのである。二〇二〇年のパンデミックのあいだ、グープ〔女優のグウィネス・パルトロワのウェルネス&ライフスタイルブランド〕は、赤外線サウナブランケット（五〇〇ドル）や、ジェムストーンのヒートセラピーマット（一〇五〇ドル）の爆発的売上げを記録した[58]。マイアミでは、富裕層が自家用ヨットを停泊させるためだけに、ウォーターフロントの家を購入する[59]。それでもまだ満足ではない。カリフォルニア州サンディエゴに住む、ある女性はこう不満を漏らした。「デル・マー・カントリークラブで、ゴルフをする時間を見つけるのは不可能に近いわ[60]」。

富裕層はますます、彼らだけのバブルのなかで暮らしている。そのような時、金銭はもはや通貨ではないとマイケル・サンデルは示唆する。それは文化なのだ。

私は普段、浮わついた楽観主義を控える。だが、二〇二〇年の「グレート・ポーズ（大いなる休止）」の影響が、私に希望を持つ理由を与えてくれた。世界で最も忙しい場所でさえ立ち止まったのだ。それまでの慌ただしいライフスタイルではまず無理だった方法で、多くの人が生活のペースを落として内省する機会を持った。多くの人にとってそれは、制度的人種差別や特権、不公平といった困難な問題について、より深く考えることも意味した。

パンデミックのあいだ、格差に気づかないふりをするのはこれまで以上に難しくなった。ロックダウンが始まると、家に閉じこもる余裕のある者にとって、エッセンシャルワーカーとみなされる――そして、職場にいちいち報告を強要される――多くの労働者が、最低賃金で働く有色人種だという事実が露わになった。以前は考えられなかった方法で、彼らに目を向ける人が増えた。彼らが生活に困り、助けを必要としていることに気づき始めた。食料雑貨店の店員、宅配の運転手、配送センターの労働者、病院の用務員。彼らの時給や待遇についてもっと深く考えるようになり、ウイルスの拡大に伴い、店内で働くどの労働者の給与が上がったのかについて、大きな関心を持って注目した。とつぜん彼らの気持ちに理解を示し、感謝の気持ちから、フードデリバリーの配達員やほかのエッセンシャルワーカーに、数週間前よりも多くのチップを渡すようになった。《アトランティック》誌が、モバイル決済企業「スクエア」のデータとして紹介したように、（通常の生活に戻った）二〇二一年八月の時点でも、平均的なチップの額はパンデミック以前の基準を大きく上まわったままだという。[61]私たちはまた、ロックダウンのあいだ、困窮し、助けを求めるクラウドファンディングに寄付する傾向が高まった。二〇二〇年の六カ月間、寄付系クラウドファンディングのプラットフォーム「ゴーファンドミー」のユーザーは、パンデミックの影響を受けた最前線で働く労働者のために、六億二五〇〇万ドル以上を集めた[62]。

医療や医療施設の利用状況、さらには感染率と死亡率には不公平な傾向が見られ、一部の人にとって、それらの報告を見過ごすことはとりわけ難しくなった。端的に言おう。アメリカで人種的、民族的マイノリティに属するということは、新型コロナウイルス感染症に感染して、命を落とすリスクが高いという意味なのだ[63]。そして、格差は世界的に明白になった。国連の報告は、二〇二一年に世界人口の七〇パーセントに行き渡るだけのワクチンが製造されたと指摘する[64]。ところが、二〇二一年一一月時点のワクチン接種率は、オーストラリアで六八・八パーセント、英国で六八・四パーセント、アメリカで五八・六パーセントであるのに対して、インドで二五・八パーセント、イラクで八・九パーセント、ナイジェリアで一・五パーセト、チャドでは〇・四九パーセントだった[65]。

ジョージ・フロイドがミネソタ警察の警官に殺された事件とブラック・ライブズ・マター運動（さらに最近では、カイル・リッテンハウスに対するウィスコンシン州の無罪評決）は、アメリカの国内外において「人種差別の大いなる清算」をもたらし、現在の不公平は容認できないものであり、すぐにでも取り組まなくてはならない、という感覚をさらに強固にした（二〇二〇年、一七歳の白人カイル・リッテンハウスは人種差別に抗議するデモの参加者に発砲して三人を死傷させ、殺人罪に問われた。だが翌年、陪審員が「正当防衛」による無罪評決を言いわたすと、極右がリッテンハウスを英雄に祀りあげるなど、アメリカ社会の分断が改めて浮き彫りとなった）。多くの人が、人種的、経済的不正義からこれ以上は目を逸らすのをやめて現実を直視し、さらには問題の解決に取り組む機会を探している。

パンデミックによって生じた新たな感情と、それらの問題を社会の優先問題に位置づけることが、二〇三八年までのあいだにどんな展開を生むのだろうか。そのひとつとして、ユニバーサル・ベーシック・インカム（UBI）が、さほど急進的な考えではなくなるだろう。二〇一七年、起業家のアンドルー・ヤン（序文を参照）は、アメリカ大統領選に民主党から立候補すると表明し、二〇二〇年の予備選挙では多くのアメリカ人にUBIの概念を紹介した。彼の政策は際立っていた。というのも、「自由配当」と称して一八歳以上のすべてのアメリカ国民に、毎月ひとり当たり一〇〇〇ドルを支給すると約束したからだ。ヤンが大統領選のレースから脱落してまもなく、アトランタ（ジョージア州）、ロサンゼルス、シュリーブポート（ルイジアナ州）、セントポール（ミネソタ州）など二五都市の市長が、「所得保証制度のための市長連合」を結成した。その目的は、新型コロナウイルス感染症と構造的人種差別という双子のパンデミックに取り組むことにある。UBIのパイロットプログラムは、たとえばハートフォード（コネチカット州）、ロングビーチ（カリフォルニア州）、デンバー（コロラド州）、ゲインズビル（フロリダ州）などでも計画されている。かつてUBIは付随的で、極左の奇抜な空想だと思われていたが、所得の不公平を解決する常識にかなった政策だと考える市民がまたたく間に増えた。

経済について新たに明らかになった、長続きする効果はほかにもある。例外も多いものの、あからさまな過剰を控える傾向である。HBOマックス（有料ケーブルテレビ放送局HBOのビデオ・オン・デマンド・サービス）で、人気連続ドラマ「セックス・アンド・ザ・シティ」のリブート版の記事を興味深く読んだ。その記事のライターは、主人公のキャリー・ブラッドショーのバッグが、またしてもヘッドラインを飾ったと指摘していた。とはいえ、今回はその問題のバッグが、エルメスでもフェンディでもなく、米国公共ラジオ放送（NPR）の関連会社「WNYC（ラジオ局）」のトートバッグだったというのだ(66)。一九九八年頃のこれみよがし消費の再現ではなく、二〇二一年にキャリーが選んだバッグが送っていたのは、情報と知識を優先する――そして、公共ラジオを財政的に支援する――というシグナルだった。

赤外線サウナブランケットや、ジェムストーンのヒートセラピーマットの購入を考えるほど、私は世間知らずではないし、超富裕層の宇宙開発競争は私たちとは何の関係もない。それでも、自分たちが明るい太陽の下で生きるために、ひとりの子どもを地下室の穴蔵に閉じ込めておくことの代償を、もはや私たちが受け入れない時、どんな結果が待っているだろうか。

次に起こること――集団として私たちが何を選択し、優先し、許容するのか――が、私たちの未来の基盤をかたちづくる。世界的、局所的な不公平という差し迫った問題に、社会はどう対処するのか。それが先導役となって、明日の私たちの姿を決める。そしてその姿は、ジェンダーロールやジェンダーアイデンティティの分野で加速する変化の影響を、大いに受けることになるだろう。

第 三 部

私たちは何者なのか

二〇〇〇年末、私は毎年恒例のトレンド報告を発表し、今後数年間で目が離せない一〇個のトレンドを解説した。リストの六番目にあげたのは、「さまざまな面を持つ人たち」だった。その一部を引用しよう。

「あなたは何者か」という問いに答えるのは、ますます難しくなるだろう。自分が何者かを定義することはもはや、どちらかのボックスにチェックマークを入れて、それで終わりという問題ではない。シングルの時もあれば、パートナーがいる時もある。企業の重役だった次の日には、契約社員になっているかもしれない。複数の民族と、利益集団と、さらにはいろいろな哲学と自分とを重ね合わせる。消費者をセグメントしようとするマーケターは、さまざまなアイデンティティを持つターゲットに照準を定めようとしても、そううまくはいかないだろう。[1]

このトレンド予測から二〇年以上が経った。「さまざまな面を持つ人びと」というトレンドは、本書で描くメガトレンドにも含まれ、いろいろな分野で存在感を増している。他者が定義する社会的なボックスに、自分を押し込めることに抵抗を感じる人が増えた。肩書きから世帯構成までのあらゆるケースに当てはまるが、その最たるものがジェンダーである。

第三部では、ジェンダー、ジェンダーロール、自己認識にまつわる近年の動向について考察しよう。まずは、女性たちが体験してきた、山あり谷ありの二〇年の歩みから見ていこう。

第一二章　未来は本当に女性のものか

一九九〇年代半ば。私は《ニューヨーク・オブザーバー》紙のキャンディス・ブシュネルのコラム「セックス・アンド・ザ・シティ」の熱心な読者だった。ブシュネルは、私と同じ世代の女性の野心と不安を体現していた。彼女は、仕事と愛を勝ち取ろうという野心に負けないくらい、ワードローブにも取り憑かれたようにこだわっていた。そして、ブシュネルのコラムがテレビドラマ化されると、私はまず見逃さなかった。

主人公はキャリー、サマンサ、シャーロット、ミランダの四人の女性たち。全員が白人で全員が特権的な立場にあり、どんなフェミニストの理想にも一致しない。四人は〝罪深きお愉しみ〟の歩く広告塔だ。アルコール、マノロ・ブラニクのハイヒール、そしてもちろんセックス。それでいて、世紀の変わり目を闊歩（かっぽ）する、自信に満ちた女性たちの価値観を具現化している。仕事で昇進し、友だちを応援し、最後にトロフィー・ハズバンドをゲットする。確かに、彼女たちの野心の多くは薄っぺらいかもしれない。だが、嘘っぽくないし、親近感さえ覚える。あの年齢層の多くの女性たちと同じように、あの四人も男性社会で平等な条件を勝ち取ろうと闘ってきたのだ。

テレビ番組の制作者も含めて、アーティストは人間版のアンテナだ。彼らは、遠く離れた列車のゴトゴトと呟くような音を聞きとる。間近に迫った変化を見逃さない。そして、そのかすかな閃光を、わずかな気配を視聴者に発信する。私の世代の多くが、大衆文化を通して大きなアイデアに触れた。もうひとつの現実を――もうひとつの憧れの世界を――垣間見た。そこには、フェミニズムや女性の地位の平等も含まれていた。女優のマーロ・トーマス主演のドラマ「すてきなアン」が描いた独身女性から、シットコム「メアリー・タイラー・ムーア・ショー」の独身女性メアリーとその隣人のローダや、シットコム「ジュリア」でダイアン・キャロルが演じた、ベトナム戦争で夫を亡くしたシングルマザーの看護師ジュリア、さらにはビアトリス・アーサーがシットコム「モード」で演じた、郊外に住むリベラルな主婦まで。テレビに映る彼女たちの姿は、子どもの頃の私がニュージャージー州で我が家のリビングの窓から見ていた世界よりも、はるかに可能性に満ちた世界を見せてくれた。

「セックス・アンド・ザ・シティ」が登場した年、マンハッタンの広告業界で働く私の生活は、少女時代には想像もつかなかった熱狂と緊張と充実感に溢れていた。オランダからニューヨークへ戻ってきたばかりの私は、ついに部下を抱える体験を味わった。企業で、ましてやマディソン・アベニューで働く女性が、自信をみなぎらせ、権力をうまく行使するにはどうすればいいか。それを見つけ出そうと必死だった。時代は変化していた。だが、暗黙のルールがあり、そのルールはご都合主義的に適用され、常に流動的だった。あの春の日、私は苦境に陥っていた。というのも、ほぼ男性ばかりの最高幹部のミーティングの席で、男だけの世界は長く続かないと言ってしまったからだ。なぜなら私が思い描いていたのは、タイピングができなければコンピュータが使えず、そしてもしコンピュータが使えなければ、もはや勝ち残れない世界の到来だったからだ。だが、私の考えは完全に無視されてしまった。みながキーボードにかじりついている世界など、誰も想像したくなかったからだ。

一九九〇年代末、技術革新は時代の空気だった。そして、女性にとっての変化もまた同じだった。私がその変化を感じとったのは、まだ小学生の頃、寒い日には女子もズボンを穿いて登校しても構わなくなった時だ。二〇一三年に八二歳でノーベル文学賞に輝いた短篇小説の名手アリス・マンローは、一九七一年に時代の精神を簡潔に指摘していた。

少女と女性の人生に変化が訪れようとしていると私は思います。ええ、間違いありません。ですが、本当に変化を起こせるかどうかは、私たち次第です。これまで女性が手にしてきたのは、男性とのつながりだけでした。(1)

二〇〇〇年になる頃には、進歩の兆候はあちこちで見られた。次のことを隠喩として考えてみよう。二〇〇〇年にグロリア・スタイネムが結婚した〔急進的フェミニズム運動の活動家。ミスでもミセスでもないMs.＝ミズの使用を提唱。六六歳で結婚〕。フェミニズムが掲げていた当初の目標はどうなったのか。どうやら達成したようだ。それでは次の目標は何か。ジェンダーのステレオタイプを打破し、有色人種の女性に対する支援を拡大させること。

だが、祝杯をあげるのはまだ早い。新たなミレニアムに入って、目標はかなり達成されたとはいえ、女性の進歩は行き詰まっている。数字がそれを物語る[2]。

アメリカにおいてプラス面に目を向ければ、一九七八年以降、大学卒業者は男性より女性のほうが多い。マイナス面で言えば、高卒の女性の年収は高卒の男性より八〇〇〇ドル少ない。大卒の女性の年収は、大卒の男性より一万二〇〇〇ドル少ない。専門職に就く女性の年収は、男性の場合より三万五〇〇〇ドル少ない。外で働く女性の七二パーセントが事務職に就き、業務支援か管理支援、もしくはサービス業務で働く。そう聞けば、前進と見えるもの――女性の五七パーセントが職場でコンピュータを扱い、その数は男性より一三パーセントも多い――が、いかに見かけ倒しか、その理由がわかるだろう。彼女たちは経営幹部ではない。より高い報酬を受け取る男性のために、業務上必要な職務を担っているのだ。

それでもなお、アリス・マンローは正しかった。世界中で均一に起こっていたわけではないにせよ、変化は起こっていた。しかも、教育と仕事の分野だけではない。人生についても、異なる選択をする女性が増えたのだ。

アメリカで、子どものいない四〇～四四歳の女性は、一九七六年に一〇人にひとりだったが、二〇〇〇年には五人にひとりになった。一九九〇～二〇一〇年に、同じ年齢層で子どものいない女性が増加する傾向は、オーストラリア、オーストリア、フィンランド、イタリア、英国でも見られた[3]。結婚する女性も減少した。二〇〇〇年、三〇～三四歳のアメリカ人女性のうち二二パーセントが一度も結婚していなかった。一九七〇年にはわずか六パーセントだったことを考えれば、これは大幅な増加だ

（この傾向はいつかきっと逆転すると思うなら、次の調査結果を考えてみればいい。二〇一九年に、ロンドン・スクール・オブ・エコノミクスの行動科学科の教授で、幸福に関する研究で著名なポール・ドーランが調査を実施し、「最も健康で最も幸福な人口の下位集団は、結婚した経験もなく、子どももいない女性だ」と明らかにした[4]）。

私の人生において、女性の選択が著しく拡大する様子を目撃したのは、アカデミックな世界が最初だった。一九七六年秋に私が大学に願書を提出した時、ハーバード大学にも出していれば、願書を受け取ってもらえなかった可能性が高い。理由はただひとつ。私には応募資格がなかったからだ。そこで、私はハーバード大学の提携校である女子大のラドクリフ・カレッジに願書を出した。もし合格していれば（実際は合格しなかった）、「ハーバード＝ラドクリフ」の卒業証書を受け取っていたはずだ。ところが、ラドクリフは一九九九年にハーバード大学に吸収された。現在、ハーバード大学の学生の五一パーセントが女性である。私はブラウン大学に合格した。ブラウン大学は私が入学する五年前に、提携校の女子大であるペンブローク・カレッジを吸収して共学制になっていたから、ブラウン大学の場合、私のジェンダーは障害どころか有利に働いたのではないだろうか。

私と同じ世代の女性は、当時、増加していた共学制の最前線にいた。プリンストン大学が共学になったのは一九六九年、私が小学生の頃だ。ほかの大学の入学事務局、卒業生、当時の学生もこれには驚いた。ナンシー・ワイス・マルキエル〔プリンストン大学の歴史学部に初めて入学した女性〕が、著書『忌々しい女どもを締め出せ――悪戦苦闘の男女共学（Keep the Damned Woman Out: The Struggle for Coeducation）』（未邦訳）に綴ったところによると、ある男子学生は日刊学生新聞《デイリー・プリンストニアン》に、「女子と競争するなんて、まったくうんざりだ」と述べている。「女子と一緒の授業に出たいんだったら、最初からスタンフォードに入ってたよ[5]」。

大学の管理部門の職員も大差なかった。

ニューヨーク州北部にある男子校ホバート大学の入学事務局の局長は、「少なくとも貴校の事務局は、若くて可愛らしいお嬢さんと短いスカートで華やかになるでしょうな」……女性の新入生をつい最近、受け入れ始めたばかりのノースカロライナ大学は、「貴校にお悔やみの言葉を申し上げるばかりです。女子学生は、男子学生よりも対処するのがはるかに難しいことがわかっています[6]」と述べた。

この五〇年間、学生も大学の管理部門も、キャンパスで女性の姿を見かけることに慣れなければならなかった。二〇二〇年のアメリカでは、大学の入学者数、卒業率、取得した学位の数で女性が男性を上まわった[7]。

女子学生の増加という話は世界各国で聞かれるが、どこでも同じというわけではない。中国では、女子大生の割合は全体の五一・七パーセントを占める[8]。イタリアでは、男性より女性のほうが高等教育機関に進学する傾向が著しい[9]。そのいっぽう、アフリカ、南アジア、中東では、文化的規範から貧困や暴力までのさまざまな理由で、大きなジェンダーギャップが根強く残っている[10]。

世紀の変わり目に先進経済国で女性に扉が開かれたにもかかわらず、ほとんど変化の見られない統計がひとつある。企業の経営陣、取締役の地位に立つ女性の割合だ。[11] 一九七〇年代、外で働く女性は増えたが、悪名高きガラスの天井に阻まれ、企業の上層部には到達できない。そして、新たなミレニアムは新たな展開をもたらした。〝ガラスの崖〟である〔企業の業績が低迷し、危機的状況に陥ると、男性より女性がリーダー的な役職や幹部に起用されやすい傾向〕。

その残酷な策略の犠牲となった有名な女性と言えば、エリン・カランだ。ニューヨーク市警の刑事を父に持ち、ニューヨーク州ロングアイランドの公立学校からハーバード大学に進学した。そして、ウォールストリートで出世の階段を駆け上がった。基調講演のスピーカーに選ばれた。女性仲間の称賛の的だった。

カラン自身は知る由もなかったが、彼女はまもなく虚偽の罠にかけられてしまう。自社が内破するリスクに気づいたシニカルな経営陣が一計を案じ、捨て駒を、カモを――何も知らない女性を――トップの座に据えることにしたのである。[12] その女性に、その仕事をやり遂げるための充分な経験や能力があろうがなかろうか関係ない。いざとなったら、その女性に責任をなすりつければいい。彼女が責めを負うことになるのだ。

二〇〇七年、リーマン・ブラザーズは、女性、同性愛者、少数民族に昇進の道を開いた。ウォールストリートの、そして彼らの会社の行く手に厄介な問題が待ち受けていることを、リーマン・ブラザーズの鼻の利く重役連中は嗅ぎとっていた。その年の一二月、カランはＣＦＯ（最高財務責任者）に抜擢された。「彼らはまったくその資格もない者を昇進させ、まんまと〝やるべきこと〟をやり」、責任を被せる女性を巧みに罠にはめたのだ。リーマン・ブラザーズの崩壊について執筆した作家のヴィッキー・ウォードはこう書いている。「彼女は基本的な会計学の学位すら持っていなかった[13]」。

だが、カランは注目を浴びるCFOの仕事を快く引き受けた。《ウォールストリートジャーナル》紙のインタビューのなかで、カランは自分がよく高級百貨店「バーグドルフ・グッドマン」で買い物をすると明かした。ウォールストリートの基準で言えば着飾った服装で、執務室の写真に収まった。二〇〇八年には《ニューヨークポスト》紙の「ニューヨーク市で最も影響力のある女性五〇人」の三位に選ばれた。ヒラリー・クリントンとアナ・ウィンター[14]〔アメリカ版《ヴォーグ》誌編集長。映画「プラダを着た悪魔」に登場する悪魔のモデルとされる〕の次だった。

カランの華々しい注目の日々は長く続かなかった。船の傾きを正そうとする彼女の努力は「一種の陽動作戦で容赦なく潰された。職場の男性があんな目に遭わされることはめったにないだろう」。コラムニストのドミニク・エリオットは、CNBC〔金融・経済・ビジネス専門チャンネル〕でそう指摘している[15]。カランは、全員男性の執行委員会のメンバーに対して「不快で挑戦的」とされ、また「挑発的な」服装のせいで、同僚が「気が散って仕事ができない」とも批判された[16]。

二〇〇八年六月、カランは会社を去った。その三カ月後、リーマン・ブラザーズが経営破綻する。ウォールストリートに衝撃が走った。なぜ、あれほどの企業が危険の兆候を見落としたのか。二二〇〇ページに及ぶ破産裁判所の報告書は、次のように説明する。同社は不正な会計処理によってバランスシートから五〇〇億ドルを外し、負債を過小に見せかけていた。CFOのカランは、この会計操作に気づくべきだった。彼女は、問題の取引で「充分な危険信号」を見落とした四人の重役のひとりとされた[17]。

エクセター大学心理学部のミシェル・ライアン准教授は、エリン・カランの盛衰を「ガラスの崖のまさしく典型的な例」とみなす。「危険な時期に、事態が本当に切羽詰まった時に、このような危険なリーダーの地位に女性を抜擢することは多いのです。何もかも順調な時には、リーダーの地位を占めるのはたいてい男性です[18]」。

カランが世間から袋叩きにあった二〇〇八年、働く女性を支援する非営利団体「カタリスト」は、景気後退のあいだ、女性の重役は男性の重役よりも三倍も職を失いやすいと報告した[19]。

エリン・カランの一件は長い影を落とした。何年も経ったいまでも、彼女を「最終的な権限を持つ地位に、女性を就かせるべきではない」という鉄則の象徴だとみなす者もいる。二〇一六年、（本人の言葉を借りれば）「地球から堕ちた」あと、カランは回想録『一周まわって――行き過ぎたリーン・インと原点回帰の旅（Full Circle: Leaning In Too Far and the Journey Back）』（未邦訳）を刊行した。そのなかで、自分の仕事人生が粉々に砕け散ったのは、自分のキャリアに何の基盤もなかったからだと書いた。かつてウォールストリートで注目すべき女性として脚光を浴びた人物の言葉とは、とても思えない告白だ。それはまた、フェイスブックの元COOシェリル・サンドバーグの著書『リーン・イン――女性、仕事、リーダーへの意欲』（日本経済新聞出版社）の考えと、多くの女性が直面する現実との複雑な関係についても物語っている。リーン・インを、勇気と自信を持って自己主張するように、という励ましと受け取る人もいれば、存在しもしない実力主義社会の薔薇色の考えに寄りかかった、欠陥だらけのフェミニズムのアドバイスと受け取る人もいる。サンドバーグでさえ、四七歳の時にとつぜん夫を失ったあと、あの陽気なアドバイスを撤回している。二〇一六年の母の日、サンドバーグは『リーン・イン』を執筆した時、自分には「よくわかっていなかった」とフェイスブックに投稿した。[20]「家庭のことで忙殺されている時に、仕事で成功するのがどれほど難しいか」、そして多くのシングルマザーや夫を亡くした女性が直面する経済的負担の本当の厳しさを、自分はわかっていなかったと認めたのである。『リーン・イン』を刊行した三年後、サンドバーグは社会に対して、公共政策と職場の方針を考え直し、シングルペアレントと困窮する家庭への支援を手厚くするように求めた。

＊＊＊

文化を評価する方法のひとつは、その文化が重要視するものを考察することだ。歴史的に言って、女性に対するセクシュアルハラスメントは世界中で軽視され、無視され、ジョークのネタ扱いにされてきた。

アメリカで起きたふたつの訴訟は、過去二〇年間の著しい状況の変化を物語っている。

二〇〇〇年、ミネアポリスにあるWCCOテレビをはじめ、CBS系列の全六局のネットワーク局で働く計二〇〇人の女性技術者が、性差別を受けているとしてCBSを訴えた。[21]その主張によれば、ネットワーク局は女性の昇進を認めず、給料のいい仕事を男性に与え、女性に不利な慣行がまかり通っているという。解決策としてCBSは大きな改革を行なうとし、女性ひとりに四万ドル、計八〇〇万ドルの和解金を支払うことで合意した。

一六年後、フォックスニュースの看板アナウンサーだったグレッチェン・カールソンは、当時、フォックスニュースの会長兼CEOだったロジャー・エイルズを、セクハラで訴えた[22]。フォックスは即座に和解し、カールソンに二〇〇〇万ドルを支払い、公的に謝罪した。カールソンの訴えとその驚くような結果に勇気を得て、#MeToo運動（この言葉自体は、性暴力の根絶のために闘う市民活動家タラナ・バークのもの）が始まった。カールソンが訴訟で和解を勝ち取ると、女性たちは一斉に声を上げ、メディアの重役たちをボーリングのピンのように次々になぎ倒した。

この事件は、メディアが地位や権力をますます行使するようになったことの証拠である――だが、それは女性たちも同じだった。もし和解金が何らかの印だというのなら、そしてもし彼女が自分の体験の詳細を公にするつもりであれば、フォックスと結びついたカールソンの名前と、彼女が声を届けられる視聴者の存在は極めて危険だと思われた。
#MeToo運動はすぐに世界中に飛び火し、さまざまな言語のハッシュタグをつくり出した。オランダの例を考えてみよう。英語雑誌《ダッチ・レビュー》の報告によると、映画プロデューサーで監督のヨブ・ホッシャルクは、二〇人以上の女性から不適切な性的態度を訴えられたという。ホッシャルクはオランダの映画業界で極めて強い影響力を持つ人物であり、「自分を」性的に「満足させる」よう俳優に強要したとされる[23]。もうひとり、二〇人の男女に訴えられたのはユリヤン・アンデウェシュだ。オランダではかなり有名なこのビジュアルアーティストは、一四年にわたってレイプとセクハラを繰り返してきた疑いがあるというのに[24]、おもな芸術機関は彼の疑惑を揉み消してきたと非難

されている。[25] とはいえ、ほかの国では＃ＭｅＴｏｏ運動は徐々に下火になった。イタリアでは＃ＭｅＴｏｏのイタリア版ハッシュタグ、#quellavoltache（#thattimewhen、「その時」の意味）は、大きなうねりを生み出せなかった――イタリア文化にセクハラが存在しないからではない。だが、《ニューヨークタイムズ》紙によると、「声を上げたあとの反動をイタリア人女性が恐れている」からだという。[26] もしアメリカとオランダの動きから判断するなら、イタリア人女性のその時もきっと来る。

フォックスのグレッチェン・カールソンは示談金を勝ち取り、女性を侮辱した権力者を痛い目に遭わせた。それが起きたこの一〇年には、社会の二極化がますます進展した。そのような風潮のなかで、政治は政府が関与する範囲を超えて大きく広がった。

二〇一六年七月、ヒラリー・クリントンは大統領選の民主党候補の指名を、女性として初めて勝ち取った。この時点で、共和党のトランプがヒラリーに勝利すると予想した者はほとんどいなかった。それならば、なぜトランプが大統領選を制したのか。世間一般の見方では、ヒラリーがカギとなる中西部を落としたからだという。なぜなら、ヒラリーが中西部の州で熱心に選挙活動を行なわず、しかも「好ましい」候補者ではなかったからだ、と。

ヒラリーが勝てなかったほかの要因はないか、考えてみよう。テレビ討論会にトランプと初めて登場し、ヒラリーがステージの真ん中で話していた時のことだ。トランプは演壇を離れ、ヒラリーの背後に立った。トランプは身長一九〇センチメートル、体重も決して軽くない。群れを支配するボスのように、トランプは背後をこっそり歩きまわり、ヒラリーのスペースを侵害した。ここを支配するのは自分だ、と知らしめるために。ヒラリーの反応は、このような時にこう対応するよう、同じ世代の多くの女性が社会で教えられてきた方法だった。つまり、トランプのマナーの悪さを無視したのである。もしこの時、ヒラリーが振り向いて、トランプに自分の演壇に戻るように注意していたら、そしてもしトランプがそれを拒否し、ヒラリーが討論会の司会に彼に戻るように注意してほしいと頼んでいたら、どんなことが起きていただろうか。もしそうしていたなら、ヒラリーは自分を堂々たる候補者に見せることに成功し、トランプをいじめっ子に仕立て上げられたかもしれない。そして、白人の女性有権者の票をもっと多く掻き集めていたかもしれない。実際、白人の女性有権者からの得票率はトランプの四七パーセントに対して、ヒラリーは四五パーセントしか集められなかった[27]。その場にうまく対処しながら、どうすれば自分が「好ましい」人間だと世間に証明できただろうか――とはいえ、男性の候補者なら、そのような「好ましさ」をわざわざ証明する必要はなかったはずだ。

いじめに丁重な態度で接すれば、すなわち好戦的な態度に、礼儀を保ちつつ、プロ意識を持ち、冷静に対処すれば、中学校で停学処分を受けることも、人事部に呼び出されて叱責されることもないだろう。とはいえ、二一世紀にはそのような態度で接して必ずしも選挙に勝てるわけでもなければ、全力で仕事をする裁量を与えられるわけでもない。

トランプの勝利によって、アメリカの家父長制は力を誇示した。だが、そのような侵害に女性が対応する方法について、私たちはすでに変化を目にしている。二〇二〇年一〇月の副大統領候補討論会で、民主党候補のカマラ・ハリスの発言を共和党の現職マイク・ペンス副大統領が遮り、割って入った。その時のハリスの、X世代の冷たい目を、検察官のような堂々たる態度を考えてみよう。「ミスター副大統領。私が話しているんです」。

オハイオ州保健局長を短期間務めたエイミー・アクトンの物語は、女性の権利が男性の権力の犠牲になるのは珍しくないという例である。二〇一九年二月、州知事のマイク・デワインはアクトンを州の保健医療のトップに指名した。彼女は公衆衛生の修士号を取得した免許を持つ医師であり、薬物治療、医療政策、権利擁護、コミュニティサービス、データ分析など多くの分野で、三〇年以上の経験があった。[28]

報じられるところによれば、オハイオ州で新型コロナウイルス感染症の最初の犠牲者が出たのは、二〇二〇年三月初めだった。その一週間後、州知事はバーとレストランの閉鎖を命じた。アクトンは州の市民に情報を伝えようと、極めて率直な記者会見を頻繁に開いた。それがすぐに評判になり、広い年代の女性の人気を獲得した。ドキュメンタリー制作者は、彼女の記者会見の短い映像を六分間の動画に編集し、アクトンが弱さや励ましを効果的に使う方法や〝容赦ない事実を告げるやり方〟を、ほかのリーダーも注目すべきだと主張した。[29] すぐに、アクトンの記者会見を真似する子どもたちの動画がユーチューブに登場し、[30] 首振り人形まで売られるようになり、フェイスブックのファンは一三万人を数えた。

だが、オハイオ州のロックダウンは支持を得られず、執拗な抗議の声が上がった。トランプ支持の旗を持ち、赤いＭＡＧＡ（Make America Great Again＝アメリカを再び偉大な国に）キャップを被って銃を手にした男たちが彼女の自宅前に集結した。共和党議員はあの女から権力を取り上げろと要求した。州知事はその法案を拒絶することもできたが、結局は可決され、アクトンは地位に固執しなかった。そして、二〇二〇年六月に辞職する。一カ月後、州知事は新たにジョアン・ドゥワブを保健局長に指名した。だが、彼女は指名を受けた数時間後に辞めてしまった。家族を危険に曝したくない、という理由からだった[31]。

エイミー・アクトンは、一度でへこたれるような柔な人間ではない。六人の子どもを育てた。子どもの頃に両親が離婚し、貧困とホームレスの生活を経験し、さらには性的虐待にまで遭った。さまざまな体験から、怒りと対立は問題を解決しないことを学んでいた。州政府の職を辞したあとは、オハイオ州コロンバスに本拠を置くＮＰＯ「カインド・コロンバス」のディレクターに就任し、「思いやりのある言葉や行為を」、その地域の「明確な価値として広めることを使命」とする活動を続けている[32]。

アクトンを凌ぐ深刻な嫌がらせの対象になったのは、ミシガン州知事のグレッチェン・ウィトマー（民主党）である。ウィトマーが、ソーシャルディスタンスとマスクの着用を義務づけたことが原因だった。二〇二〇年五月、ライフル銃を携えた者も含め、おおぜいの反対者が州議会議事堂に乱入し（警察は阻止しなかったらしい）、ウィトマーの執務室と当たりをつけた部屋のドアを激しく叩いて、ロックダウンを早く終わらせろと強く迫った。怪我人は出なかった。だが数カ月後に、過激派の武装組織「ウルヴァリン・ウォッチメン」のメンバーを含む一三人が逮捕され、ウィトマーの拉致と州政府の転覆を図る、国内テロ計画を企てたかどで起訴された[33]（「ウルヴァリン」と「ウォッチメン」の名前から、人気コミックのキャラクターや作品名との関連が指摘された）。

その企てを知ったウィトマーはこう述べた。「州知事の仕事が大変だとはわかっていましたが、率直に言って、まさかここまでとは想像もできませんでした[34]」。

作家で編集者でもあるキャサリーン・ウォルシュは、このできごとを「アメリカの女性蔑視を垣間見る覗き窓」と呼ぶ。ウォルシュは、ニュースマガジンの《ウィーク》誌に次のように書いている。ミシガン州議会議員の共和党のある候補者が、ウィトマーを模した裸の人形の首に縄をつけて吊るし、また知事を殴打し、リンチし、さらには首を刎(は)ねて残虐な目に遭わせるように投稿して煽り立てる者もいた、と。これらの脅迫が雄弁に物語るのは、女性蔑視に溢れていることだ。ウォルシュはさらに続ける。「ウィトマーは更年期の女性教師、横暴な母親、〝暴君のごときアバ●レ〟に喩えられてきました[35]」。

ニュースサイト「ヴォックス」で、ライターのアナ・ノースは、パンデミックの行動制限に対する反発の中心にあるのは、ウィトマー知事のジェンダーだという考えに同意する。ノースは述べている。歴史的に言って「世界中で女性のリーダーや候補者はしばしば、裏切り者で、裏表があり、腐敗しているか権力に飢えた人物として描かれてきた[36]」。ノースの指摘によれば、〝アバズレ〟という言葉が頻繁に使われるようになったのは、女性参政権を認めるアメリカ合衆国憲法修正第一九条が可決されたあとだという。「ウィトマーのような女性が、行動を制限して致死性のウイルスの蔓延を阻止しようとすると」ノースが続ける。「彼女たちは、男が男であるための自由を侵害している」と受け取られてしまうのだ[37]。

二〇二一年一月現在、二〇〇カ国近い国連加盟国のうち、国家か政府の指導者が女性である国はわずか二二カ国しかない。統治部門では男女数が同等に向かう傾向にあるものの、国連の見積もりによれば、政界と実業界において男女平等を達成するまでには、あと一三〇年はかかるという[38]。

その日を待つとともに、より公平な権力構造の姿が徐々に明らかになってきた。今回のパンデミックの初期段階で、より「女性的」な統治方法――たとえば、もっと協調的で人間中心――の可能性が提示されたのだ。パンデミックのあいだ、あちこちのメディアは、国家元首として活躍する女性の記事やニュースをたくさん取り上げた。たとえばドイツのメルケル首相、台湾の蔡英文総統、デンマークのメッテ・フレデリクセン首相などである。《USニューズ＆ワールド・レポート》誌は、次のように分析している。女性のリーダーは「積極的にウイルスの脅威に対応し、早いうちからソーシャルディスタンスを実施し、専門家に助言を求めて医療戦略の情報を提供し、透明で思いやりのあるコミュニケーションによって、包括的な対応を軸に国家をひとつにまとめた[39]」。

二〇二〇年一〇月、ウェブサイトの「メドアラカイブ」が発表した調査はそのパターンを確認している。パンデミックの最初の半年間、女性リーダーが率いる国は男性リーダーが率いる国と比べて、ひとり当たりの死亡者数が六分の一だったことを突きとめたのだ[40]。

私の見るところ、とりわけ印象的だったのは、ニュージーランドのジャシンダ・アーダーン首相である。オハイオ州のエイミー・アクトンの自宅前に、反マスク・反ロックダウンを叫ぶ暴徒が集結していた頃、アーダーンはアクトンが唱える人間愛の哲学を実践し、パンデミックからの素早い脱出を祝っていた。二〇一七年にアーダーンが首相に就任したのは、彼女が三七歳の時。世界でいちばん若い国家元首の誕生だった。一年後、彼女はニューヨークで開かれた国連総会に、生後三カ月の娘ニーブ・テアロハとともに出席した世界初の国家元首になった。ニュージーランドではいま、政府の閣僚が赤ん坊を連れて旅行する際に、乳母や介護者の費用を政府が負担する[41]。想像してほしい。親であることが、自然に認められる世界を。

当時、私がアーダーンについて注目していたのは彼女の親としての決断だったが、権力の力学が変化する可能性という点で強く心を打たれたのは、テロリストの残虐行為に対する彼女の対応だった。二〇一九年、白人至上主義者がクライストチャーチにある二カ所のモスクを襲撃した。この時の銃の乱射事件は五一人の会衆の命を奪い、四〇人の負傷者を出した。アーダーンはイスラム教徒のコミュニティで喪に服し、頭にスカーフまで巻いた。そして仕事を続けた。銃乱射事件から一カ月も経たないうちに、ニュージーランド議会はほとんどの半自動式火器とアサルトライフルを禁止するとともに、機関銃と半自動式ライフル、五発以上保持できる散弾銃を制限する法律を可決した[42]。

アーダーンは政治戦略の中心に、政府としては珍しい特徴を置いてきた。それは、インクルーシブネス（第九章参照）である。クライストチャーチの銃乱射事件のあと、アーダーンはイスラム教徒の犠牲者について話す時、その言葉を力強く口にした。「『彼ら』は『私たち』です。今回の暴力を、私たちに永続的に刻み込んだ人たちは、『私たち』ではありません[43]」。

二〇二〇年三月、ニュージーランドで新型コロナウイルス感染症の最初の症例が見つかった時、アーダーンは短期経済よりも国民と公衆衛生を優先し、政府は入国者に対して一四日間の自主隔離を要請すると即座に発表した。これは「世界のどの国よりも幅広く厳格な入国管理」と、彼女が呼んだ措置の始まりにすぎなかった。数日後、アーダーンは市民と永住者を除いて、国境を封鎖した。そして、国全体をロックダウンした[44]。

この時もアーダーンは「インクルーシブ」を説いた。十数回にわたって取材には率直に答え、ソーシャルメディアに定期的に投稿し、何度もニュージーランドの住民を「五〇〇万人のチーム」と呼んだ。フェイスブックのライブ配信は、ニュージーランド人の多くの視聴者の心を摑んだ。色褪せたグリーンのスウェットシャツを着て、思いやりを忘れないでほしいと呼びかけた。「家にいてください。感染の連鎖を止めてください。それが命を救うのです[45]」。

驚くような効果があった。パンデミックの最初の六カ月、ニュージーランドの感染者数は一九〇〇人を下まわり、死者も二五人にとどまった。NBCニュースによれば、一〇〇万人当たりで換算した場合、感染者数が約二万五〇〇〇人だったアメリカと比べて、ニュージーランドは約三二〇人だったという[46]。ロックダウンを解除した時、アーダーンはこう述べた。「ロックダウンをともに解除できたことを、私たちは今回も誇りに思えます」。そして、リビングでお祝いのダンスを踊り、アナウンスを締めくくった[47]。

ここでちょっと考えてみよう。女性がリーダーシップを発揮する方法が男性と違うのは、ジェンダーに関係する、持って生まれた特徴のせいだろうか。それともその違いは、男性からの批判や反対を回避する次善策として生まれたのだろうか。

私たちにわかっているのは、ビジネス社会で生きる女性が、男性以上に困難な目に遭っていることだ。バーモント州にあるミドルベリー大学経済学部のマーティン・エイブル准教授は、《ファスト・カンパニー》誌で調査結果を報告し、女性の管理職のほうが余分な負担に直面するという事実を証明した。女性に批判された時のほうが、男女を問わず、より否定的に反応しがちだという[48]。

ワシントン州立大学、ノースウェスタン大学、イタリアのボッコーニ大学という三つの大学のリサーチャーが実験を行なったところ、部下の男性の多くが女性上司を脅威に感じ、男性上司に対する時より女性上司に対する時のほうが、反発しやすいことが明らかになった[49]。デジタルメディア「ヴァイス」の報告にあるように、野心家とみなされる管理職の女性に対して、部下はとりわけ敵意を抱いていた[50]。

リサーチャーはこんな結論に達した。権力を持つ女性に対するネガティブなステレオタイプも、ジェンダー規範に違反した女性に対する反応も、彼女たちはよく理解している。そのため、リーダーシップについて、女性はより協調的なアプローチをとろうとする——チームのメンバーにいつも全体像の情報を伝えるようにし、みながつながり、参加しているように努める。

それは諸刃の剣だ。女性は、もし弱いとみなされれば、昇進が見送られる危険性を知っている。そうかといって、権力に飢えているとか攻撃的だという烙印を押される場合のマイナス面も熟知している。「現状では」リサーチャーの結論はこうだ。「ビジネス社会で成功し、目も眩むような高みに到達するためには、同じ地位を奪い合う——あるいは同じ地位で働く——男性よりも、女性ははるかにうまくふるまわなければならない[51]」。

男性があらゆるルールをつくる社会において、女性が成功のために採用するそのような繊細なアプローチは、より良いビジネス手法であることが証明されつつある。二〇一二年と一九年に《ハーバード・ビジネス・レビュー》誌が実施した調査が明らかにしたのは、個人的な評価ではなく客観的な測定で判断したところ、リーダーシップを発揮する立場にある女性は、男性とまったく同じように有能だったことだ。「実際」と論文の執筆者は述べている。「大きな違いではなかったが、測定したリーダーシップ能力の大部分において、女性の得点は統計的に男性よりもかなり高いレベルにあった[52]」。

私が年々、確信を深めていることがある。それは、議論と意思決定に女性の声を活かせば、企業と社会にとってより良い結果が生まれるということだ。とはいえ、進歩は遅い。賃金の平等もそのひとつだ。世界経済フォーラム「ジェンダーギャップ指数二〇二〇年」の見積もりによれば、現在のペースが続くとすれば、賃金のジェンダー・パリティ〔日本語で「ジェンダー公正」「男女平等」など〕を達成するには、あと九九・五年かかる計算になる[53]。そして、パンデミックのあいだに、それはますます希望の失せる状況になってしまった。

二〇二〇年初めから二一年にかけて、自宅で子どもと暮らす世界中の女性は厳しい犠牲を強いられた。パンデミックのあいだ、家を切り盛りし、家庭での教育を一手に担い、子どもの世話の責任を負ったのだ。保険会社「メットライフ」の調査では、アメリカ人女性の五八パーセントが家庭の重い負担を抱え込む状況に陥り、仕事生活がマイナスの影響を受けたと答えた[54]。シェリル・サンドバーグのNPO「リーン・イン」とマッキンゼーが、二〇二〇年に実施した調査「ウィメン・イン・ザ・ワークプレイス」によると、今回の感染症を理由に、少なくとも四人にひとりの女性が、責任やストレスのもっと少ない仕事に移るか退職を考えたという[55]。アメリカだけを見ても、パンデミックのあいだに五一〇万人の女性が仕事を辞めている。そのうちの一三〇万人が、一年後のいまも（二〇二一年五月時点で）職を失ったままだ[56]。報告書の執筆者はこの状況を「アメリカ企業にとっての非常事態」と呼ぶ。「企業はリーダーの女性を――そして将来の女性リーダーを――失うリスクがあり、ジェンダー多様性に向けて長く積み重ねてきた苦労の絶えなかった進歩を、巻き戻してしまうおそれがある」[57]。

マッキンゼーの報告するところでは、パンデミックのあいだにフルタイムの仕事を辞めた女性は、たいてい三つのグループから成るという。子どものいる女性、アフリカ系アメリカ人の女性、上級管理職の女性である[58]。

これは、アメリカだけの現象ではない。二〇二一年春、英国とスイスで行なわれた調査で、賃金の多寡に関係なく、男性のパートナーと比べて女性のほうが育児や自宅教育の負担が大きかった[59]。世間の捉え方もこの問題の一因だ。「男性は失業してもやはり労働者とみなされますが、女性はそうではありません。なぜなら、世間が女性の仕事を、選択という枠組みで捉えるからです」。そう指摘するのは、ペンシルベニア州立大学のサラ・ダマスキーである。「そのため、女性が働くことが常に問題にされてきた社会で、女性がとつぜん仕事を失うと、自分はいったい誰なのかを本人がどう認識するのかを、深刻な問題にしてしまうのです[60]」。

これは既婚男性とは対照的だ。既婚女性のほとんどは、追加の家事を負担するかしないかについて、自分に選択肢があると考えたことはない。《ニューヨークタイムズ》紙は、仕事を辞めた多くのアメリカ人女性に調査を行なった。すると明らかになったのは、学校閉鎖になった子どもの面倒を見るために、どちらが仕事を辞めるかについて、最低でも夫婦で話し合ったのは一〇人のうちふたりだったことだ。「八〇パーセントは話し合いすらしなかった」と報告書は指摘している。「話し合ったところで、何の意味もなかったに違いない[61]」。

このような家庭内の不公平をパンデミックがもたらした特別なできごと、として片づけるのは簡単だが、今回の危機が終わったあともずっと続く問題であることは、私たちにもわかっている。一九七〇年代以降、女性は職場で多くの権利を勝ち取ってきたにもかかわらず、いまなお女性の初期設定は母親、主婦、家庭の切り盛り役にとどまっている。

女性はなぜ昇進を阻む障壁にぶつかるのか。この問題に取り組む、マッキンゼー・グローバル・インスティテュートのパートナーであるミカラ・クリシュナムはこう報告する。無給のケア労働（家事や家族の世話など）を、男性より多く割り当てられ（世界的に女性の負担時間は男性の三倍に及ぶ）、女性が新たなスキルを身につけたり、働き口を探したりする時間は少なくなる。「一見したところ」クリシュナムは次のように結論する。「男性も女性も、来たる自動化の時代に向けて同じレースを走っているように見えますが、距離は同じように見えても、女性は両方の足首に重りをつけて走っているのです[62]」。

女性の新たな世代は、足首の重りを脱ぎ捨てるのだろうか。職場の――そして家庭の――平等は、もっと若い世代にとってもやはり願望のままなのだろうか。

英国の子育て支援サイト「ネットマムズ」が二〇一二年に英国で実施し、その後、頻繁に引用されてきた（方法論的な欠陥を指摘されて嘲笑されることもある）調査を見てみよう。その結果によると、フェミニストとみなされる女性は、七人にたったひとりだといい、若い女性はフェミニストである可能性が最も低いという[63]。この調査をもって、フェミニズムは勢いを失いつつあるという者もいるが、その考えは正確ではないと私は思う。私の経験では、多くの若い女性はフェミニストと呼ばれることを嫌う。だが、なおも問いかけると、彼女たちはフェミニズム運動の背後にある本質は受け入れている。さらに、フェミニズムはかたちを変え、拡大し、より多様になり、たとえば環境主義から人種的正義や経済的正義まで、ほかの社会運動を組み込んでいる。すべては密接に絡み合っているのだ。

「フェミニズムは白人か、上流階級か、ミドルクラスの女性だけでなく、あらゆる女性に有効でなければならない」。ツイッター上で「インターセクショナルなフェミニストで食通」として知られる、イサカ大学の学生シリサ・カラカルは、《USトゥデイ》紙にそう語っている。「貧困層の女性にも、トランスジェンダーの女性にも、アフリカ系アメリカ人、インド系、ラテン系の女性にも有効でなければならない[64]」「インターセクショナルは英語で「交差する」の意味。インターセクショナリティとは、人種、階級、ジェンダー、セクシュアリティなど、複数の社会的アイデンティティの重なりから生まれる複合的な差別や抑圧を理解するための枠組みを指す。日本語では「交差性」など」。キンバリー・ウィリアムズ・クランショウは、コロンビア大学とカリフォルニア大学ロサンゼルス校（ＵＣＬＡ）の法学部教授であり、公民権の擁護者でもある。クランショウが、インターセクショナリティをテーマにＴＥＤトークで行なったスピーチは、大きな反響を呼んだ。そのなかでクランショウは、アフリカ系アメリカ人のエマ・デグラフィンリードが起こした訴訟について取り上げている。デグラフィンリードは、自動車製造工場で採用を断られた。彼女はこう訴えた。雇用主は（白人）女性を――おもに秘書や顧客サービスの担当係として――雇用し、黒人男性を――たいてい工場労働やメンテナンス業務で――雇用する傾向がある、と。判事は彼女の訴えを退けた。アフリカ系アメリカ人であり女性であるために、デグラフィンリードが二重の差別に遭っていることが、判事には見抜けなかったらしい[65]。

しかも、デグラフィンリードだけではない。不利な点――ジェンダーにせよ、人種、宗教、民族、あるいはほかのアイデンティティにせよ――をひとつ以上持つ者は誰でも、複合的な差別や偏見に直面する。このような事実に対する認知が高まっている。前進するフェミニズムの主流のかたちは、仕事、産休、生殖に関する権利や、女性の平等に対する昔ながらの問題に限らない。今後は、社会全体の不公平や問題に立ち向かう、もっと幅広く、もっと全体的な運動になっていくだろう。

二〇世紀に世界のほとんどの地域において、フェミニストが多くを成し遂げたことは間違いない。女性は教育の分野で男性に追いついた（さらに追い抜いた）。仕事に就く女性が増えた。政治の中枢へと至るルートでもゆっくりと足場を築きつつある。とはいえ、多くの少女や女性にいまも欠けているのは公平の基本要素だ。独立した意思決定を行ない、それに基づいて行動する自律性や自由である。

二〇三八年を見据えて、その自由は多くの者が勝ち取ろうとする変化の核心だ。簡潔に言えば、女性の平等を――女性と社会にとってより良い未来を――妨げるおもな障害物は、女性を、そして女性がどう行動し、どんな外見で、さらにはどう考えるのかまでコントロールしようという男性の願望である。

この議論を始めるにあたって、「生殖に関する権利」は格好のテーマだ。多くの中絶反対の活動家とその支持者の動機が、胎児を守りたいという純粋な願いにあることは疑問の余地がない。とはいえ、さまざまなエピソードや統計的な証拠からも明らかなように、その胎児を宿した女性をコントロールしたいという願望のほうがより強い動機の者もいる。二〇一九年、民間調査会社「スーパーマジョリティ／ペリーアンデム・リサーチ」は、二〇二〇年の大統領選で投票が見込まれる有権者を対象に調査したところ、回答者はふたつの陣営に分かれた。いっぽうが、すべてかほとんどのケースで中絶を合法とする立場（中絶権利擁護派）。もういっぽうが、すべてかほとんどのケースで中絶を違法とする立場（中絶権利反対派、あるいは生命派）。次に、ジェンダー平等に関する質問をして、ふたつのグループの意見の違いを確かめたところ、著しい対照が浮かびあがった。

女性の政治権力について見ていこう。

・生命派の過半数（五四パーセント）が、男性は一般的に女性より優れた政治的リーダーになれるという意見に賛成し、社会で同じ数の男女が権力の座に就くことを望む者は四七パーセントにとどまった。それに対し、中絶権利擁護派の場合、前者の問いに二四パーセントが賛成し、後者の問いには八〇パーセントが同意した。

・同じように、政治家の女性が増えたほうがよりアメリカのためになると答えた者は、中絶権利擁護派が八二パーセントにのぼったのに対して、生命派は三四パーセントだった。

・女性の政治家が少ないことが女性の平等に影響を与えると答えたのは、中絶権利擁護派の七〇パーセントに及んだ。生命派の場合、同じ問いにそう思うと答えたのは、四分の一にも満たなかった（二三パーセント）[66]。

このような二分化は、女性の平等と体験に関するより広い問題を、回答者がどう捉えるかについても明らかだった。

・生命派の七七パーセント近くが、女性は「すぐに機嫌が悪くなる」に、また七一パーセントが「ほとんどの女性が、悪気のない言葉や行為を性差別的と受け取る」に同意した。中絶権利擁護派が同意したのは、それぞれ三八パーセントにとどまった。

・同じように、＃ＭｅＴｏｏ運動に好意的だったのは、中絶権利擁護派の七一パーセントに対し、生命派はわずか二三パーセントだった。

・社会のシステムが「女性よりも男性により多くの機会を与えるようにできている」と答えたのは、中絶権利擁護派の六七パーセントにのぼった。同じ質問にそう思うと答えたのは、生命派の場合は一九パーセントだけだった[67]。

「生殖に関する権利」は、中絶の権利だけではない。その権利は、社会で権力と影響力を行使するのは誰かを決するための、より広い「文化戦争」のひとつにすぎない。

「女性を本来の居場所に閉じ込めておきたい」という願望は、いまなお多くの男性のあいだで（それどころか、一部の女性のあいだでも）蔓延している。女性蔑視のキャッチフレーズにもそれが見てとれる。「サンドイッチをつくれ（メイク・ミー・サンドイッチ）」（DVの夫がテレビを見ながら、妻に向かって「サンドイッチをつくれ」「さっさと持ってこい」と怒鳴りつける、短篇ホラー動画の台詞）がそうだ。これは〝高慢な〟女性に対する反応としてよくツイッターに投稿されるか、大統領選で遊説する女性政治家に向かって飛び交うキャッチフレーズだ。あるいは、ザズルドットコム（オリジナルアイテムがつくれる、オンデマンドのマーケットプレイス）で販売された「女どもよ、キッチンに引っ込んでろ！」Tシャツ[68]。英国のメンズファッションブランド「トップマン」が売り出した、「素敵な新しいガールフレンド　彼女はどの品種なの？」とプリントしたTシャツ。これは、抗議を受けて販売が取りやめになった[69]。

幅広い年齢の女性を過小評価する。女性の選択肢を制限する。男性よりも低い存在とみなす。服装や外見に規制を設ける。どれもすべてコントロールのかたちだ。女性に慎み深さを義務づけたかと思うと、今度は過度に性的な対象とみなすことで、長年にわたって女性の能力や影響力を弱めようとしてきた。フリージャーナリストのローラ・ベイツは著書『日常的な性差別（Everyday Sexism）』（未邦訳）のなかで、女子高生が「クラスから放り出されたり、みなの前で恥を掻かされたり、帰宅を命じられたり、さらには退学を仄めかされる場合まである。理由は〝スパゲッティのような細いストラップの〟トップスを着たとか、レギンスを穿いているとか、（覚悟の上で読んでほしい）肩を露出したなどの違反行為だ」と書いている[70]。そして、女子生徒はそこに秘められたふたつのメッセージを読み取る。ひとつは、男子生徒の学習環境を侵害しないよう、女子生徒は外見を変えなければならない。もうひとつは、女子生徒には――男子生徒本人ではない――男性の行動をコントロールする責任がある。

女子生徒は、露出した肩を覆う服に着替えるために家へ帰される。そのいっぽう、女性アスリートは、露出度が高いか、性的な衣装やユニフォームを身につけなければならないというプレッシャーに曝される。おそらく男性視聴者の目を惹くためだろうが、彼女たちが表している強さや身体的能力を中和する意図もある。国際ボクシング協会（ＩＢＡ）を運営する男性が、二〇一二年ロンドンオリンピックで、女性ボクサーにスカートを履いて試合に臨むよう義務づけようとしたのは、ほかにどんな理由があるだろうか[71]。

二〇二一年に世界の注目を集めたのは、女子ビーチハンドボールのノルウェー代表チームの抗議だった。彼女たちは、欧州ビーチハンドボール選手権で義務づけられた面積の小さいビキニパンツの着用を拒み、罰金を支払うほうを選んだのだ。国際ハンドボール連盟（ＩＨＦ）は、女子選手に「からだにぴったりとフィットし、脚の付け根に向かって切り込んだかたち」で、サイドの生地の高さが約一〇センチメートル以下のボトムスを着用するよう定めている。ところが男子ハンドボール選手については、膝上約一〇センチメートルまでの長さで「ひどくぶかぶかでなければ」、短パンを着用しても構わないという[72]。「私たちはパンティで試合をするよう強制されてるんです」と、ノルウェー女子チームのキャプテンはメディアに語った。「ひどく居心地が悪いです[73]」。

二〇二一年のアスリート界で変化をもたらす先駆者は、小さなビキニパンツを穿くのを拒否したノルウェー女子チームだけではない。テニスの女子シングルス世界ランキング元一位の大坂なおみと、体操競技で史上最多のメダルを獲得したシモーネ・バイルズが下した決断は大きな反響を呼んだ。ふたりは自分の心身の健康を守るために立ち上がり、競技大会の欠場を決め、大坂の場合には記者会見への出席を拒んだ。ふたりはそれぞれのスポーツ、スポンサー、もしくはファンに対して義務と感じることよりも自分を大切にすることで、それまでの伝統を破ったのだ。《タイム》誌のコラムで、大学所属の元体操選手ケイトリン・オオハシは、彼女たちの選択の重要性について詳しく説明する。「私たちはほんの幼い頃に競技を始めるため、自分のからだについて自律性はありません……そしていま、私たちが目にしているのは、自律性を自分の手に取り戻し、勝利とは何かを再定義するアスリートの意思の表明です[74]」。

女性の自律性が支持されている最近の例はほかにもある。#FreeBritney（フリー・ブリトニー）運動だ。この運動によって、後見制度の問題が一般人の目に明らかになった。二〇二一年、ポップスターのブリトニー・スピアーズはあと数週間で四〇歳になるまで、一三年間も成年後見制度を受けてきた。医師が最初に、彼女にはメンタルヘルスの問題があると診断したことを受け、二〇〇八年に実父がブリトニーの生活のほぼすべての面を――娘の財産から仕事の契約、さらには医療の選択まで――管理することになった。ブリトニーは、スマートフォンを持つことも、インターネットを自由に検索することも許されなかった。また、実父を後見人から解任してほしい、と裁判所に請願書を提出していたように、自分の法律顧問を自由に選ぶことすらできなかった。

ブリトニーに対する長年の抑圧について、ライターのアシュリー・D・スティーブンズは、オンライン雑誌「サロン」に、ブリトニーが犠牲になった「信じられないほど攻撃的な女性蔑視」について書き、しかもその女性蔑視はこの二〇年というもの、ほとんど抑制されてこなかったと指摘している[75]。

「タブロイド紙が」ブリトニーを、誰とでも性交する悪い母親として「執拗に描いた」ことが、息子の親権争いにどんな影響を与えたか、とスティーブンズは問いかけている。多くの人の頭に浮かぶ疑問として、もし男性スターが同じような状況にあったら、彼が権利を、尊厳を、代理人を奪われた確率はどのくらいだろうか。かなり低いに違いない、とほとんどの人は思うだろう。

ブリトニー・スピアーズの成人後見制度の適用は、二〇二一年一一月、ロサンゼルス高等裁判所のブレンダ・ペニー判事によって正式に終了した。[76]

アメリカでは億万長者のポップスターが闘い、ついに自分の人生を自分の手に取り戻した。ノルウェーでは、女性アスリートが性的な視線で見られるユニフォームの着用を拒み、男性基準の風潮に一石を投じた。ニュージーランドでは、女性の首相が致死性のウイルスの蔓延を食い止めて称賛を浴びた。

デモのプラカードでよく見かけるように、「未来は女性である（The Future is Female）」は本当だろうか。それは、現在の世界においてどういう意味だろうか。いまの世界では、アレクサンドリア・オカシオ＝コルテス（リベラル）とローレン・ボーバート（極右）が同じ連邦議会で下院議員を務め、レイチェル・マドー（リベラル）とローラ・イングラム（保守派）がともに番組の司会者を務める。フランスの「国民連合」党首のマリーヌ・ル・ペン（極右）と、パリ市長のアンヌ・イダルゴ（中道左派）は、どちらもエマニュエル・マクロン大統領（中道）の再選を脅かす対抗馬とされる。ジャーナリストのポリー・トインビー（左派）と、メラニー・フィリップス（リベラル）は、政治問題に正反対のコメントをする。元フェイスブックのCOOシェリル・サンドバーグが、キャリアに〝リーン・イン〟するよう女性たちを鼓舞したかと思えば、作家のローラ・ドイルは女性に向かって「夫に降伏せよ」と呼びかける。そして、ジェンダーが流動的で、ますます社会的構成概念のひとつとみなされる時代において、未来は女性であるとはどういう意味だろうか。

本当に未来は女性なのか。いいや、そうではない。とはいえ、私たちは初めて、未来は男性であるとも確信を持って言い切れない時代に生きているのではないだろうか。

第一三章　男性の問題

こう想像してみよう。車体が異様に長くて、駐車スペースを選ぶピックアップトラックがある。一九五九年製のキャデラック・エルドラドよりも長い。余裕のある駐車スペースは約五・五メートルだが、このピックアップは全長約五・八メートルもある。

二〇一〇年までダッジ・ラムと呼ばれていたこのピックアップ「ラム」は、伝説のトラックだ。《モーター・トレンド》誌が選ぶトラック・オブ・ザ・イヤーに八度も輝いた。二〇二一年、トラックとして史上初めて、三年連続でトラック・オブ・ザ・イヤーを受賞している。

製造・販売する自動車メーカーの説明によれば、このピックアップは「トラック界の頂点」に立ち、二〇二一年製のラム１５００ＴＲＸは超弩級のパワーを誇るという。六・二リットル、七〇二馬力、ヘミＶ８エンジン搭載。三〇七四キログラムを牽引できる。[1] 九〇〇ワットの高品質「ハーマン・カードン」のオーディオシステムは、レストランでも通用可能だ。[2] 後部座席の足元の広さはビジネスクラス並み。それでは乗り心地は？　《カー・アンド・ドライバー》誌は、その滑らかな乗り心地をメルセデス・ベンツGLSに匹敵すると喩える。[3] 最低でも七万二〇〇〇ドル。（特別仕様の）ローンチエディションとなると、九万ドルは優に超える。

ラムのニックネームは「カウボーイのキャデラック」。これは、どんな最高級のピックアップにもつけられるスラングだが、ラムは単なるトラックではない。アイデンティティなのだ。

そのようなアイデンティティを望むのは誰だろうか。たくさんの人間だ。毎月、五万五〇〇〇人のアメリカ人がラムを購入する。[4] 購買者一〇人のうちの八人以上が男性と聞いて、驚く者はいない。[5]

＊＊＊

近頃の男性の行動について私たちが受け取るニュースには、ネガティブなものが多い。上階のベランダからいまにも落ちそうにぶら下がっている、よちよち歩きの子どもを助けようと、ひとりの男性が集合住宅の壁をよじのぼって救助したというニュースがあった。その時には、その男性個人の勇気には驚いたものの、男性全体を英雄として拍手を送ったわけではない。対照的に、たとえば権力濫用や性暴力など、ひとりの男性の不道徳な行為がヘッドラインを飾った時には、男性というジェンダーのほうにより注目が集まる。たとえば、男性に何が起きているのか、どう改善できるのか、といった具合だ。もちろん女性が問題を起こした場合にも、全女性に共通の傾向とみなされてしまう。前章で紹介したエリン・カランが、リーマン・ブラザーズのCFOとして「結果を出せなかった」ことは、金融界でほかの女性の功績をけなすために利用されてきた。最近の違いは、男性に、とりわけ年配のストレートの白人男性に、より多くの視線が向けられることだろう。その視線は批判的であり、しかも男性が社会にネガティブな影響を及ぼしているという、より広い問題の枠組みのなかで捉えられるようだ。

今日、世界的なリーダーの多くは、「有害な男らしさ」（「男は男らしくあるべき」といった伝統的な価値観や行動規範）と呼ばれるようになった態度の最たるものだ。独裁者を〝ストロングマン〟と呼ぶのには理由がある（対照的にストロングウーマンという言葉は、カーニバルの見せ物小屋の怪力女の意味だ。男性のストロングマンのように恐れられたり、さらには敬意を集めたりするわけではない）。いまの時代、権力の座についたストロングマンは増えている。二〇一八年に《タイム》誌はこう指摘していた。

時代の変化に伴い、世界のあらゆる地域で、より男性的で自信に満ち溢れたリーダーシップを求める国民の声が高まっています。そのような強硬な言葉遣いのポピュリストは、〝私たち〟を〝彼ら〟から守ると約束します。誰が話しているのかにもよりますが、〝彼ら〟とは、腐敗したエリート層か、貪欲な貧困層を意味するのかもしれません。移民、もしくは人種的、民族的、宗教的マイノリティのメンバーかもしれません。自分に従わない政治家、官僚、銀行家、判事かもしれません。あるいは嘘つきの記者か。このような分裂から、リーダーの新たな原型が出現しました。私たちはいま、ストロングマンの時代に生きているのです。(6)

鉄の意志を持つ女性リーダーがいた。たとえば英国の元首相マーガレット・サッチャー、イスラエルの元首相ゴルダ・メイア、インドの元首相インディラ・ガンディーがすぐに思い浮かぶ。だが、傲慢な女性の独裁者はいまのところ、ひとりもいない。

大量殺人犯も男性に多い。一九八二年以降にアメリカで起きた一二四件の銃乱射事件のうち、二〇二一年一一月末時点で、犯人が女性だったのは三件のみだ。[7]＃ＭｅＴｏｏ運動のきっかけとなった性的虐待の背後に誰がいるのかについては、言うまでもない。

とはいえ、伝統的に男性の砦だった分野で、男性の支配が（徐々にではあるが）女性に脅かされ始めている。家庭内で見れば、「世帯主」「一家の大黒柱」という言葉はもはや時代遅れだ。たとえ内国歳入庁（ＩＲＳ）が「世帯主」という言葉を使い続けようが、家事の負担が著しく女性に偏ったままであろうが、時代遅れには違いない。前章で紹介したように、学年を問わず、女性は男性のクラスメートよりも成績がいい。[8]リーマン・ブラザーズで失脚したエリン・カランの物語は、いまも教訓だとはいえ、女性のＣＦＯは全般的に男性よりも優れている。[9]さらに、より多くの女性を上級管理職につけることがますます重視されている。

すべての男性がこのような変化を受け入れているわけではない。私は最近、あるイタリア人の重役と話したことがあった。その男性は娘を持つ身として、企業があらゆる方法で女性を高い地位につける傾向に賛成だと語った。それでもやはり経営者という次の地位を争うにあたって、自分を勝ち目の薄い敗者のように感じていた。「男性という私の性別が不利になりうると誰が思ったでしょうか」。男性はそう本音を漏らした。新しいクラブへようこそ。

不公平が徐々に縮小するのに伴い、この男性が感じたような感情が高まったことに注目してほしい。男性が長く守ってきた優位が、あらゆる領域で――政治分野で、学校で、職場で、女性との関係においてさえ――脅かされている。反発が起きるのも無理はない。それも特に、より多くの男性が、自分について重要なことを変えざるを（隠さざるを）得ないと感じ始めた時には。私たちは「エモの時代」に生きているのだ。ＥＱ（自分の感情を理解し、利用し、正しく制御できる能力。心の知能指数）の低い男性は、自分が不利な立場にあると悟る。これまでの世代では、男性はそんな懸念とは無関係だったというのに。二〇二〇年代が終わるまでに、より多くの職場で、性中立的なＥＱのトレーニングが定着することを期待しよう。

「女性の居場所は家庭である」。いや、いまは違う。「男の子は泣かない」。男の子だっていまの時代には泣く。明確に線引きした男女のアイデンティティは、一九六〇年代以降、着実に侵食されてきた。性差による厳密な役割は生まれながらのものだ、という考え方は――完全に破壊されたわけではないにせよ、少なくとも、世間のリベラルな文化においては――疑問視されるいっぽうだ。

世襲の遺産は血を流している。すっかり血を流し切ってしまったのかもしれない。抑圧者は自分を犠牲者のように思い、腹を立てている。なぜなら、女性に領土を荒らされているからだ。これまでずっと当たり前だと思ってきた特権に、疑問が突きつけられている。男性の〝神権〟はいたるところで退けられている。一九七〇年代、私が育った家庭の夕食風景を例にあげよう。いまもよく覚えているのは、席に着いた父に母が夕食を出し、夕食後の会話を父が取り仕切り、その後、時計仕掛けのようにふたり揃ってリビングに移り、父の好きなテレビ番組を見ていたことだ。シットコム「ホーガンの英雄」の時もあれば、医療ドラマ「マッシュ」の時もあった。父は王様で、母は父のチアリーダーで陰の支援者だった。そして、私たち三人姉妹は父の言いつけを守る――渋々従う――ことに慣れていた。「雪が降るまでズボンを穿いてはいかん」「レディらしくふるまいなさい」「もちろん、何でもパパの言う通りにするんだ」

そしていま、ルールは変わった。男性はあまりマッチョでないように、それどころか、おそらく（あえて言わせてもらえば）ほんのもう少し、女性っぽくふるまうように求められている。それに伴い、これまで何世紀にもわたって女性を苦しめてきた問題のひとつに、男性も直面するようになった。その典型的な例が身体イメージだ。英国に本拠を置く、自殺を思いとどまらせるNPO「CALM（惨めな生き方反対運動）」が、二〇二一年に実施した調査によれば、一六～四〇歳の男性の半数近くが、自分のネガティブな身体イメージが原因で、メンタルヘルスの問題を抱えているという（五〇年前には、こんな高い数字は考えられなかった。当時はこのように個人的で、そして何と言うか、〝軟弱な〟話題について口を開くことすら考えられなかった）。状況は悪化の一途をたどるのだろう。というのも、自分のからだをどう思うかについて、回答者の五八パーセントがパンデミックがマイナスの影響をもたらした、と答えたからだ[10]。この傾向と闘う組織の設立が続いている。たとえばアメリカ人アーティストで活動家のタリク・キャロルは、「エブリマンプロジェクト」を立ち上げた。彼の目標は「世界中の男性を自己嫌悪から解放」し、「〝本物の〟男性の美学について、社会の基準に異議を唱える」とともに、「過度の男らしさと完璧さを求める」社会の「強迫観念と闘う」ことにある[11]。

非常に多くの男性が、ジェンダー概念の変化に取り残されている。西洋文化において、女性がジェンダー概念の変化と捉えるものはたいてい、とりわけ〝女性〟の身に起きている。かつて男性のものと考えられていた態度や行動を身につけるよう、女性は促されている。怒りを露わにしたり、断固たる態度で主張したり、威厳のある態度をとったりする。そして実際、いかなる役割も担う（代償が伴わないとは言わない。ヒラリー・クリントンも実感した）。あるいは、より伝統的な女性らしさ――慎み深さ、慈しみ、協調性、おもてなしの心――を大切にするか、家族や家事を何より優先することもできる。かなりの程度（経済的な問題がなければ）、選択の余地がある。特定の相手から反発を喰らうかもしれない。だが、反発以上に期待できるものがある。それは、選択する権利と、なりたい自分になる権利に対する大きな支援である。

そのいっぽう、男性という種は自分自身を「改善するよう」求められている。以前なら「男の子だからしょうがない」といって見逃された行為も、いまは男性という理由で非難の対象だ。強引、暴力的、がさつ、鈍感、非社交的、非倫理的、非合理な態度や行動のことである。少なくとも一部の地域や文化において、現代社会は人間の行動について、ただひとつの基準に向かってゆっくりと発展している。男性も女性も、ひとつの規準に照らして判断される。その規準は、かつて容認された男性の行動も却下する。だから、世界が向かっている性中立的という新たな方向性から目を離さないことだ。

新たなルールと、何もかもが曖昧な環境で成人になった男性は、矛盾するメッセージの氾濫のなかにある。敏感であれ、だが感情を表に出すな。穏やかであれ、だが断固たる態度で自己主張せよ。共感を示せ、だが自信溢れる態度を忘れるな。社会は総力をあげて幅広い年齢の女性に均等な機会をつくり出してきた。ところが、そのために幅広い年齢の男性に割り当てる資源とエネルギーが減ってしまい、ルールは変わったものの、まだ確定していない世界を、彼らがうまく泳ぎ渡っていくための支援が手薄になってしまった。

男性に対する注目不足を補う取り組みが始まっている。社会の承認を勝ち取るバランスを見つけ出そうと、四苦八苦する彼らのために、世界のあちこちで支援グループが現れた。そして、社会的慣習や道徳観の変化の波をうまく泳ぎ渡り、〝より良い〟（たとえば、あまりマッチョではない）自分自身を受け入れる手助けをする。たとえば、次のような支援グループがある。英国の「ヒューメン」。このメンタルヘルスの慈善団体は、欠点、恥、恐れ、罪悪感などのテーマごとに、グループセラピーを行なう。[12] あるいはアメリカに本拠がある「エブリマン」。黙想、仲間主導のグループディスカッション、コーチング、イベントを通して、「男性の弱さや感情的な態度をスティグマ（汚名）とみなす考えを正し」、より充実した人生を送るためのサポートをする。[13] オーストラリアの「ザ・マン・ケイブ」は、「若い男性が人間性を思う存分探究して表現するために」、少年、親、教師が一体となって取り組む慈善団体だ。[14]

このようなグループは、さまざまな問題に取り組む男性に安全な場所を提供する。だが、その根底にあるメッセージは明らかだ。子どもから大人まで幅広い年齢の男性は、期待や基準の変化に適応しなければならない。社会は彼らに、態度や考え方を改めるように求めている。

脅威が迫った時、動物は共通の反応を見せる。危険に気づいていながら、見て見ぬふりをする。脅威を見てとり、その場に適した反応をする。脅威が迫ってこないように逃げる（逃走）。あるいは、追い詰められて生死の危険を感じた時には反撃に転じる（闘争）。

このところ、アメリカのメディアは後者の反応にぴったりの人物を見つけ出してきた。トランプが大統領だった頃を振り返ると、親トランプか反トランプかに限らず、嫌でも目についた風刺漫画があった。自分の力を削ごうとする勢力か自分に似た勢力を相手に、最後の力を振り絞って悪あがきする、窮地に陥った男性の姿だ。

一部の男性がトランプに親近感を持つ理由は、男性優位を疑わないトランプの考え方にある。もし問い詰められれば、トランプも女性は法的に平等だと認めるだろう。ところが――ああ、もちろんご承知の通り――女性は決して男性と平等ではない。しかも、トランプがそんな考えをおとなしく受け入れるわけがない。そんな不遜な態度のせいで、一部の支持者がトランプを見限ることはない。それどころか、それこそがトランプの人気の秘密のひとつである。《ニューヨークタイムズ》紙の記事で、ジェニファー・メディーナは数十人のメキシコ系アメリカ人男性に取材し、反移民感情を露わにする政治家に、彼らが強く共感する理由を訊ねた。メディーナの結論はこうだ。「彼らにとって、トランプ氏のマッチョな魅力は否定しがたい。力強く裕福で、何より重要なことに、トランプは謝罪しない。間違ったことを言ったという理由で、いつ攻撃されてもおかしくない世の中で、彼はしょっちゅう間違ったことを言うが、いちいち自責の念に駆られたりしない」[15]。

二〇一六年の大統領選の結果から、男性のあのような尊大な態度はまた、多くの女性にも人気があることが読み取れる。

もし女性に対するトランプの発言を集めれば、彼の世界がいまだ、男女のあいだではっきり線引きされていることは明白だ。《ウィーク》誌が集めた発言をいくつか見てみよう。

・二〇一六年の大統領選を闘ったヒラリーに対して。「もしヒラリー・クリントンが夫を満足させられないなら、なぜ彼女は、自分がアメリカを満足させられると考えるんだろうか」
・女優のリンジー・ローハンが一八歳だった時のことについて。「彼女はたぶん深いトラブルを抱えてるんだ。だからベッドで最高なんだよ。深い問題を抱えている女性は――深く、深く悩んでいる女性は――なぜ、いつもベッドで最高なんだろう？」
・＃ＭｅＴｏｏ運動について。「これらの女性を否定し、否定し、否定して反撃しなければならない。何かを、どんな過失でも認めてしまえば、それは死を意味する……。強くなければならない。攻撃的でなければならない。強く反撃しなければならない。何か言われたら、否定しなければならない。絶対に認めてはいけない」
・女性一般に対して。「（女性は）描かれている姿とはまったく違う。女性は男性よりずっと悪く、はるかに攻撃的で、そして、なんてことだ、賢くなれるんだ！」[16]

女性が賢いだって？　まさか、信じられない。

トランプの最も熱烈な支持者は、二〇世紀半ばの彼の古くさい父親業の考えにさえ、喝采を送るだろう。トランプの考えでは、おむつを替え、我が子の世話をする男性は「妻のように」ふるまっているというのだ。[17]

いっぽうの英国では、ジェンダーをステレオタイプ化した有害な広告を禁止すると定めている。その支持者には、実際に家事に参加する父親が含まれる。彼らは父親が家庭内で、ステレオタイプ的に「役立たず」に描かれることにうんざりしている[18]（陰陽のようだ）。国際的な父親のグループ「ドープ・ブラック・ダッズ（イカした黒人の父親たち）」は、「黒人であること、父親であること、現代社会で男らしくあることについて、自分たちの体験を話し合いたいと願う父親のために」、ポッドキャストと「安全なデジタル空間」をつくった。グループの目標は、「黒人の父親を称え、癒やし、インスピレーションを与え、教育し、黒人の家庭により良い結果をもたらすこと」だ。[19]ジェンダー規範が変われば、おむつも替えてくれるだろう。

それでいて、古い習慣はなかなかなくならない。女性も軍務に服するかもしれない。だが、実際に武力に訴えるかどうかを決めるのはいまも男性だ。武力衝突はますます愚かな選択だ。密接につながった今日の世界で、戦争中のどちらの国家も同じグローバル・サプライチェーンの一部であり、物理的な損害は経済的パートナーの破壊につながる。アメリカが戦った最近の戦争を見れば、たとえ戦場で敵を圧倒したとしても、相手はただ戦闘を続けるだけで、アメリカの兵力と政治的意図を消耗させることができる。

端的に言えば、歴史的に男性の独壇場である戦争はますます時代遅れになり、戦争で潤うのはおそらく軍需産業だけである。現代の武力衝突において、キーボードを何度か叩いて、ソーシャルメディアで虚偽情報を立て続けに流せば、数千発の爆弾を落としたり、数万人の兵士の命を奪ったりするより、ずっと効果があるかもしれない。なぜ社会は、若い兵士の命を危険に曝すという考えが容認しがたい世界へと進化しなかったのか。

武力衝突と侵略について考慮する点はほかにもある。もはや戦争がない時代に、戦士たちはそのエネルギーをどこに振り向けるのか。そのような伝統的な男性の強さを、どうしたら公共の利益に役立つように利用できるのか。英雄的な行為や称賛を求める男性の欲求を、どうしたら戦場以外の場所で満たすように促せるだろうか。どちらも社会には是非とも必要な特徴だ。

アメリカの作家で社会学者でもあったフィリップ・スレイターは、晩年の著書『さなぎ効果――グローバル文化の変質（The Chrysalis Effect: The Metamorphosis of Global Culture）』（未邦訳）のなかで、時代遅れの制度の耐久性について考察した。男性がいかなる変化にも抵抗する現象を、「コントロール文化」と名づけ、その文化と「権威主義、軍国主義、女性蔑視、増殖する壁、精神的締めつけ、厳格な二元論」とを結びつけた――どれもすべて男性支配を表す言葉だ[20]。

そのような世界は、女性の台頭とともに崩壊しつつある。「現代の男性は、長い年月をかけ、しかも多大な犠牲を払ってマッチョなスキルを身につけてきた」と、スレイターは指摘する。「ところがそれらのスキルは、もはや誰の何の役にも立たないことは明らかだ。威張り、自慢し、闘い、破壊し、殺す。いまの世界において、これらはかつてほど重要ではなくなったようだ[21]」。言い換えれば、女性は男性の領域を侵害しただけではない。女性はもはや男性に依存していないことも証明した。そして、彼らにはそれが面白くない。

威張ったり、喧嘩したりするよりも重要な特性は何か。共感、思いやり、気持ちの通い合い。どれも女性と関係の深い価値観であり、一部の人間が「女性っぽい」男性とみなす特徴である。

自分が本物の男だと感じるために、過度に男らしくふるまう必要を覚える男性は、女性の相手を見つけるのがますます難しくなりそうだ。もしこれまで通りの動向が続くならば、土曜日の夜のデートを楽しみにするマッチョな男性は、残念ながらビールをがぶ飲みし、男どうしのビリヤードで盛り上がることになるだろう。その結果、インセル（イントロダクション参照）仲間が増える。いまの時点で、すでに最低ひとつの大量殺人の犯人はインセルだった[22]。このサブカルチャーとヘイトグループのメンバーは、自分たちの欠点と、思い通りにならない生活の責任を女性になすりつける。《ハーパーズバザー》誌の政治編集者ジェニファー・ライトの指摘はこうだ。「彼らの存在意義は孤独であることではない。自分の孤独を女性のせいにすることだ[23]」

そのような男性は、映画やテレビ番組や実生活で〝女性化した〟男性が〝いい〟女を次々手に入れるのを目にして、暴力に訴えるのだろうか。それとも、自分も適応しようと努力するのだろうか。後者を望みたいが、一部の事実はそうと告げているわけではない。馬鹿デカいピックアップは概して燃費が悪い。普通の駐車スペースにも収まり切らない。多目的車のほうがたいてい高く売れる。それでもなお、あの馬鹿デカいトラックに憧れ、買い求める男性は非常に多いのだ。

第一四章　ジェンダーとシスジェンダーからの解放

かつて男性が男性で、女性がその配偶者だった時代、生物学的性とジェンダーという言葉は（少なくともアカデミックな世界の外では）置き換え可能だった。伝統的な教えに従えば、男性は狩人で保護者、家族の大黒柱だった。家のなかでは男性が支配した。彼の言葉は法だった。だが対照的に、女性は家族のほかのメンバーとの関係のなかでのみ定義された。まずは娘であり、そして妻であり母親だった。居場所は家のなかだった。賃金もなく、代理人もおらず、女性は料理や掃除だけでなく、子どもの運転手もして朝から晩まで働いた。夜には、仕事から帰ってきた夫に仕えた。男性にとっても女性にとっても、ルールは明らかだった。

そして、世界の再編成が起きた。一九六〇年代初めにピルが普及し、ベティ・フリーダンが著書『新しい女性の創造』（大和書房）を世に問い、ホワイトハウスに若い大統領が誕生した。マリファナやLSDの〝ユースクウェーク〟〔若者の振動。若者の行動が社会や政治、文化に大きな変化をもたらした現象〕、航空料金の値下げ、「サマー・オブ・ラブ」〔若者のヒッピー文化が花開いた一九六七年の夏〕

が続いた。反戦運動は「ノーという男性に女性はイエスと言う」という魅力的なスローガンを生み、この徴兵拒否ポスターは、反戦活動家のフォークシンガー、ジョーン・バエズがモデルとして登場したことで人気を博した。そして、ウーマンリブ運動が起きる。これは、ブラ・バーニング〔自由を束縛し、制限するものの象徴として、女性たちがブラジャーを燃やした運動〕というより、外に働きに出る女性たちの運動だった。

一九七一年、ベラ・アブズーグがアメリカ連邦議会の下院議員に選出された。彼女は次のようなスローガンで選挙を闘った。「この女性の居場所はハウスだ――ハウス・オブ・リプレゼンタティブ〔連邦議会下院〕だ」。彼女がそう主張できた（しかも実現できた）のは、当時のニューヨークにアブズーグの支援システムがあったからだ。彼女の家には、二三年間も住み込みで働いていたナニー兼家政婦がいた。アブズーグの娘は、自分の父親が「いつも食べ物を買いに行き、洗濯をした」[1]ことを覚えている。当時、そんな家庭はほとんどなかった。

一九七〇年代、女性は新たな可能性の感覚を得て勢いに乗った。結婚する自由、しない自由。子どもを持つ自由、持たない自由。仕事に生きるのかどうかを決める自由。とはいえ、性的な選択肢はまだ狭かった。ストレートかゲイか。そして、世間で容認された選択肢はひとつだけだった。トランスセクシュアル〔生物学的性別と自分が認識する性別とが一致しない「トランスジェンダー」であるために、外科的な手術などを望むか、実際にそのような方法によって一致させた人たち〕という言葉が新たに生まれたのは一九四九年。トランスジェンダー*という言葉の場合は、一九七一年だった[2]。だが、そのような〝不道徳な〟言葉が生まれたからといって、以前よりも社会的に容認されるようになったわけではない。〝自然に反する〟性別は、刑事訴追されてもおかしくはなかった。事実、全米で同性愛者の性行為が合法と認められたのは、ようやく二〇〇三年になってからである。[3]

ジェンダー定義の拡大とジェンダーロール（役割）の緩和について、世間が一斉に注目し、さらには部分的に受け入れるようになったきっかけは何だったのか。それもやはりポップカルチャーだった。デヴィッド・ボウイは長髪にドレス姿でステージに登場した。[4] ロックバンドのキンクスは「ローラ」というラブソングを歌った。「女の子は男の子で、男の子は女の子。ごちゃ混ぜ、めちゃくちゃ、頭がイカれそうな世界。だけど、そんなこと、ローラには当たり前さ」。一九七二年、中性的なアルバム「トランスフォーマー」で、ルー・リードは「ワイルド・サイドを歩け」という楽曲を歌った。「すね毛を剃ったら、彼は彼女になった……」。アンドロジーナスな魅力のパンクバンド「ニューヨークドールズ」がステージに立った姿は、「ボアを着てヒールを履いて、おめかしをしたイカれ者」だった。[5] 一〇年後、それに続いたのが絶大な人気を誇ったボーイ・ジョージである。そのいっぽう、モデルで歌手のグレース・ジョーンズは、男性的な魅力を強調した驚くほど美しい女性として、世界の人びとの前に降臨した。

このように、おもにポップカルチャーの世界に限られていた煌びやかな要素は、いまは広く社会に浸透している。もちろん、慎重に覆い隠されていただけにすぎない。キンクスが「ローラ」を歌ってから五〇年が経ち、厳格なジェンダーの考えは死滅しかかっているように見える。とはいえ、変化に抵抗する風潮はいまだ廃れてはいない。率直なセレブたち、主流メディア、大半の人口（とりわけ若者）のあいだで、議論はすでに決着がついている。だが、国全体で見た場合、地方のコミュニティではさまざまな問題をめぐって激しい論争が繰り広げられている。たとえば、ジェンダーを学校でどう教えるのか。ホームカミングディ〔高校や大学が、在校生だけでなく卒業生や地域住民も招いて行なうイベント〕で、レズビアンのカップルをキングとクイーンに選出するのは、問題ないのか[6]。同性愛の議論が猛威を振るういっぽう、ジェンダーの問題が新たに議論にのぼり、ストレートかゲイかという問題以上に、「性的指向」〔どのような性に恋愛感情を抱くか〕の問題は、はるかに混みいっている。「愛は愛」〔ボーイ・ジョージ率いるバンド「カルチャー・クラブ」の楽曲「ラブ・イズ・ラブ」から〕というのが、社会の進歩的なグループの今日の精神だ。その人はトランスジェンダーかもしれない。ノンバイナリー**かもしれない。あるいはジェンダーフルイド***か。書類の欄に書き込むのは「名前だけ」かもしれない。なぜなら、持って生まれた性染色体の組み合わせでは、自分の性別を決められないと考えるからだ。男性か女性か自認できない人のために、パスポートに三つ目の性別（たいてい「X」）を加えている国は、少なくとも十数カ国に及ぶ。オランダでは、国家の身分証明書類の性別欄を完全に廃止している。

シスジェンダー****を自認する人も含めて多くの人が、自分のメールの署名に、名札に、ソーシャルメ

＊：生まれた時の生物学的性別と、性自認や性別が一致しない人。
＊＊：男性か女性のどちらかの枠組みに自分を明確に当てはめない人。または両性の混合・中間か、どちらでもない人（he や she のかわりに they を使う傾向がある）。
＊＊＊：性自認が流動的で固定していない人。
＊＊＊＊：生まれた時に割り当てられた生物学的性別と、性自認が一致する人。

ディアのプロフィールに、自分にとって好ましい人称代名詞を選んでいる。フェイスブックではいま、ユーザープロフィールの性別欄において、五〇以上の性別から選べるようになっている。[7]

性自認の多様化という動向と闘う人もいる。時には人称代名詞の議論であっても、より多くの場合、彼らはその重要な社会変化に伴う根本的な不快感を露わにする。かつてはふたつだった選択肢を複雑な計算に変えて、たくさんの性自認〔自分の性を自分自身がどう認識するか〕を生み出してきたからだ。言語学者で作家のジェフリー・ナンバーグは、米国公共ラジオ放送で人称代名詞について話したあと、腹を立てた国務省外交局の元職員から次のようなメールを受け取った。

もし今日、あなたが彼らに代名詞を与えたら、明日、彼らはあなたの言論の自由が続く限り、あれやこれを認めろと言ってくるでしょう……あなたは、ひとりの人間を何の抵抗もなく、複数形で「彼ら（they）」と呼べるかもしれません。ですが、それは文法の転がりやすい坂道であり、その先に待ち受けているのは、私たちの言語の通俗化かもしれません。社会のごく一部の者に対する降伏であることは、言うまでもありません。彼らは「ニューエイジのノンバイナリー」の尻尾で「犬を振りまわす」つもりです〔尻尾が犬を振りまわすとは、「小さなことが重要になって全体を支配する」「小さな集団を満足させるために大きな集団が対処する」などの意味〕。どうか気づいてください。お願いです。私たちが直面するジェンダーの問題について、あなたのような左派でリベラルの教授がアメリカ社会の混乱を不当に利用しているそばで、言語を愛する私たちは手をこまねいて座っているわけにはいかないのです。[8]

コメディアンのサラ・シルバーマンの捉え方は違う。「私たちはガリフィアナキスやシュワルツェネッガーの発音を簡単に覚えた。だから、代名詞だって理解できるでしょ？」[9]。

もちろん代名詞は理解できる。問題は理解したいかどうかだ。ジェンダーはノンバイナリーだという考えを、すでに受け入れている文化もあれば、受け入れそうもない文化もある。

多くの国で激しい論争が起きている。その例をひとつあげれば、二〇二一年にロンドンの列車で起きたできごとがそうだ。車掌が乗客にこうアナウンスした。「グッドアフタヌーン。レディース＆ジェントルマン。ボーイズ＆ガールズ」。するとそのアナウンスを聞いた乗客のひとりがツイートした。「ノンバイナリーのひとりとして、このアナウンスは私には実際、当てはまらない。だから、私は聞かない」。ロンドン・ノースイースタン・レールウェイは謝罪した。すると――案の定――反LGBTQ＋が声を上げ、猛烈な勢いで「虚偽のジェンダー・イデオロギー」だと噛みついた[10]。

伝統主義者は、即座にジェンダー流動性に宣戦布告した。彼らはジェンダー流動性が、〝ノーマルな〟生活――たとえば伝統主義者にとって居心地のいい環境――に対する脅威だと捉えたのだ。多くの政治問題がそうであるように、本当の攻撃の的は言語ではない。その目的は、伝統主義者がよしとしない選択をする人びととの選択の自由を制限することだ。そして、その矛先はとりわけ女性に向けられる。

この数十年、伝統主義者はこの闘いに負け続けてきた。まずは、同性愛者の権利を求める闘いだった。その闘いが本格的に始まったのは、一九九七年四月三〇日だと指摘する者もいる。その日、コメディアンで女優のエレン・デジェネレスが、シットコム「エレン」で、自分はレズビアンだとカミングアウトしたのだ[11]。その〝特別な回〟では、デジェネレス扮するエレンのセラピスト役をオプラ・ウィンフリーが、そして恋愛対象の候補を女優のローラ・ダーンが演じた。シンガーソングライターのメリッサ・エスリッジと女優のデミ・ムーアも出演した。その回は四〇〇〇万人以上が視聴し、番組の最高視聴率を記録した。

番組の初めに、ネットワーク局が「成人向けの内容を含むため、保護者の方の適切なご配慮をお願いいたします[12]」という警告を表示したにもかかわらず、即座に反応があった。撮影所に爆弾を仕掛けたという脅迫電話がかかってきた。テレビ伝道師のパット・ロバートソンは、エレン・デジェネレスを「エレン・デジェネレイト（性的倒錯者）」と呼んだ。クライスラー、JCペニー、ドミノ・ピザ、マクドナルドが広告を引き上げる。一年後、番組は終了に追い込まれた。

だが、デジェネレスが出演したシットコム「ふたりは友達？　ウィル＆グレイス」や、ミュージカルドラマ「グリー」、リアリティ番組「クィア・アイ――外見も内面もステキに改造」は続いた。一五年前に「エレン」のスポンサーを降りたJCペニーが、二〇一二年になってエレン・デジェネレスをスポークスパーソンに選んだ。とはいえ、取締役、投資家、一部の顧客や団体から猛反発を受けなかったわけではない。たとえば、アメリカ家族協会の一部門である「一〇〇万人の母親」は、JCペニーを「同性愛支援の時流に飛び乗った」として非難し、デジェネレスを支援すれば、「これまで長くJCペニーの商品を買い続けてきた、伝統的な価値観を持つ顧客を失う」ことになると断言した[13]。

デジェネレスは、辛辣な批判や個人攻撃を耐え抜いた（とはいえ、小さな犠牲では済まなかった）[14]。二〇一五年の世論調査は、同性愛者の権利について世論の変化に強い影響力を持つ人物に、デジェネレスを選んだ。二〇一六年、オバマ大統領は彼女に「大統領自由勲章」を授与している。同性愛者を個人的によく知れば、彼らを嫌いになることは難しいとわかった。デジェネレスが司会を務めるトークショーで、スタッフに対する彼女の態度やハラスメントが告発され、逆風に曝されたいっぽう、同性愛者のアイコンという地位は確立した。

問題が性的指向を超えて性自認の領域へと拡大すると、世間の心はそれほどオープンではなくなった。二〇二〇年初め、性自認は激しい議論を巻き起こす問題になった。トランスジェンダーの学生に、学校のトイレを使わせるべきか。スポーツでは、本人が自認する性別のチームに入れるべきか。トランスジェンダーの成人は、軍務に就くことが許されるべきか否か。性別適合手術でも、医療保険が適用されるべきか否か。

これは、ジェンダー定義の変更に危機感を募らせる、保守派や福音派キリスト教徒だけの問題ではない。ハリー・ポッターシリーズの著者J・K・ローリングは、「生理がある人」と表現した記事をリツイートした。ローリングはこうつけ加えた。「『生理がある人』。昔は、そういう人たちを指す言葉があったはずだ。誰か教えて。ウンベン？　ウィンパンド？　ウーマッド？」[15]（ローリングは生理がある人＝ウィメンと表記しないことを揶揄した。これに対して、トランスジェンダーの女性や男性、ノンバイナリーを考慮していないという批判の声があがった）。

ローリングは非常に頭のいい作家だ。自分のツイートが議論を巻き起こすことはわかっていた。だが、自分のツイートが大炎上することまでは予測できなかった。「ハリー・ポッター」や「ファンタスティック・ビースト」シリーズに出演した俳優のダニエル・ラドクリフ、エディ・レッドメイン、エマ・ワトソンらがローリングと距離を取り始めた。ツイッターで「抹殺、殴打、死」を仄めかす者もいた[16]。中道はなかった。

＊＊＊

ジェンダー流動性と幅広いセクシュアリティに反対する風潮は、今後加速するだろうが、それももっともな理由がある。ジェンダーをどう定義し、どう理解するのかという変化が加速しているからだ。陰と陽だ。Z世代の成人は、六人にひとりが自分をLGBTQ＋と位置づけている[17]。彼らの多くが、エレン・デジェネレスと比べればはるかにカミングアウトしやすい。《ワシントンポスト》紙は、いまの世代についてこう指摘する。「メリーランド州で同性婚が合法になった時、彼らは八歳だった。女の子を好きになったのが、だいたい一二歳の時。そして一四歳の時、自分はノンバイナリーだとカミングアウトして、they/them（彼らは／彼らを）という人称代名詞を使い始めた[18]」。

ジェンダー・ノンコンフォーミング〔性別の固定観念や社会的ジェンダー規範＝男らしさ、女らしさに異議を唱えるか、適合しないと考える人〕である若者は、今日、（たとえ普遍的とは言えなくても）なぜより広い支持を得られるのか。二一世紀のメディアは、「エレン」や「ふたりは友達？　ウィル＆グレイス」などの人気番組を前例にでき、ネットワーク局の取締役会や企業はもはや一か八かの賭けに出る必要がなくなった。しかもインターネットのおかげで、どんなトライブもクリックひとつでつながる。ゲイもトランスジェンダーも、ユーチューブやティックトックのスターだ。支援グループは、学校の電子掲示板でミーティングを知らせる。ＬＧＢＴＱ＋の若い世代が、カミングアウトしていない親の世代に、クローゼットから出るように促すこともある。少なくともレインボーパレードに参加して、プライドを示すように励ます。

この動向はセレブからも後押しを得てきた。自分の子どもがトランスジェンダーか、ジェンダー・ノンコーフォーミングだと公表した著名人も多い。俳優ではシャーリーズ・セロン、ガブリエル・ユニオン、ウォーレン・ベイティとアネット・ベニングの夫婦、歌手ではシェール、アスリートではドウェイン・ウェイド（ガブリエル・ユニオンの夫）などがいる。グラミー賞を受賞した歌手のサム・スミスは二〇一九年に、ノンバイナリーだとカミングアウトした。「自分は男性でも女性でもない。どこかその中間で漂ってるように思う[19]」。一九七六年、私も家族も、アメリカ人の陸上選手ケイトリン・ジェンナーを応援していた（当時は、出生時の名前のブルースと呼ばれていた）。ジェンナーは、モントリオールオリンピックの十種競技で金メダリストを獲り、世界記録を打ち立てた。それから四〇年が経ち、ジェンナーは自分がトランスジェンダーであり、性転換手術を受けたと告白し、エンターテインメントニュースで取り上げられた。それ以来、世界の目はカーダシアン一家に――婚姻による家族と実の子どもたちに――注がれてきた（ケイトリンは、お騒がせセレブとして有名なキム・カーダシアンの義理の父にあたる）。二〇二〇年末、映画「ＪＵＮＯ／ジュノ」や「アンブレラ・アカデミー」で人気を博したエリオット・ペイジが、自分がトランスジェンダーであり、出生児のエレンという名前を捨てたことを告白した。二〇二一年、MJ・ロドリゲスは、トランスジェンダーとして初めてエミー賞ドラマ部門の主演俳優賞にノミネートされた。そして、エミー賞はそもそもなぜ、男優賞と女優賞に分かれているのかという議論と驚きをもたらした。その一週間前、ミス・ネバダに選ばれ、ミスアメリカコンテストへの出場を決めたのは、トランス女性だった[20]。

私の考えでは、振り子の大きな振れを何より雄弁に物語る証拠のひとつは、LGBTQ+の子どもたちのサマーキャンプだと思う。ニューハンプシャーのキャンプ・アラニュティクは、トランスジェンダーの若者が対象だ[21]。アラニュティクとは、チュガチ族〔アラスカ南海岸の先住民〕の言葉で「ふたつの魂」、男性と女性両方の魂を体現していると考えられていた人たちを指す。かつて非難と排除を招いたジェンダーの違いは、半世紀前には想像もつかなかったほど、より広く、よりダイナミックなスペクトラムの一部として受け入れられるようになったのだ。

二〇世紀にユニセックスのファッションとして始まり、メトロセクシュアリティ（イントロダクションを参照）に姿を変えた現象は、レインボーカラーアイデンティティになったのかもしれない。私たちのなかには、ジェンダーの定義をいくつか体験し、適合するジェンダーをようやく見つけ出す人もいるのだろう。あるいは、私たちのジェンダー定義は永遠に動く標的なのかもしれない。

人間を男女の伝統的な役割に押し込むことはできないという認識の高まりに、社会はどう適応するのか。男女共用のトイレ（たいてい個室）が普通になるのは、間違いない（ノースカロライナ州が、公共施設においてトランスジェンダーに出生証明書と異なる性別のトイレ使用を禁じる、通称「トイレ法」を制定すると、激しい論争が巻き起こり、多くの歌手がコンサートを中止した。そのなかには、ブルース・スプリングスティーン、デミ・ロヴァート、ニック・ジョナスも含まれる。またペイパル、NBA、アディダス、ドイツ銀行が事業計画の見直しを表明した。見積もりによれば、これらの動きは一二年間でノースカロライナ州に、三七億六〇〇〇万ドルの損失をもたらすことになる〔22〕。二〇一九年に、職場のジェンダーニュートラル（性中立）化について、オンラインディスカッションに参加したある人的資源の専門家は、こんなコメントを残している。「少なくとも、会話のたっぷり六〇パーセントはトイレに関する話だった〔23〕」。私からのアドバイス。衛生機器メーカーは、製品カテゴリーの新たな多角化に乗り出すべきだ。

ユニセックスの衣類やジェンダーニュートラルなブランディングを、私たちは何年も前から目にしてきた。今後は、トランス女性や男性に合う幅広いサイズ展開など、品揃えを充実させるデザイナーが増えるだろう。「ヒューマンカインド」というブランドは、すでにジェンダーニュートラルで幅広いサイズの水着や部屋着を揃えている〔24〕。

有名ブランドも負けていない。リーバイスは「アンラベルド」というコレクションを立ち上げ、「LGBTQ＋のスタッフが、すべての人のためにキュレートした」商品を扱っている〔25〕。リーバイスのウェブサイトはこう説明する。「キュレートされたこのコレクションは、型にはまることに抵抗し、個性と自己表現を称えます。本当の自分自身を生き、愛し、またそうである自由と流動性からインスピレーションを得たコレクションです」。リーバイスの「ビューティ・オブ・ビカミング」キャンペーンは、ノンバイナリーの俳優ジェイデン・スミス〔ウィル・スミスの息子〕に焦点を当てている。スミスは数年前に、ルイ・ヴィトンの女性向けウエアの広告キャンペーンモデルに抜擢されていた。[26]

玩具メーカーのマテルもインクルーシブの方向に動き出し、ジェンダーニュートラルなバービー人形を発表し、こうツイートした。「私たちの世界では、人形を使って遊ぶ子どもたちと同じくらい、人形も多種多様です。#CreatableWorld（創造可能な世界）ラベルを排除し、すべての子どもたちを受け入れる人形ラインを発売いたします。#AllWelcome（みんな大歓迎）」[27]

ジェンダー流動性は現代的な現象ではない。トランスジェンダーに関する記録は、少なくとも西暦二〇〇年のローマ皇帝ヘリオガバルスの頃にまで遡る。[28] 多くの文化は、何世紀も前から第三の性を受け入れてきた。彼らは、インドではヒジュラ、ポリネシアの一部の文化ではマーフー、メキシコ南部オアハカのサポテカ文化ではムシェと呼ばれる。アメリカ先住民の「ふたつの魂」を持つ人のことで言えば、歌手で活動家のトニー・イーノスは、ノンバイナリーが社会で果たしてきた役割について述べている。

植民地化される前、私たちはバランスを保つ者でした。男性と女性のあいだを移動できるのは私たちだけでした。これらのジェンダー・クィア、ジェンダーフルイド、ジェンダー・ノンコンフォーミングである部族の者は、特別な役割を担っていました。特別なまじないができ、その恵みによって男女両方の目を通して生命を見ることができたのです。[29]

今日の違いは、そして今後二〇年間にいっそう強まるだろう動向は、行動だけでなく考え方においても、いまよりはるかにインクルーシブになることだ。年を追うごとに、ノンバイナリーの異質性に目を留めることが減り、人間の集団を幅広いカラフルなスペクトラムのあいだに存在するものと捉えるようになる。障壁が徐々に壊れる。同時に、その障壁を必死に立て直そうとする反対派もいる。家父長制の伝統が最も強い社会を除いてすでに拒絶された厳格なジェンダー規範を、なんとか取り戻そうとするのだ。

皮肉にも、本当の自分を受け入れ、表現するのがうまくなるいっぽう、私たちは他者とのつながりの感覚を失っていく。スキンハンガーとおひとり様の時代へようこそ。

第一五章　ミー、マイセルフ、アイ

ブッダは言われた。「宇宙には、あなたにとってあなた以上に大切な者はいない。心はあちこちの方向に旅しようと、あなた以上に愛される者を見つけることはない。自分自身を愛することがどれほど大切か、それがわかる時、あなたは他者を苦しめることをやめるだろう」。

——ティク・ナット・ハン（ベトナム生まれの禅僧）
「愛についての教え（Teachings on Love）」（未邦訳）

私たちは自分が大好きだが、必ずしもそう認めたいわけではない。とはいえ、ほとんどの人は、人間ドラマのなかで自分が演じる役をできるだけ長く演じていたい。

私たちが演じる役はますます記録され、ますますエスカレートする。セルフィー文化について、そしてまた、ミレニアル世代やZ世代が自分の人生を年代別に記録し、友だちにも見知らぬ相手にも同じように公開する傾向については、さまざまに考察されてきた。若者が被災地——焼け落ちた建物や震災で発生した瓦礫――を背景に自撮りする画像は、誰でも目にしている。《ニューヨークタイムズ》紙が「ミレニアル世代にとってフォークアート（純朴な民衆芸術）の新たなかたち」と呼ぶ、ナルシシズムの実践についても、私たちは深く考察してきた。[1]

セルフィー文化は、もちろん写真だけを指すのではない。「自己」と付くあらゆる文化的トレンド、たとえば自己陶酔、自己宣伝、さらには自己嫌悪も含まれる。アメリカの警句家メイソン・クーリーはこんな言葉を残した。「自己嫌悪も自己愛も同じくらい自己本位だ」[2]

ベビーブーマーの「ミー・カルチャー」は、その子どもたちの「ミー・ミー・ミー・カルチャー」を生んだと言われる（ベビーブーマーは「ミー（わたし）世代」とも呼ばれ、社会中心ではなく、自分中心の考え方やライフスタイルを持つという特徴がある。その子どもたちの「ミー・ミー・ミー・カルチャー」とは、「わたし、ぼくを見て、特別でしょ」という自己チュー文化を指す）。すべての人間が、その自己チュー文化にネガティブな光を当てるわけではない。ミレニアル世代の作家アリシア・エルラーは著書『セルフィー世代――私たちの自己像はプライバシー、セックス、承認、文化をどのように変えているのか（The Selfie Generation: How Our Self-Images Are Changing Our Notions of Privacy, Sex, Consent, and Culture）』（未邦訳）で、セルフィー文化はエンパワメントの新たなスタイルであり、ナルシシズムの表現ではなく、若者が自分の考えを聞いてもらおうとする力強いメガフォンだと捉える。それが本当だとしよう。だが、何でもかんでもシェア（投稿）したがることが決して無害ではないかもしれない、という証拠も増えている。たとえばメーン大学のリサーチャーの研究が明らかにしたのは、自分の人生を画面越しに記録してきたことの弊害として、ソーシャルメディア漬けの若者の一部が、実生活において非言語的な合図を読み取る能力を失ってしまったことだった[3]。また、フェイスブックでプロジェクトマネージャーを務めていた内部告発者のフランセス・ホーゲンは、アメリカ連邦議会上院小委員会で驚くような証言をした。インスタグラムのプラットフォームが、特に若い女性のメンタルヘルスに悪影響を与えるよう、当時のフェイスブックが仕向けていたという証拠を指摘したのである。そのなかには、とりわけ摂食障害や自殺願望などの悪影響も含まれていた[4]。

地球上の人間という存在が、容赦なく自己中心的でますます個人化している現象は、ソーシャルメディアの濫用だけにとどまらない。スマートウォッチやいろいろなデバイスを使って、自分の歩幅、心拍数、血糖値、睡眠パターン、水分補給……など何もかも測定する。ヘルスやフィットネス関連のアプリを使っているアメリカ人は、二〇二〇年現在で二七パーセントを超えるという[5]。私たちはまた、自分自身という個人ブランドを念入りに編集して公開し、現実とは似ても似つかないオンライン上のペルソナをつくり出す。

まず間違いなく最も影響力が強いのは、私たちがメディアやコンテンツの流れを、自分だけのものに編集することだろう。この地球上で、あなたとまったく同じメディア消費を楽しんでいる者が誰ひとりいないとしても、不思議ではない。そのメディア消費はあなたのもの、あなただけのものだ。これは現代の大きなパラドックスである。いまの時代、地球上の一〇人に六人近くがソーシャルメディアに接続している[6]。そのため、人類はこれまで以上に同期していると思いたくなる。ところが、ユーザーの選好とＡＩのスマートデータシステムの両方によって、コンテンツ消費はパーソナル化し、私たちは孤立した。そして、それはウェブの最も明白な約束である、互いにつながるという約束を反故にしてしまった。

私たちが以前よりもひとりで、少なくとも独立して働く傾向が高まったことは偶然ではない。ＡＤＰリサーチ研究所によると、アメリカでは一〇年前と比べて二〇二〇年初めに、ギグワーカーが六〇〇万人も増加したという[7]。それでは、二〇〇〇年と比べた時にはどうだろうか。フリーで働く人は昔からいたが、当時「ギグエコノミー」という言葉はなかった。その言葉が生まれたのは、著名な雑誌編集者のティナ・ブラウン（《ヴァニティ・フェア》誌や《ニューヨーカー》誌で活躍した）が、二〇〇九年に使い始めたのがきっかけと言われる[8]。

今日から二〇三八年までに、起業家という時流に乗る人はさらに増えるだろう。彼らは、従業員を雇用する経営者ではなく、ましてや潤沢な資金力を持つ大企業ではなく、ソロプレナー（ソロ起業家）になる可能性が高い[9]。起業の野望を抱く者は多い。推計では、二〇一九年にアメリカで成人就業者の二一パーセントが自営業だった。だが、大学が二〇〇〇年に実施した調査によれば、アメリカ人の七〇・八パーセントが自営業を目指しているという[10]。この数字は、ポーランドやポルトガルではさらに高い。

私たちは、コミュニティのなかではさらに孤立している。二〇〇〇年、政治学者のロバート・Ｄ・パットナムが、画期的な名著『孤独なボウリング――米国コミュニティの崩壊と再生』（柏書房）を世に問い、社会的断絶の進むアメリカ人の生活について考察した。パットナムは、一九七五年から二〇〇〇年までの変化を詳述し、その期間に社交クラブへの参加が五八パーセント激減し、家族で夕食をとることが四三パーセント減り、自宅に人を招く機会は三分の一に減ったと述べている[11]。そのような孤立の機会は増加し、蓄積する影響を個人と社会の両方にもたらす。その影響は、個人の健康や人生に対する充実感から、民主主義制度への参加までのあらゆる分野に及ぶ。

　パットナムは著書のなかで、かつてアメリカをひとつにまとめていたコミュニティの感覚が再生されることを望んだ。一世紀以上も前に、アメリカを訪れたトクヴィルも、そのようなコミュニティを称賛していた（第五章参照）。ところがその代わりに強まったのは、断絶と孤立だった。パンデミックの直前に行なわれた調査では、アメリカ人の六人にほぼひとりが、隣人の名前を知らなかった――ミレニアル世代では、その数字は四人にひとりに上昇する。[12]防犯カメラの売上げが急増し、二〇二七年頃には世界の市場規模が一二〇億ドルに迫ると予測されるのも無理はない。[13]エルクスというソーシャルクラブは、一九八〇年から二〇一二年のあいだに会員が半減した。[14]エルクスだけではない。アメリカのカントリークラブの会員数は、一九九〇年から二〇一四年のあいだに二〇パーセント減少した。[15]ギャラップの調べによれば、一九九九年に七〇パーセントだった宗教組織への参加は、二〇二〇年には四七パーセントに激減したという。[16]率直に言って、パンデミック以前ならこう訊ねたに違いない。そんな時間、誰があるというんだ？

　社会的孤立は世界的な傾向だ。臨床心理学者のシャブナン・ベリー＝カーンは、孤独を「世界規模の公衆衛生問題」と呼ぶ。[17]英国の「孤独担当大臣」に続いて、日本も「孤独・孤立対策担当大臣」を任命した。英国は「少人数のグループの人たちを、彼らが楽しめるプロジェクトや活動を通してつなげる」組織に、補助金を給付する。[18]ＥＵ共同リサーチセンター（ＪＲＣ）が、欧州社会調査（ＥＳＳ）の二〇一九年のデータを分析した結果――つまり、パンデミックによってソーシャルディスタンスをとる以前から——、欧州人の成人の五人にひとり近くが社会的に孤立していた現実が明らかになった。この状況はとりわけ、ハンガリーとギリシャで顕著だった[19]。

孤独や孤立の問題を計り知れないほど深刻なものにしている要因は、本書のあちこちでも指摘してきたような、ひとり暮らしの傾向だ。それは、孤独や孤立が現代生活の無数の面に触手を伸ばしているという明らかな証拠である。著書『ソロ活動——ひとり暮らしの驚くべき増加と魅力（Going Solo: The Extraordinary Rise and Surprising Appeal of living alone）』（未邦訳）のなかで、社会学者のエリック・クリネンバーグは、ひとりで生きるという動向は年齢や場所、政治見解に関係なく広がる「注目すべき社会体験」だと述べている[20]。先に述べたように、東京の人口の四〇パーセント以上がひとり暮らしだ[21]。国立社会保障・人口問題研究所（ＩＰＳＳ）によれば、二〇四〇年には日本の〝全〟世帯の四〇パーセント近くを単身世帯が占めるという[22]。この数字は、すでに大部分が単身世帯であるスウェーデンよりは低い[23]。アメリカでは、ひとり暮らしの割合はこの五〇年でほぼ倍加し、二〇一九年時点で一四・六パーセントに上昇した[24]。シンシナティ（オハイオ州）、ピッツバーグ（ペンシルベニア州）、セントルイス（ミズーリ州）などの都市では、四人にひとり以上の成人が単身で暮らしている[25]。

スペインでは大学のリサーチャーが、ひとり暮らしの増加は「現代の西洋社会において多くの点で象徴的になった」と述べ、その理由を「基本的にひとり暮らしは家族を犠牲にして、個人とその目標に重要性を譲り渡したことの表れだ」という結論を導いた[26]。ウェブサイトの「アワーワールド・イン・データ」が発見したのは、西洋の価値観とは別の相関関係だ。つまり、より裕福な国ではひとり暮らしの傾向がある。[27] 新しい核世帯である。ミー、マイセルフ、アイ――ぼくしかいない、わたしだけ、独りぼっち。

自力でやっていくという独立と孤立とは紙一重だ。孫の世代が暮らす現代の世界では、映画、テレビ番組、本、記事、音楽、そのほか大量のコンテンツが一日二四時間絶え間なく楽しめると知ったら、いまは亡き世代は仰天したに違いない。私が若かった頃には、テレビは（チャンネルが四つしかなかった）、夜中の一二時頃に国歌を流してその日の放送を終え、砂嵐の画面に切り替わった。今日はこれで終わりです。国民のみなさん、おやすみなさい。

一般人が撮影し、編集し、自分で動画を配信する。ましてや、それが個人の電話でできるというアイデアを当時の私が知ったら、腰を抜かしていたに違いない。あるいは、家で働き、数千キロも離れた場所で働く同僚と、オンラインで会議に参加するとともに、画面と書類を即座に共有できると知ったら。ただの一度も店を訪れることなく、リノベーションや装飾ができると知ったら。正直に認めよう。私たちのデジタル能力は素晴らしい。だが、それと引き換えにどんな代償を支払ってきたのだろうか。

人間は根本的に社会的動物だ。情緒的にも物理的にも、誰かとつながる必要がある。パンデミックでソーシャルディスタンスが義務づけられるはるか以前、私は、接触が失われるという、二一世紀の憂慮すべき動向について書いたり講演したりしていた。心理学用語で「スキンハンガー」と呼ばれる欲求だ。言ってみれば、長期にわたって触れ合いが絶たれる時に陥る「皮膚接触渇望」もしくは「肌の温もりに対する飢餓感」である。

接触の機会が奪われることは、人間にとってだけでなく、あらゆる動物にとって有害だ。抱っこしてもらえず、あやしてもらえなかった乳幼児は元気に成長できない。[28] 成人の場合は、非社交的なふるまいや抑うつ、不安、ストレスなどの症状が現れる。スキンシップが欠けると、免疫システムまで弱くなりかねない。[29]

物理的な接触に対する著しい飢餓感から、ある消費者市場が誕生した。過去二〇年間、あちこちで抱擁パーティ（カドルパーティ）が開かれてきた。性的な意味のまったくない方法で、見知らぬ者どうしが――時にはパジャマ姿で――集まり、抱き合ったり、優しく触れ合ったりする。[30] パンデミックのあいだに人気が高まったのは、牛にもたれて寝転がったり抱きついたりする体験（カウ・カドリング）だった。ニューヨーク州北部の牧場主によると、「友だちや孫はハグできなくても」、一時間七五ドルを支払えば「（アンガス牛の）のベラとボニーを抱き締めることはできますよ」[31]。

人びとはまた、誰かと触れ合ったような感覚が味わえる無生物にも引き寄せられている。適度な重量感のある加重ブランケットは、すでに一九九〇年代末から出まわっていたが、売上げが伸びたのはここ数年である。加重ブランケットのグローバル市場は、二〇二〇年に五億三〇〇〇万ドル弱と推測された。さらに二〇二六年までは年一四パーセントの成長が見込まれ、一一億ドルを突破すると見られる。[32] 価格帯は一〇〇～三〇〇ドルだ。加重ブランケットの製造業者は、この種のブランケットは、寝ているからだに均一に圧力を与え、ストレスホルモンと呼ばれるコルチゾールを減少させるとともに、幸せホルモンと呼ばれるセロトニンと、睡眠ホルモンと呼ばれるメラトニンの分泌を促すと謳う。科学的根拠には乏しいが、抱きしめられるような安心感が得られるという。

同じように人気上昇中なのが、圧縮ウェア（コンプレッションウェアとも）だ。アスリートがパフォーマンス向上のために着用する、競技用のウェアではない。皮膚にぴったりフィットして、着用すると安心感が得られる。オーストラリアの販売企業は、圧縮ウェアを「着用者のからだを常に優しく〝ハグ〟」する感覚に喩える。その感触が不安を軽減し、パニック発作の回避に役立つ場合もある[33]。

単身世帯だからと言って、必ずしもひとり暮らしとは限らない。パンデミックの早い時期に、メディアが取り上げた数少ない前向きな話のひとつに、動物の保護シェルターが空っぽになったというニュースがあった。全米中の動物保護施設を追跡してデータベースを作成する組織「シェルター・アニマル・カウント」では、二〇二〇年一月から一〇月のあいだ、ペットの里親斡旋件数が前年の同じ時期と比べて二万六〇〇〇件多く、一五パーセントの増加を記録した[34]。アメリカ以外でも同様の傾向が見られた。たとえば香港とパキスタンのリサーチャーが、二〇一五〜二〇年末に、犬と猫の養子縁組に関連する検索キーワードを使ってグーグルトレンドをチェックしたところ、検索数がピークに達したのは二〇二〇年四月と五月、ＷＨＯがパンデミックを宣言した直後だった[35]。

彼らが里親になる選択をしたのは、家庭でペットをしつけたり世話をしたりするための充分な時間が、ようやくとれたからだろう。とはいえ〝もこもこ〟の友だちを家に迎えたのは、とりわけストレスに満ちた時期に、彼らがひとえに交流を、癒しを、慰めを与えてくれるからだと言って差し支えないだろう。

カナダのクイーンズ大学で准教授を務めるL・F・カーバーは、パンデミック中にペットの飼い主を対象に調査を行なった。彼女は次のように書いている。

ある回答者は言った。「この子が一緒にいてくれなければ、どうなっていたかわかりません。この子のおかげで前に進めたんです」。ほかの回答者は言った。「僕が正気でいられるのは、ただこの子がいてくれるからだ」。また別の者は、ペットは救済（命の恩人）であり、喜びをもたらしてくれたと語った。ペットと話をすると、孤独を感じずに済むと答えた人たちもいる。[36]

人間とペットは数千年も一緒に生きてきた。だが、その関係は二一世紀初め頃に変化を迎えた。ストレスや不安が世界的に高まるのに伴い、養子としてもらわれた犬や猫をはじめとする動物は、言語によらないセラピーを供給してくれる「サポート（支援）アニマル」に変わったのだ。「全米介助動物レジストリ（NSAR）」は、公式っぽく見える介助犬用ベストや介助犬登録キットを販売している。二〇一一年時点で、この組織には介助犬、精神障害者を支援する犬、エモーショナルサポートアニマル（精神疾患者の情緒面を支援する動物）が、二四〇〇匹登録されていた。二〇二一年には、その数は二二万匹を超えた。[37]

支援動物としての証明書があるにせよ、ないにせよ、ペットは現代生活の隙間を埋めてくれ、慰め、無条件の愛、物理的な愛情を与えてくれる。それらは、私たちがもっと共同生活をしていた頃の人間社会に不可欠な要素だった。そのひとつは物理的接触だ。動物を可愛がると、心拍数や血圧を下げてくれることがわかっている。それゆえ、大学の試験期間中には「コンフォート（慰めを与える）ドッグ」を持ち込み、自然災害の直後には、安心感を与えてくれる「危機対応犬」を派遣する動向が見られる[38]。一部の人にとって生き物との触れ合いは、たいてい飼っている犬や猫、ハムスターをなでたり抱きしめたりすることだ。そして、それこそがまさに私たちにとって必要な時間だ。

猫アレルギーがある？　犬を散歩に連れて行く時間がない？　それならお勧めはロボットだ。人間どうしのつながりは、以前よりは減ったかもしれない、だが、多くの人はＡＩスピーカーからお掃除ロボットまで、家中がデジタル・インタラクターで溢れている。

アマゾンエコー、グーグルホームなど、スマートスピーカーのグローバル市場は、二〇一九年には一二〇億ドル弱だったが、二〇二五年には三五五億ドルを突破すると見られている[39]。このようなデバイスはいま、私たちの家にたくさんある。だから、一日のうちで、友だちや家族よりスマートデバイスに話しかけるほうが多いのも納得がいく。これらのデバイスがひとつでも家にあれば、良くも悪くも、何らかの感情を抱くかもしれない（アレクサにぶっきらぼうな態度をとったあとで、〝彼女〟に謝ったことがない人は、アマゾンエコーの所有者にはいないはずだ）。これらのデバイスが、どんどん賢くなり、対応に磨きがかかると、デバイスを自分の相棒として、セラピストとして、ひょっとしたら恋人として頼るようになる。二〇一三年のスパイク・ジョーンズ監督の映画「ｈｅｒ／世界でひとつの彼女」もそうだった。

私が以前働いていたコミュニケーション会社が、二〇一七年に世界的な調査を実施したところ、ミレニアル世代の四人にひとりが、人間はロボットとも深い友情を、さらには恋愛関係を育むと考えていることがわかった。この数字がもっと高い市場もある。たとえば中国では五四パーセント、インドでは四五パーセントだった。[40]そして、その時は近い。テクノロジストのスコット・デューイングはこう書いている。「セックスボットは、急速に発達しているテクノロジーであり、人間の未来の性的関係に大きな影響を及ぼすだろう」[41]。リアルドールという製造業者によってすでに市場に投入されているのは、さまざまなカスタマイズが可能な実物大の人形だ。もしセックス相手となるAＩ搭載の人形に数千ドルを支払っても構わないなら、からだのタイプ、肌の色、目の色、髪やメイクのスタイルなど、いろいろとお好み通りにつくることができる（リアルドールではいまのところ、男性の〝お相手〟は販売していない）。

デューイングは、このようなAＩデバイスがますます人間に似ることで及ぼす潜在的な影響について、次のように考えている。

　人類が絶滅する時は、核戦争や、どこからともなく現れた小惑星が地球に衝突するような、突発的で空想的な大惨事が原因ではないかもしれない。もしかしたら人間どうしのセックスをやめ、最先端のAＩロボットとセックスすることで、子孫をつくらないというみずからの選択が絶滅の原因になるかもしれない。そのロボットは不気味の谷*を越えて、私たちのベッドに潜り込んできたのだ。[42]

人間と一緒のシーツに潜り込むことは、テクノロジーにできる最も親密な行為だ。そしてそれは、人間が現状に不満を抱えているという証拠だ。グーグルの元CEOエリック・シュミットは、こんなふうに述べている。「メタバースについて話す人はみな、いまの世の中よりもっと満足のいく世界について話しています――いまのあなたよりも裕福で、もっとハンサムで、もっと美しく、もっと権力があって、もっと頭がいい。ですから、数年後、人びとはゴーグルをつけ、もっと多くの時間をメタバースで過ごすことを選ぶでしょう(43)」。シリコンバレーで神のように崇(あが)められる人物のひとりでありながら、シュミットはため息を漏らす。「物理的な世界から、もっとデジタルな世界になるでしょう。ただし、それが人間社会にとって必ずしも最善とは限りませんね(44)」。

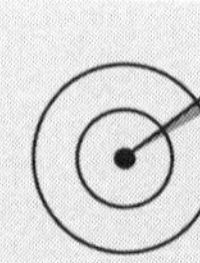

レーダー予測　二〇三八年

二〇三八年には、「思考テクノロジー」がさらに発達しているだろう。頭のなかの思考によって制御可能なアプリやデバイスのことだ。二〇二一年にはすでに、脳卒中で障害を負った人が、手や腕の機能を、思考を使って大幅に制御できるデバイスを、アメリカ食品医薬品局が承認した(45)。MITの科学者は、思考を言語に変換するヘッドセットまで開発した(46)。外国を旅行した時に、思考が自動的にほかの言語に変換されることを想像してほしい。とはいえ、プライバシーに対する懸念が生じる。そのデバイスを使って他者の思考を読み取ることができたら、どんなことが起こるだろうか。

スマートスピーカーと喧嘩をする。エロティックな夢をセックスボットが叶える。空想は仮想宇宙で生き延びる。ようこそ、AIを介した新しい現実へ。

パンデミックが起きたのが、一九八九年だったらどうだっただろうか。インターネットのない世界で、どうやって数週間も自宅に閉じこもっていられただろうか。本を読む。テレビを見る。録画した番組や映画を見る。片っ端から電話をする。小説らしきものを書いたり、ボードゲームをしたりするかもしれない。だが、ビジネスや企業が問題なくまわる方法はあっただろうか。ましてや学校は？

この三〇年にどんな変化が起きたのか。次の三〇年にどんな変化が生まれるのか。

新型コロナウイルス感染症の危機に見舞われる以前でさえ、何億人もの人たちが多くの時間を画面越しに過ごし、リモートな生活を送っていた。とはいえ、どの文化にあっても、ひそかな罪悪感を拭えない人は多かった。画面越しが基盤の暮らしは〝リアルな人生〟の粗悪な代用品であり、道徳的に劣った怠け者の生活のかたちであり、物理的な空間で物理的な相手と顔と顔を合わせる〝べき〟だ、という考えに反するからだ。

＊：人間にとてもよく似ているが、完全にはそっくりに見えないアンドロイドを目にした時に、人びとが受ける違和感や薄気味悪さを指す表現。

パンデミックはそのような考えを根本的に覆した。とはいっても、そのような新たな生活様式への転換を嘆く人は必ずいるだろう。特定の場所に依存しない画面越しの生活は、ロックダウンで物理的に制限のある生活にとって必須の次善策になった。家に閉じ込められた人が仕事を続け、社会生活を営み、学ぶための唯一の方法になった。かつては小さかった選択肢が、唯一の選択肢になったのだ。

私のパートナーの家族は、アリゾナ州トゥーソンやニューヨーク市のブルックリンからオーストラリアのメルボルンまで、世界のあちこちに住んでいる。二〇二〇年四月、彼は家族とズームでユダヤ教の過越（すぎこし）の祭りを祝った（お祭りで食べるマツァと呼ばれるパンは、ぎりぎりまでオンラインで買えなかった。そこで、私は英国人の友だちにそのレシピをワッツアップで教えてもらった）。彼の家族は、セダーと呼ばれるお祭りをその夜、バーチャルのテーブルに着いてたくさんのセレブと祝った。たとえば男優のジェイソン・アレクサンダー、ベン・プラット、ハーヴェイ・ファイアスタイン、ウィン・ウルフハードや、コメディアンのサラ・シルバーマン、ファッションデザイナーのタン・フランス、女優のイディア・メンゼル、歌手のジョシュ・グローバンなど。彼らは過越の祭りを、朗読や音楽、コメディ劇などで祝った。セダーの土曜日の夜は楽しむだけではなく、みなを結びつけるひとときでもあった。そして、アメリカ疾病予防管理センター（CDC）財団のコロナウイルス緊急対応基金のために、二〇〇万ドルの寄付を集めた。[47] 同じ四月、ローマ教皇フランシスコが復活祭のミサをオンラインで執り行ない、バチカンで催されたミサと聖週〔復活祭前の一週間〕のインターネット中継を、カトリック信者に限らず、オンライン登録した数百万人のユーザーが見守った。[48]

今回の感染症の危機は、電子デバイスがいかに有効になりうるかを、筋金入りのテクノロジー懐疑派を除く人たちに証明した。生活必需品の供給だけではない。便利で安全な社会的つながりについても有効に働く。パンデミックのずっと以前から、仕事や私生活、教育に使えるテクノロジーはあったが、充分に活用されてこなかった。そしていま、多くの人の考え方が大きく変わった。画面を使っていろいろなことが可能になっただけではない。おそらく画面を使った方法のほうが、多くのものごとにとってより好ましくなったのだ――いっぽう、それ以外のことには疑問を突きつけた。言い換えれば、新型コロナウイルス感染症の危機によって、すでに疑問に思っていた多くの前提について疑問符が点灯したのだ。

たとえば、

一、多くの従業員が自宅で同じくらいか、もっとうまく働けるというのに、高い家賃を払ってオフィスを維持する意味はあるのか。通勤に時間とエネルギーを費やす意味はどこにあるのか（反対意見。従業員が集まることで生まれるコミュニティは失われる。その損失を相殺するだけの〝蓄え〟は充分か）。

二、企業や組織はなぜ、遠方で開かれる会議のためにわざわざ出張して、高額な費用を負担し、環境負荷をかけ続ける必要があるのか。いまは、重要な仕事もテレビ会議で済むかもしれない時代だ（反対意見。顧客との永続的な関係を遠距離で育むことは可能か）。

三、中等教育や大学はなぜ、数世紀前の教育方法から、より手頃で効果の高いオンラインの有効活用に切り替えないのか（反対意見。学校の支援サービスが受けられなくなる貧困層の児童や生徒はどうするのか)。

四、医療システムはなぜ、もっとオンライン診療や遠隔医療技術を活用して、効率性と医療効果を高めないのか(反対意見。医師が悪い症状を見落とすか、病気の転換点に必要な信頼関係を築けないリスクはないか。メンタルヘルスの専門家は、患者のボディランゲージを画面越しに正しく読み取れるのか)。

デジタルの進歩によって、私たちは多くを手に入れるとともに、多くを失う。人間の体験の重要な要素を、不用意に排除することなく、どうしたらより良い生活が築けるだろうか。

私にとって本当の問いは、生活のどの側面がオンライン化できるかではなく、どの側面がオンライン化できないか、である。医療、金融、法律などさまざまな業種において資格を持つ専門家を探し出せるポータルを、信頼性の高いブランドがつくる好機は大きい。どうせなら、グーグルのお墨つき金融コンサルタントを雇いたいのではないだろうか。あるいは、アップル認定のウェブデザイナーを?私ならそうする。面接ができない時、信頼の置ける情報源のお墨つきがあれば安心だ。スイス在住の私の友人が先日、信頼できるドッグシッターをオランダで探していた。私は以前、パートナーと一週間、コネチカット州の自宅を留守にした時に、飼い犬のゴールデンレトリバーのベンとハーレーの世話を頼める、優秀なドッグシッターを探したことがあった。そして、その時に使ったURLをスイス在住の友人に教えた。また、レバノン人の友人に、ニューヨークでアパートを探す際の助言を求められた時には、私が二〇一八年に欧州に移住する以前に住んでいた、ワンベッドルームのアパートを探した時のURLを送った。

友人からのお勧めは重要だ。だが、旅行クチコミサイトのトリップアドバイザーや、エドモンズ〔新車や中古車の価格や在庫リストの情報ウェブサイト〕などのレビューも役に立つ。ブライトローカル〔地方のマーケティングに焦点を合わせた検索ツール〕が行なった二〇二〇年の調査によれば、回答者の九四パーセントが、オンラインでポジティブなレビューのある企業を積極的に利用するという。九二パーセントが、ネガティブなレビューのある企業は敬遠しやすいと答えた。さらに七九パーセントが、家族や友人の個人的なお勧めと同じくらい、オンラインのレビューも信用すると答えている。[49] これは、私の親の世代とはまったく違う世界だ。親の世代のお勧めは、近所の誰かに教えてもらうか、祖父母の生活の知恵だった。また個人的な信頼を築く時に、メディアがブランドを肯定する役割もますます大きくなった。あなたを私の世界へ迎え入れられるか。この問いを自分自身に訊ねる機会が、今後ますます増えるだろう。

パンデミックのあいだ、直接顔を合わせるよりも画面越しの生活を送ることで、多くの人は物理的な安全を保つことができた。その裏面として、私たちはデジタルにさらに脆弱になった。

デジタル環境は長く、ヒト病原体の繁殖地だった。オンライン詐欺師、メール詐欺師、フィッシング詐欺師、なりすまし、ハッカー、個人情報泥棒、虚偽情報を流すトロールたち。サイバーセキュリティはこれまで、おもに民間市場に委ねられ、企業が提供する対策をインターネットユーザーが購入していた――いや、購入しない者もたくさんいた。サイバーセキュリティに対する意識が信じられないほど低く、何の措置も講じないユーザーは驚くほど多い。マスクをせず、手も洗わないのと少しも変わらない。

人も企業や組織も、生活のなかでオンラインを活用する場面が増えるのに伴い、デジタルパンデミックのリスクがいっそう高まるとともに、社会的に疎外し、人間どうしのつながりが失われるリスクも高まっている。

いまは進歩のように思われるものでも、やがて個人の成長や人生の充足感、社会の幸福を侵食するもののように思えるかもしれない。侵食を防ぐ秘訣は、注意を怠らずに前へ進むことだ。だが、それをどれだけうまくできるだろうか。

私たちの向かう先が、多くの人が望むほど明るくないように感じられたとしても、私たちの前に隊列を組んで立ちはだかる力についてだけでなく、さほど遠くない水平線の上でかたちをとり始めた動向についても、より深く理解すれば、より良い位置に立って優れた選択を即座に行なえ、ともに生きる未来をつくり出せるだろう。さて、第四部では、優れた決断に役立つ「メガトレンド」と「サブトレンド」について見ていこう。

第四部

次の世界

十代の若者のリアルな世界を描いたテレビドラマ「ホワットエヴァー」は終わった。ほんの数週間前、世間はこのシリーズの話題で持ちきりだった。だが、そのドラマの名前をまだ覚えている人はいるだろうか。去年の冬、テレビやラジオからさんざん流れ、頭のなかで執拗に鳴り響いていたヒット曲があった。その曲をいまも歌えるだろうか。昨年、あなたの世界を揺るがしたセレブのニュースがあった。あれは知っておくべきスキャンダルだったと、いまでも思えるだろうか。

ヒット曲や流行は束の間の命だ。朝、現れたと思ったら、夜には消えていく。本物のトレンドは違う。それはロケットと同じように、発射して加速するためにはとてつもなく大きな力が必要だが、ひとたび空高く打ち上がれば、たいてい飛び続ける――少なくともしばらくのあいだは。しかも力強ければ、燃え尽きない。新たなトレンドにかたちを変え、そのプロセスのなかで私たちの文化を変えていく。

トレンドを充分に理解するためには、そのトレンドが現れて拡大していく文脈を把握しなければならない。そのような考えから、本書ではまず、二〇年で区切ったふたつの危機の時代を、一歩離れた場所から見つめることで始めた。

最初の二〇年は一九九九年に始まり、テクノロジーが、それもとりわけ二〇〇〇年問題が世界に及ぼす脅威に焦点を当てた。二〇〇〇年問題は、真の意味での世界的な危機には発展しなかった。なぜなら、国家も企業もこの問題を深刻に捉え、対応に費用を惜しまなかったからだ。国家と企業は協力した。プログラマーのチームは目の前の問題を解決しただけではない。将来を見据え、コンピュータの機能を改善した。危機は回避された。将来の危機は阻止された。明らかな安堵が漂った。

当時、インターネットはまだ、ぐらぐら揺れるロープの狭い吊り橋だった。あれから数年が経ち、インターネットは多車線のスーパーハイウェイへと進化し、事実上、私たちの生活のありとあらゆる場所に入り込んだ。情報通信の黄金期が目の前に開けている。つながったひとつの世界。それでいて、この相互接続性が、多くの人が想像もしなかった危機を孕むことが明らかになった。

そして次の二〇年。二〇〇〇年問題から二〇年が経ち、私たちはまたも世界的な危機に見舞われた。今回は回避できなかった。新型コロナウイルス感染症という謎の疾病は、人びとを家に閉じ込め、企業を休業に追い込んだ。政府は国境を閉鎖した。科学は多大な力を発揮して、記録的なスピードで有効なワクチンをつくり出した。ほとんどの国でマスク着用が義務になっても、多くの犠牲者が出た。二〇二〇年三月九日に四〇〇〇人足らずだった犠牲者の数は急増し、ちょうど一年後の三月九日には、二六〇万人を超えてしまった[1]。

ウイルスは、無知、疑念、虚偽情報という格好の媒介物を見つけた。陰謀論が猛威を振るうなか、科学的根拠と自制によってウイルスに打ち勝つことはますます難しくなった。誰を信じるのかによって、ウイルスは自然現象になったり、中国、ビル・ゲイツ、ユダヤ人、ＥＵ、あるいは巨大製薬会社が意図的に解き放った病原体になったりした。さらには、まったくのインチキであって、季節性のインフルエンザにすぎない、という人も現れた。ある陰謀論者の話によれば、ワクチンと称するものは、無防備なからだにマイクロチップを埋め込み、政府が――政府でないなら、さらに悪意に満ちたビル・ゲイツが――大衆を完全にコントロールするための隠れ蓑だという。[2]「外交問題インテリジェンス・カウンシル」（いかにもそれらしい名前ではないか）と称する組織のブログの投稿は、アメリカで承認されたメッセンジャーＲＮＡワクチンについて警告を発した。あれは接種者を、変異した〝スーパー株〟の生物兵器工場に変え、未接種者を殺害する目的で設計されたものだ、と。[3]パンデミックは悪辣で大がかりな陰謀だ、と投稿者は主張する。感染症対策で指揮をとったアンソニー・ファウチ博士、アメリカ国立衛生研究所（ＮＨＩ）、中国共産党の共通の目標は大量虐殺だというのだ。[4]

この手の馬鹿げた陰謀論がそう簡単に広まるはずはない、と思うかもしれない。だが、その考えは間違いかもしれない。実際、ソーシャルメディアのおかげで、つくり話や空想はまたたく間に、地球の裏側まで、社会の奥深くにまで広まってしまう。

それは、ソーシャルメディア本来の意図ではなかった。最も人気のあるソーシャルメディアのプラットフォームは、根本的には理想主義で始まった。少なくとも、彼らのマーケティング上の言葉を信じる限りは。二〇〇九年、当時のフェイスブックが宣言したミッション・ステートメントは「よりオープンで、もっとつながった世界に」だった。[5]その時から現代まで十数年早送りすると、創業者で会長のマーク・ザッカーバーグはいま苦境に陥っている。フェイスブックが「ユーザーを過激主義に誘導することで、サイトへのエンゲージメント（関心や参加）を高めている」と非難されたからだ。[6] エチオピアの暴動を扇動したことから、[7] 人身売買を容易にし、[8] 二〇二一年一月に起きたアメリカ連邦議会議事堂への襲撃を煽ったことまで、[9] フェイスブックのプラットフォームはありとあらゆる悪事の責任を問われている。

何が悪かったのだろうか。

大部分は人だ。もっと具体的に言えば、人間性に対するテクノロジー系理想主義者の無邪気な考えである。

二〇二〇年に新型コロナウイルス感染症のウイルスが武漢から逃げ出した時、政治家、活動家、大衆扇動家、詐欺師、パラノイア、無知な者、偏見に凝り固まった者はすでに、ソーシャルメディアを使って、国民の分断を企み、互いを憎しみ合うように目論んでいた。その結果、おおぜいが命を落とした。[10]

二〇二〇年代に足を踏み入れてから、アメリカ人はこれまで経験したことのない、南北戦争（一八六一～六五年）以来と言われる社会の分断を目の当たりにしている。[11] かつて求心力ある地域勢力と見られていたＥＵについても、オーストリア、フランス、ドイツ、イタリア、スペインの過半数の国民が、現在のＥＵは「壊れている」とみなしている。[12] さらに、アジア太平洋地域、欧州、北米の全一七カ国の先進経済国を対象に、ピュー・リサーチセンターが行なった調査において、一〇人中約六人が自国の社会はパンデミック以前よりも分断が進んだと回答した。[13]

それなら二〇年後には？　その頃、私たちはどうなっているだろうか。

本書が最終地点とする二〇三八年は、厳密に言えば二〇二〇年の二〇年後ではないが、本書の狙いからすれば、ほぼ同じと見て差し支えないだろう。

専門家の警告によれば、私たちは二〇三八年に、二〇〇〇年問題と同様の問題に見舞われるかもしれないという。とりわけ、一九七〇年からの経過秒数でカウントするＵＮＩＸ時刻は、二〇三八年に時刻を正常に認識できなくなる。二〇三八年一月一九日に、その時点で使われている32ビットのコンピュータはすべて、経過秒数が上限を超えてしまう。ＵＮＩＸ時刻で管理されるコンピュータは、内部時刻が一九〇一年一二月一三日にリセットされてしまい、32ビットのコンピュータが誤作動を起こす可能性がある。私の考えるところ、二〇三八年問題（Ｙ２０３８）は、時空が終わりを告げるという強烈な隠喩だ。

二〇三八年問題は二〇〇〇年問題と違って、おもにインターネットに接続していないデバイスに影響を与える些細な問題だ、と主張する者もいる。さらに重要なことに、すでにオラクルのダリック・Ｊ・ウォンという、頭のいい男性によって修正されたらしい――あるいは、少なくとも二四八六年までは先延ばしにされたようだ[14]。とはいえ、テクノロジーの世界において、一部の問題が周期的に起きることは注目に値する。しかも、問題発生のスケジュールはすでに決まっている[15]。よほどの世間知らずでもない限り、この手の技術的な時限爆弾の可能性から、陰謀論がたくさん生まれることは予想がつくだろう。結局のところ、私たちが生きているのは、陰謀論トリビアボードゲーム（アルミ箔の帽子は付いていません[16]）が、二〇一七年の発売以降、第三版まで市場に投入され、拡張パックが何弾も売れ続ける時代なのだ（「アルミ箔の帽子」とは、陰謀論者などが電磁波攻撃やマインドコントロールから脳を守るためと称して被る、アルミホイルを何重にも重ねてつくった帽子）。このボードゲームは、インターネットで話題の陰謀論についてプレイヤーどうしが知識を競うゲームであり、「真実を暴く」ためのQRコードも付いている（陰謀論者のブルース・シールの著書『二〇三八年に向けた警告のあと（After the Warning to 2038）』（未邦訳）に書かれた、文明は「時間切れになる」という彼の予言は、もし『二〇一六年の警告のあと（After the Warning 2016）』（未邦訳）という彼の前著がなければ、個人的にもっと懸念を掻き立てられたかもしれない。そのいっぽう、二〇一六年をとりわけ悲惨な年と考える人は多い）。

問題発生のカレンダーには、一度きりで終わる問題もあるが、何度も繰り返し起きる問題も含まれる。一三年、もしくは一七年周期で発生する「ブルードX（テン）」という周期ゼミもそうだ。そのセミが二〇二一年に大量発生した。ということは、次は一七年後の二〇三八年に発生する。セミとバッタを混同する人は多いが、大量発生の数と、オスがメスを引き寄せる鳴き声において、そのふたつはまったく別物だ。まず、バッタと違ってセミは食用になる。中国料理のシェフはその幼虫を素揚げにするのだ。

なぜ二〇三八年に発生するセミに関心が向くのか。それも、やはりテクノロジーと関係がある。つい最近まで、セミが発生する周期を正確に予測することは難しかった。二〇一九年に、専門家が「シケイダ・サファリ」（周期ゼミの発生や分布をマッピングするアプリ。シケイダはセミのこと）を開発した。そのアプリのダウンロード回数は、すでに一五万回を超えている。セミは長い年月を地面の下で過ごし、「周期的に」羽化する。そして、アプリのユーザーは、セミの幼虫をジオタグ付きの写真に撮って投稿することで、セミを追跡する専門家の調査を手伝う[17]。

一三年もしくは一七年という高度に進化した周期の一部が、かつてより短くなったことを突き止められたのはテクノロジーのおかげだ。周期が短くなった理由は気候変動であり、今後さらに短くなるかもしれない。セミは炭鉱の新たなカナリアである。

《ニューヨーカー》誌のライターであるイアン・フレイザーは書いている。

セミの幼虫は地中温度が一七・八度になると地上に出てくる。毎年一月に地中がその温度になると、どんなことが起きるのか。あるいは、もし地中温度が一年中一七・八度を下まわらなければどうなるのか。地球上の私たちが暮らす地域は、今日のセミの四世代目のひ孫――いまから一〇二年後の二一二三年に羽化するセミ――にとっては、暑すぎるかもしれない[18]。

脅威に曝されているのは、もちろんセミだけではない。世界自然保護基金（ＷＷＦ）によれば、種は自然絶滅率（人類が存在しなかった場合の絶滅率）の一〇〇〇倍から一万倍の速度で絶滅しているという[19]。ＷＷＦの推計するところ、毎年一万種から一〇万種が絶滅している計算になる[20]。

これを、たいして重大なこととは思わないだろうか。高名な生物学者のポール・Ｒ・エーリックによる次の言葉をじっくり考えてみれば、重大だと思うはずだ。「ほかの種を絶滅に追いやることで、人類は自分たちが腰かけている木の枝を、せっせと切り落としている」。この警告は、ニューヨークにある、アメリカ自然史博物館の生物多様性ホールの壁を飾っている。セントラルパークで放たれたムクドリ（イントロダクション参照）の例からもわかるように、人間、植物、あらゆる生き物がエコシステムを構成し、それぞれがほかのあらゆる種に影響を与えている。同じ考えで、私たちは近い将来を考えることができる。二〇二五年にとった措置は、二〇三八年にはその影響が現れるだろう。それがどんな影響か、正確に予測することはできない。私たちにできる最善のことは、そのような相互関連性に常に目を光らせ、世界が制御不可能な状況に陥るのを阻止することだ。

本書で、二〇年後の世界をかたちづくるふたつの重要な要素について触れてきた。ひとつはテクノロジー。これは恩恵であり脅威でもある。もうひとつは地球温暖化。あまりにも差し迫った問題のために、恐怖で身がすくむことも積極的行動主義に出ることも同じくらい適切な反応だ。そして三番目のメガ要素を加えるならば、今回のパンデミックの長く影を落とす影響である。健康に及ぼす影響というよりは、私たちの働き方、学び方、暮らし方に及ぼす変化である。私たちは生活の何を優先するのだろうか。

テクノロジー、気候、パンデミック。この三つの撚り糸は、現在から二〇三八年の、そしてそれ以降の新たなパターンを織り上げていく。本書ではここまで、二〇〇〇年以降の社会をかたちづくってきた要素と文脈について詳細に見てきた。次章では最低でも今後二〇年の軌道を決める一〇のメガトレンドを紹介しよう。それとともに、個人的世界を、そしてビジネス世界を再編成するサブトレンドについても整理する。

第一六章　二〇三八年の世界

アーリー・アダプターで、トレンド預言者（ちなみに、私はこの言葉が大嫌いだ）である私の立場から言っても、デジタル化がたった二〇年で、私たちの世界を一変させてしまったことは驚きだ。一九九〇年代末に映画をストリーミングするためには、テレビを電話回線につなぎ、映画のタイトルを注文して、接続を待たなければならなかった。

《ガーディアン》紙の記事によると、《ニューヨークタイムズ・ブックレビュー》の編集者であるパメラ・ポールは、いまでも映画を見る時には、ネットフリックスからレンタルDVDを郵送してもらうのだという[1]。そんなサービスがいまだ絶滅していないことすら、知らなかった。パメラは自分（と子どもたち）のデジタル利用を厳しく制限し、いまなお音楽はCDで聴き、小切手は郵送し、タブレットを避けている。多くの人と同じように、パメラもアナログ世界との離別によって失ったものを嘆く。それは、GPSなしで目的地にたどり着く能力から、子ども時代に味わった退屈な時間までと幅広い。「退屈には役割があります」とパメラは言う。「インプットするものが何もない時、アウトプットしますね。そんなふうにして、私たちはいろいろなな能力を身につけるのです」[2]。パメラが指摘するのは、私も非常に懸念している問題だ。すなわち創造力に富み、困難を跳ね返す力を持った新たな世代を、私たちはどうやって育てればいいのか。彼らはデバイスを片時も離さない。だから、深く考えたり、自分自身の想像の世界をつくり出したりする時間がほとんどない。子どもたちには、いまでも空想上の友だちがいるのだろうか。それとも、カートゥーンやビデオゲームのキャラクターや、デバイスでストリーミングされる登場人物に、とっくに乗っ取られてしまったのか。

明らかなのは、二〇三八年やさらにその先のことを考える時、今日の若者が受け継ぐ世界が、私が子ども時代に思い描いた世界よりも、はるかに複雑なことだ。彼らの子どもたちが生まれる時代を想像してほしい。

子どもの頃、大の読書家だった私は『宝島』（光文社ほか）や『さらわれて――デイビッド・バルフォアの冒険』（平凡社ほか）が大好きだった。著者であるロバート・ルイス・スティーブンソンの言葉をいまも時々思い出す。「あなたが刈り取った収穫でその日を判断するな。撒いた種で判断せよ」

本書で、私は誰かが撒く種を撒こうとする。ここまで私は、社会政治的、文化的、環境的、技術的トレンドについて個人的、専門的な洞察を紹介してきた。どれも、過去二〇年にわたって私たちの生活をかたちづくってきたトレンドであり、明日の生活に影響を与えるトレンドである。本書で何度も繰り返して取り上げてきたテーマがある。そのテーマをここで再び、一〇個のメガトレンドとして整理してまとめよう。

①：母なる自然は反撃している。しかも、激しく怒っている

それも当然だろう。世界は炎に包まれ、人間と自然との長年の対立は、地球と未来とを守る闘いになってしまった。

②：現在と将来の混乱は加速し、さらに勢いを増す

そして、私たちのメンタルヘルスと幸福に絶え間ない試練を突きつける。多くのものごとが超高速で進展し、信頼に足るエンゲージメントのルールはほとんどない。混乱を引き起こす力は執拗で非常に強いため、素早く制御することはできない。確実と感じられる——あるいは心の平穏を得られる——ものは何もない。

③：世界のふたつの超大国に、私たちが求める未来をもたらす力はない

政治と経済の覇権を争う闘いにおいて、アメリカも中国も、優位を維持するか強固にしようと迅速に動くが、成果を出せずにいる。世界が直面する大きな困難が、世界的な協力と犠牲を必要とするいま、国民国家の歴史的な支配はますます持続不可能なものになりつつある。

④：絶望的な時代に必要なのは、絶望的な状況から生まれる計画だ

これには、窮地に追い詰められた時のメンタリティと、非常事態に備える暫定協定（平和共存）の

考え方も含まれる。出口戦略もそのひとつだ。誰と、どこへ、どのように、何の目的で逃げるのかを、一人ひとりがじっくり考えなければならない。

⑤：境界がぼやけて混沌が増す世界で、明確なスイムレーン（水路）を確立する圧力が強まる

境界が崩壊し、絶対的なものが混乱状態に陥り、強制するのがより難しくなるいっぽう、多くの境界が新たに強化される。

⑥：スモールが新たなビッグになる

ごくシンプルな喜びを味わい、小さなものを使いこなすようになる。自分にとって扱いやすいスケール感は、混乱のストレスと変化のスピードに対する解毒剤である。

⑦：新たな贅沢はごくシンプルなもの。それは、一息つける時間と空間だ

モノ、不確実性、感情的な負担。これらが過剰に積み重なる世界において、自己を新たに発見し、秩序を取り戻す時間は非常に貴重になった。誰もが、現代生活の試練や苦難を――心身ともに――和らげてくれる確かな時間と空間を切望する。

⑧：公平は新たなスローガン

社会は多くの点でとてつもなくバランスを欠いている。重要な資源へのアクセスと富において、とりわけその傾向が著しい。選ばれたごく一部の者はあり余るほどの富を手に入れ、それ以外の者は、不公平な分け前について激しい怒りや恨みを募らせるばかりだ。

⑨：フレキシブルなアイデンティティ

厳格なジェンダーロールと女らしさ／男らしさの画一的な定義は、柔軟な組み合わせに変わりつつあるが、それはまた心の傷を癒すとともに、新たな戦線を開く。アイデンティティは、コンクリートで打ち固めたものではなく、砂の型にはめられたように柔軟なものだ。

⑩：自己が中心に

社会的、文化的な制度が流動的で、内向き志向に陥る時、私たちは個人の体験や成長、パーソナルブランディングを重視する。そして〝自分と同類の〟人たちを中心とする制度やシステムを新たに築いたり、そこに参加したりしようとする。理由はふたつ。自分たちの利益を守るためと、みずからが考える最善の解決策をつくり出して、実行するためだ。

程度の差はあれ、一〇個のメガトレンドは交差し、重なり合っている。とはいえ、その一つひとつが物語るのは、私たちを取り巻く環境が根本的に変化していることであり、そのなかで私たちが主導権を発揮し、未来を守り、真正のものと意味とを見つけ出そうとしていることだ。

ここに紹介した一〇個のメガトレンドは、二〇三八年に私たちがどのように暮らし、働き、考えるのかについて、集団にも個人にも極めて大きな影響を及ぼすだろう。これら以外にも、私たちに試練をもたらし、私たちの未来をかたちづくる動向、変化、展開がある。そのなかから、とりわけ大きな影響を与えると思われるサブトレンドを紹介しよう。

1：早期警告システムとサイバー監視

パンデミックによる莫大な犠牲者数、経済状況の悪化、社会の混乱。これらに衝撃を受けて、世界中のテクノロジー企業と保健当局が協力して、感染症事前警告システム（ＣＡＷＳ）を創設しているだろう。二〇二〇年代に人びとがフィットネス・トラッカーをつけているように、二〇三八年には非侵襲性の個人用ＣＡＷＳ技術を活用している。これは、生物指標（酸素飽和度や炎症マーカーなど）の変化を検出してデータを集約し、新興感染症発生の可能性を知らせる技術だ。そのためには、機密保持と人権の保障（あるいは妥協）が必要になる。それはまた、これらのシステムを悪用しようとする、企業の利害関係者、専門家、犯罪者にとって大きな魅力をつくり出してしまう。

これまでのところ、センサーを埋め込んだブレスレットや時計の採用が、監視と悪用に対する懸念を理由に遅れたことはほとんどなかった。これらは、一部の国では健康デバイスとして利用され、別の国では装着者の心拍数や体温、汗などを測定して、感染追跡を有効にする義務的なＩＤブレスレットとして考えられてきた。すでに述べたように、中国はディープコントロール技術の精度をあげようとし、顔の筋肉の動き、声のトーン、からだの動きを観察することはもちろん、個人の感情まで読み取ろうとしているらしい。(3)習近平の肖像画を見る時には、みなもっと熱心に見つめたほうがいい。

二〇三八年にはより多くの国家と企業が、このテクノロジーを使って、政治や商業分野のメッセージに対する反応を監視しているだろう。この種のテクノロジーはすでにシリコンバレーに存在する。いまはまだ、政治的なコントロールには利用されていないが、二〇三八年には、脅威と認識された状況で活用されていてもおかしくない。

〝ビッグ・ブラザー〟が設置した街角の監視カメラと人工衛星は、あなたの姿を捉えることができる。もしあなたが接続したデバイスを使っているならば、おそらくあなたの声も聞こえているはずだ。そのテクノロジーもすでに存在し、利用に向けて社会の承諾は高まっていく。二〇三八年、監視は警備を理由にいま以上に普及しているはずだ。

2：ロボ革命

人びとの働き方に現れ始めていた変化は、パンデミックによって加速するとともに、新たな変化の到来を告げた。それを可能にしたのはテクノロジーである。ＡＩとロボットの急速な発達は、仕事と経済の革命をさらに速めるだろう。肉体労働から高度な専門職の仕事まで、かつて労働者が行なっていた多くの職務は、機械を使えばより速く、より安く遂行できる。これは、機械をつくり出し、制御できるごく限られた人たちに莫大な富をもたらす。そのいっぽう、数千万人の労働者が仕事にあぶれ、社会で激しい衝突が起こり、政治的な対立を生み出す。多くの痛みを味わい、実験を重ねたあとに、社会はニューＡＩディール政策を実施するのかもしれない。さまざまな方策のなかでも、とりわけこの政策は、倉庫労働者や配達ドライバーとともに、従来の仕事がなくなってしまった人たちにとって、意義ある活動に就きやすくなる。たとえ信心深くなくても、「悪魔は怠け者に仕事を与える」ということわざには納得するはずだ（仕事などをしていない者に限って悪事に手を染めたり、トラブルに巻き込まれたりしがちだという意味）。社会とつながっていると純粋に思えるためには、自分が社会の役に立っているという実感や自尊心が必要なのだ。

3：午後五時には仕事を終える

「最初に仕事を発明して、自由を束縛したのは誰か……耕し、機（はた）を織り、鉄床（かなとこ）で鉄を鍛え、鋤（すき）で土を起こす——そして、ああ。何より悲しいのは、机の枯れ木に向かい単調で退屈な仕事をすることだ」。これはイングランドのエッセイストで詩人のチャールズ・ラムが、一八一九年に綴った詩である。[4] この時から二世紀が過ぎ、社会はもっと賢明な方法で前へ進もうとしている。

二〇三八年には、通勤とリモートを組み合わせることも含め、ハイブリッドなアプローチが生活のあちこちで見られ、朝のコーヒー、スクールバス、フードデリバリーと同じくらい当たり前になっているだろう。オンライン会議で「ミュートになっていますよ」という言葉は、日常生活のサウンドトラックの一部になっているはずだ。多くの人にとって「通勤する」とは、たとえ出勤するにしても、ほんのたまに会社に出向くという意味になる。

労働慣行を新たにすることは、時間について考え直すことだ。業界全般にわたって、月曜から金曜までの産業時計——すなわち、産業労働者のためにつくられたスケジュール通りの通勤や研修——は、それぞれの労働者に合った時計に変わる。最も運がいいのは、体内時計、ライフスタイル、家庭生活のリズムに従ってログオンし、働いたり学んだりする者だ。「常にオン状態」が合っているのは、オンラインショップくらいのものだと気づくのではないか。仕事は続く。だが、仕事をする時間としない時間との区別が明瞭になる。一人ひとりが最も適したスケジュールで仕事に精を出す。

従来型のオフィスはおそらくなくならない。だがその多くは、おもに職場として残るのではなく、協力し、イベントを催し、顧客や仕事仲間と打ち合わせをするコミュニティセンターのような役目を果たすことになる。生産性の高い組織は、従業員にツールを支給し、デジタルテクノロジーを使って気軽に連絡できるようにし、どこにいても最善の仕事ができる仕組みが整った組織である。一日の就労時間はやはり重要だろうが、従業員は第一にアウトプットで判断される。二〇世紀半ばに、働いた時間で報酬を請求したほうがもっと儲かることに弁護士が気づく前は、ホワイトカラーもアウトプットで判断されるのが普通だった[5]。

第三二代アメリカ大統領フランクリン・D・ルーズベルトが公正労働基準法に署名して、多くの従業員の労働時間を週五日、四〇時間と決めたのは一九三八年のことである。それから一〇〇年後の二〇三八年には、多くの国と産業で週四日労働が標準になっているかもしれない。アイスランドではすでに週四日勤務が実施され、成功している。それがさらに短縮されたとしても驚かないことだ。スウェーデンで行なわれた実験では、一日六時間労働によって生産性が向上し、働く意欲、幸福感が増すことが明らかになった[6]。自動化と失業はあっという間に起きる。同僚のロボットを除けば、労働文化として残るのはあまり厳格でない制度や慣習だけだろう。

昔のオフィスがどんな感じだったか、親が説明しないと、もはや子どもにはわからない時代がやってくる。毎日、朝と夕方に何時間もかけて通勤し、月曜から金曜まで、朝九時から夕方五時まで働くのが当たり前だった時代のことを。

4：学校教育

教育についても、仕事と同じことが言える。二〇二〇～二一年のロックダウンのあいだ、世界中のあちこちで学校が閉鎖されて在宅学習が否応なく始まり、私たちはそのアプローチのプラス面とマイナス面とを受け入れ、失敗から学んだ。将来的に、週に四～五日通学するのは小学生だけになるだろう。しかもその目的のほとんどは、働く親の負担を減らすためと、子どもの社会化を促すためである。小学生以上は、普段は（デバイスや通信環境の格差の問題が解決するとして）オンラインで学び、課外活動などに参加する時だけ通学する。高等教育はもっとスキルを重視し、モジュール型でカスタマイズされ、学生は学びながらいろいろな資格を取得し、実務経験を積み上げる。

年配の人たちが「留守電をチェックする」「テープを聞く」などと言うように、私たちも「学校に行く」という言葉を使ったとして、二〇三八年には「学校に行く」とは在宅で学ぶか、インタラクティブ設備の整った近所の学習スペースに出かける、という意味かもしれない。その頃になると、いまの私たちが体験しているオンライン学習とはがらりと変わっている。触覚技術とは、感触や動きなどの感覚を刺激するテクノロジーを指し、実際にモノを触っているような感触が味わえる。二〇三八年には、そのテクノロジーが格段に発達し、リモート学習においても〝リアルな〟感覚が味わえ、実習やバーチャルな研修に新たな道が開ける。

カギとなるのはやはりテクノロジーである。二〇三八年にはコンピュータと接続性はほぼ世界共通レベルになり（二〇二一年時点でオンラインに接続していたのは、世界中で一〇人中六人以上だった[7]）、ほんの数十年前には想像もつかなかったくらい、教育機会は著しく拡大しているはずだ。過去には実家を離れられずに大学進学を諦めた人や、基準を下まわる教育レベルの学区から離れられなかった人にとっても、オンライン学習はゲームチェンジャーとなる。アップスキリングは新たなバズワードだ。いま持っているスキルを向上させるために、手頃な価格で教育を購入することになる。資格を取って昇進や転職につなげたり、もっとお金を稼いだりするためかもしれない。あるいは、知識欲を満たしたい人もいるはずだ。彼らにとって、新たな知識体系を築き、理解を深めることはそれだけで喜びだからだ。

5：フィンテック

生活の多くの領域と同様に、テクノロジーは金融にも決定的な影響を与えるだろう。規模の大小に限らず、ほとんどの取引はすでに電子化され、デジタル台帳のあいだで1と0に変換されている。それでもそれらのバイトは、各国政府が発行し、管理するドル、ユーロ、円、元、ポンドなどの従来型の通貨を表す。二〇三八年には、暗号通貨がますます標準になっているだろう[8]。一部の暗号通貨がドルに代わって、世界の準備通貨になっているかもしれない[9]。デジタル通貨の魅力（と懸念）の最も重要なポイントは、政府が発行したわけではなく、規制されていないことだ。つまり政府の管理外にある。[10]

　ほとんどの領域において私たちの生活がデジタルになったいま、暗号通貨が定番の決済方法になるのも納得がいく（二〇二二年一月一日にニューヨーク市長に就任したエリック・アダムズは、最初の三カ月分の給与をビットコインで受け取りたいと申し出た）。さらには暗号通貨がものの見事に失敗して、一七世紀オランダで起きたチューリップ・バブル崩壊の再現になるのでは、という懸念にも納得がいく。暗号通貨が歳入を高めるとともに、法を遵守する能力を弱体化させないかどうかは、大きく政府の対応にかかっている。[11]

6：テック系巨大企業とトリリオネア

　パンデミックは多くの驚きを生んだが、そのうちのひとつは、一部の富裕層の、それも特にテクノロジー業界の大物たちの著しい富の増加だった。現在の世界的な超富裕層は、二〇〇〇年問題が懸念されていた時代には（もし存在していたとして）まだスタートアップにすぎなかったが、いまでは数十億ドルを稼ぐ大企業を築くことで巨万の富をなした。そしていま、世界は医療関連、教育関連、環境・エネルギー関連、バイオ技術など、さまざまなテクノロジー部門に関心を向け、差し迫った問題に取り組んでいる。今日の十代〜二十代前半の若者のなかには、これらの分野で非凡な才能を発揮して、二〇三八年にウルトラ富裕層の仲間入りをしている者がいるはずだ。

　富裕層が指数関数的に富を積み上げるにつれ、真の富豪のハードルも上がる。ミニオネア（保有資産百万ドル以上）ではなく、ビリオネア（一〇億ドル以上）が富裕層の新たな基準となり、いつかトリリオネア（一兆ドル以上）の登場を予測する者もいる。テスラのCEOイーロン・マスクが、その世界第一号かもしれない[12]。

7：不公平に取り組む

もし正義と常識が打ち勝つのなら、貧困層は、そして自動化か産業自体の消滅によって職を失った者は、二〇三八年にはもっと楽な暮らしを送っているだろう。ユニバーサル・ベーシック・インカム[13]が実施されている可能性は高い。その原資をおもに――自発的にではないにせよ――供給するのが、ケタ外れに業績のいい企業だ。これには、パンデミックのあいだに不適切なほどの巨利を得た企業も含まれる。手段はともかく、より多くの人がロビンフッドの意図は正しかったと思うはずだ。いつの時代においても、金持ちから富を取り上げて貧者に分け与えることは、困窮者を助け、経済的な正義の秤（はかり）のバランスをとる最も直接的な方法である。そのプロセスは、社会の安定と一体性を支える。離婚したベゾスの妻、マッケンジー・スコットの慈善活動のスタイルは個人富裕層を刺激し、目標を絞った寄付を行なうことで社会の発展を促すだろう。

8：デジファブ・ライフ

二〇二五年頃までは、私たちもインターネットでモノを購入する。倉庫に保管されていた有形の商品が梱包されて発送され、手元に配達される。だが３Ｄプリント技術がより高度に発達し、価格も手頃になれば、デジタル・ファブリケータ、すなわちコンピュータ制御の製造機を使って３Ｄプリントした多くの商品が直接、私たちのもとに届けられるようになる。[14] 二〇三八年には、多くの家やオフィスがデジファブ機を備えているはずだ。いまの私たちが、インクジェットプリンタによく文句を言っているように、将来にはデジファブ機を罵る姿を目にするかもしれない。さらにデジファブ機の保守・修理の技術者と、原料のサプライヤー企業がなければ、生活は成り立たなくなる。この新たな〝必要に応じて何でもプリント技術〟のおかげで、世界は無駄な梱包をぐんと減らせる。プラスチックのガラクタを積んで、世界の海洋を行き来する貨物船の数も（港湾で混雑に見舞われる回数も）ずっと少なくなる。今後、ますます増える商店街の空き店舗は、デジファブ機を設置して地元の役に立つには絶好の場所になるのではないだろうか。

9：環境――保護か破壊か

水路を塞ぐ大量のプラスチック。溶けて消滅する氷河。絶滅に瀕する野生動物。過去二〇年にわたって、このような光景が不変の切迫感を生み出してきた。ところがパンデミックによって経済活動の減速を余儀なくされ、移動が制限されると、もはやもとに戻すのは不可能と思われていた世界が垣間見えた。二〇二〇年、慌ただしい活動の一時的な休止によって、ひどく汚染されていた一部の世界に青空が戻ったのだ。[15] 野生動物も姿を現すようになった。[16]

今回の「アンスロポーズ」〔人類の一時停止。パンデミック期間中の人間活動、移動の大幅な減少〕のあいだに学んだ教訓のおかげで、二〇三八年にはもっと軽い足取りで地球上を歩いているかもしれない。環境活動家のグレタ・トゥーンベリが世界の舞台に登場した頃（二〇一八年）に成人を迎えた世代は、二〇年後にはすでに中年と呼べる年齢になっている。そして、彼らの世代がますます企業や政府、文化を動かし、進むべきより良い道をつくり出すに違いない。パンデミックのあいだに、内燃機関エンジンは徐々に廃止され、航空機を使った移動が全面的に減少した。さらに再生エネルギー技術が急速に発達し、環境負荷の少ないニューノーマルをつくり出した。これまでにないほど多くの市民が、エシカル（第三章参照）な目標を抱き、社会や地球環境に配慮した生活を送るようになる。個人のカーボンフットプリントを測定するちょっとしたテクノロジーを使えば、自分にとって大切な地球と生きとし生けるものに、自分の行動が毎日どんな影響を与えているかがわかる。二〇三八年には、プラスチックを食べるバクテリアからスーパー酵素が開発され[17][18]、解決困難とされてきたプラスチック汚染問題がついに制御可能になっているだろう。

いろいろなことと同じように、環境問題についても熱心な国とそうでない国がある。ドイツは、化石燃料による発電を完全に廃止する計画を発表した。二〇三八年には、石炭を燃やす日々は遠く過ぎ去っているはずだ[19]。フィンランドは、二〇二九年に石炭火力を廃止する[20]。アメリカは二〇三五年までに、電力部門において炭素排出を一〇〇パーセント削減するという目標を定めた[21]。

それなら、化石燃料関連企業で働く従業員はどうなるのか。もし何もかもが計画通りに運んだとしたら、それは経済的に石炭に依存していた国が、石炭業界から上がる反対の声にうまく対処し、従業員が新たな産業の職に就けるようスキルアップを後押ししたからに違いない[22]。失業した労働者のなかには、再生可能エネルギー産業で新たな仕事に就く人もいるだろう。多くの人が荒廃したインフラを修理する仕事に就き、若い世代のなかには、二〇二一年にはまだ存在していなかった分野で働く人も現れるはずだ。石炭産業という遺物は、世界中の博物館に追いやられ、一部の炭鉱地帯は遺跡として新たな生命を吹き込まれ、家族が休暇に訪れる観光地になっているかもしれない。

10：次世代のエネルギー源

特定の地域や局地において分散型電源と小規模電力網を幅広く採用することで、テクノロジーは地球に援助の手を差し伸べることになる。太陽光、風力、水力、地熱、バイオマス、バイオガス、マイクロキネティック〔回転体を使って、振動を電気エネルギーに変換する超小型発電〕装置など、基本的な技術のほとんどはまだしばらく生き残る。一九七〇～九〇年代のコンピュータと同じように、課題はこれらの発電テクノロジーをより小さく、より強力に、より手頃な価格でネットワークさせることだが、二〇三八年にはその課題も解決できているはずだ。

家庭を持続可能な電源に移行させる分野で、英国は世界のトップを走る国のひとつだ。政府はすでに再生可能ヒートインセンティブ（ＲＨＩ）を展開し、太陽光温水かバイオマスボイラーなどの再生可能な暖房設備を取りつけた住宅の所有者に、七年にわたって四半期ごとに奨励金を支給する。[23]またスマート輸出保証（ＳＥＧ）プログラムでは、小規模の再生可能エネルギーを発電して送電網に輸出する世帯に、財政的支援を行なう仕組みだ。[24]わずかずつでも、合計すれば大きな成果が望める。英国では二〇二〇年、石炭による発電は全体のたった一・八パーセントだった。これは一〇年前と比べて四〇パーセントの減少であり、英国は二〇五〇年までに二酸化炭素排出の正味ゼロを目標にしている。[25]

11：乾いた地球

最も緊急に解決すべき環境問題のひとつは旱魃だ。二〇三八年には、飲料水はいま以上に希少で、もっと貴重になる。[26] 国は水をめぐって戦争を起こし、水が武器になることすら懸念される。[27] 脱塩技術が向上すれば先進国の市民のニーズは満たせるものの、開発途上地域はひどい水不足に悩まされる。農作物が枯れ、河川や湖は干上がり、砂漠は死に、大量の環境難民が発生する。より多くの人が移住を余儀なくされる。

12：木製品時代の到来

気候問題を解決する支援技術は、デジタルばかりではない。石器時代、鉄器時代、青銅器時代、プラスチック時代のあと、木製品時代が到来すると誰が考えただろうか。木材を用い、ハイテク工学を駆使してさまざまな伝統的木造の家に住めるだけでない。もっと複雑で現代的な、さらには高層の木造建築に住むことも可能だ。[28] 二〇二〇年に日本が、世界初の木造人工衛星を打ち上げるという計画を発表したように、[29] 幅広い生活分野で木を活用できる。すでに明らかなように、コンクリート、プラスチック、鉄鋼の代わりに、独創的な発想を使えば、環境に有害なコンクリートなどの素材と比べて木材には多くの長所がある。再生可能で、大気中の炭素を固定（光合成）し、リサイクル可能だ。見栄えも美しい。自然は万事心得ているようだ。

13：ミートフリー・ミート

バイオテックもテクノロジーだ。かつて、ヴィーガン主義（第三章参照）の支持者はよくこんなふうに言っていた。もし肉よりも安くて、肉よりもおいしく、肉よりも健康的で、肉よりも環境に害を及ぼさない食品があれば、誰も肉を食べたがらないか欲しがらないだろう、と。その言葉が証明されそうだ。おいしく、栄養たっぷりで、人工的につくられたタンパク質食品によって、ほとんどの先進国や地域で商業用家畜の必要性が低下している。動物の肉以外は「本物の肉じゃない」と主張する人もいるが、その数は年々減少する。肉を食べたいという欲求を満たすために、レストランの客が特別な「代替肉メニュー」を見せてほしいと頼む時代が来るだろう。今日でも一部のレストランでは、ヴィーガンメニューやグルテンフリーメニューを選ぶことができる。肉の代用として人気のあるきのこ類は、《ニューヨークタイムズ》紙で、二〇二〇年の「今年の食材」に選ばれている。今後は、都会においてきのこ栽培が増えるものと思われる[30]。

そしてまた、世界的に畜産業が縮小すれば、環境に大きなメリットをもたらす。問題はひとつ。人工的につくられた肉にぴったりの名前を決めることだ。二〇二〇年代には、代替肉の開発・製造企業は、弊社の「ミートフリー・ミート（肉を使わない肉）」は、これこれの動物のこれこれの部位の味わいと食感を再現しました、と誇らしげに宣言する。二〇三八年には、そのような発言の動物に関する部分はもはや評価基準ではなくなり、強い嫌悪感を表す顧客が増えるかもしれない。

14：都市の価値を高める緑地

都市はこれまでにもプレステージ性を高め、多くの住民を集めようと競い合ってきた。世界一高いビルが聳える都市はどこか。どこよりもアートシーンが豊かな都市は？　素晴らしいレストランや大学のある都市は？　どの都市が最も公共交通機関が優れているか、など。だが、今後二〇年のあいだに競争の種類は変わっていくだろう。最も緑豊かで、最も健康的で、どこよりも持続可能は都市はどこか。

コンクリートジャングルにおいて、緑地は都市に誇りをもたらす。樹々は、コンクリートやアスファルトの蓄熱効果を相殺してくれる。大気汚染を濾過する。幸福感をもたらし、ストレスを減らす。都市生活者が街を歩きたくなる。風の力を弱め、豪雨による雨水の流れを吸収してくれる。

パンデミックとそれに伴う生活空間の見直しが始まる以前、パリはすでに四つの歴史地区に、都会の森をつくる緑地化構想を発表していた。ソウルは、小さな森や庭に二〇〇〇本以上を植樹した。リモートワークという選択肢が、多くの都市生活者を緑豊かな場所へ手招きした。その動向を受けて、都市のリーダーたちは都市空間にもっと緑地を増やすことで、自然を求める市民の要望に応えるとともに、税金の流出に歯止めをかけようとするだろう。ジョージア州アトランタ市は「森のなかの都市」という評判を誇っている。だが、緑地面積の最も広い都市がどこかについては、あちこちの都市が激しく競い合い、その決着をつけようと、「ツリーペディア」〔MITが世界中の都市を対象に、緑地の分布状況をマップで可視化したウェブサイト〕では、航空写真とストリートビューのデータをもとに、インタラクティブな都市マップを作成している。いまのところ、最も樹冠面積が広い都市はフロリダ州タンパだ（樹々に覆われた都市表面は、全体の三六・一パーセント）。だが、二五パーセントを超える都市は、ブレダ（オランダ）、モントリオール、オスロ（ノルウェー）、シンガポール、シドニー、バンクーバーなどほかにもある。[31] メルボルンもリスト入りを目指し、二〇四〇年までには、樹冠面積をいまのほぼ二倍の四〇パーセントにする計画を発表した。[32] 四〇パーセントという数字は、樹々が都市を冷却する最大の効果が得られる目安だという。[33]

15：田舎暮らし

もし都会のオフィスで働かなくてもいいのなら、なぜ都会で暮らすのか。もっと言うなら、なぜ郊外に住むのか。なぜ田舎の奥まった場所で、海辺の小さな家で、カリブ海のハウスボートで、夢の暮らしを実現しないのか。信頼性の高い通信テクノロジーと新しい働き方が登場して、夢の暮らしがとつぜん可能になったのだ。

そのようなトレンドは、とっくにかたちをとり始めている。パンデミック以前には、誰も職場や都市が提供する娯楽から離れたくはなかった。そして、みなが競うように住宅や利便性の高いサービスを求めたために、土地やモノの価格が上昇し、都市は多額の出費を伴う生活空間になってしまった。それに対して、田舎はもっとこぢんまりして人口密度も低い。緑も多く、空気は新鮮で、とりわけ住むのには適している。私たちは以前よりも安全性の問題に敏感になった。その点、パンデミックに対する懸念と物理的な身の安全の両方で田舎は魅力的だ。私たちはまた、きれいな空気がからだに及ぼす健康効果についても、自然の眺望や「森林浴」[34]、土や草、砂の上を裸足で歩くことが精神に及ぼす健康効果についても、以前より関心を持つようになった。そのうえ、増加の一途をたどるプレッパー（イントロダクション参照）やサバイバリストにとっても、田舎は大きな魅力がある。

将来、小さな町のメインストリートは世界中で復活を遂げているだろう。かつて町の住民を引き寄せていた店は、とっくに潰れてしまった。回転率が低く、採算が合わず、オンラインショップや郊外型の巨大ショッピングモールとの激しい競争に勝てなかったからだ。現在、小さな都市と大きな町は、街の中心部で新たな利用実験を実施している。小さな町の住民も大都市の住民と同じように、バーチャルライフで我慢しなければならなくなった。彼らは出歩き、ともに楽しめる機会や場所を求めている。

都市の経済は、裕福な税基盤を大量に失うことにどう適応するのだろうか。生活費の高さから以前は都会で暮らせなかった大学生を引き寄せる、うまい方法が見つけ出せるだろうか。いっぽうの田舎は、都会からの移住者をうまく吸収できるだろうか。田舎の住民も、移住者を歓迎しているだろうか。都会からやってきて、手つかずの自然を破壊したり異常気象の被害に遭ったりしそうな場所に、家を建てようとする人もいるはずだ。それを諦めてもらうために、どんな措置がとれるだろうか。都会から田舎へ、田舎から都会へ。どちらの場合でも、移住者が新たな課題を持ち込む可能性がある。

16：常に闘いに備えよ

辺鄙（へんぴ）な土地に移住する人のなかには、ドームズディ・プレッパーや集団から離れて暮らしたい人も含まれる。私は数年前から、掩蔽壕（えんぺいごう）メンタリティ〔自分が敵対的な相手に攻撃され、掩蔽壕に閉じ込められているかのように受け取る、疑り深く防御的な態度〕の増加を指摘してきた。そのような態度は、ニューノーマルである混乱に対する反応のひとつであり、その動向の極端な例が世界滅亡の日に備えるドームズディ・プレッパーである。彼らの多くは、長年にわたってさまざまなモノ（と、アメリカでは銃）を蓄えてきた。

新型コロナウイルス感染症が、プレッパー仲間を増やすことはまず間違いない。ひとつには、筋金入りの信奉者が加わる。もうひとつには、単に次の危機に備えたいという一般市民が新たに参加する。個人は以前よりはるかに真剣に（ペットボトルの水、缶詰、燃料を）買い置きし、企業は（恐怖を煽るいっぽう）私たちの新たな要望を満たす事業に乗り出すだろう。ウォルマートでは、長期の非常事態に備える防災食セットが買える。二〇二八年には、最先端のジムや豪華なクラブハウスはもちろん、非常事態に備えた高級アパートメントや住宅開発が一般的になっているだろう。アメリカで小さな町の警察が備えているのは、車両を停めて職務質問する際の装備に限らない。軍用車両、個人用防護具、あるいは戦場で目にするような装備まで準備している。高級住宅街がパトロールのために、特殊部隊を配備するのも時間の問題かもしれない。

17：ヘルスケア

医療の発達に伴い、金銭的な余裕のある人は最先端の治療が受けられ、ますます健康的な生活が望める。何億人もの人が老化現象に必死で抗おうとする動向に伴い、医療やテクノロジーの専門家にとって、老人学関連のリサーチが最優先のテーマのひとつになる。

今日の生体電気インプラント――心臓が正常なリズムで鼓動するためのペースメーカーや、聴力を改善するために蝸牛に埋め込む人工内耳など――は、今後、発達が期待できるテクノロジーのごく一部にすぎない。言ってみれば、私たち人間のOSの所在地である脳は、生活の向上にとって最大の可能性を秘めた臓器かもしれないのだ[35]。脳損傷、脳卒中、アルツハイマーによって失われた記憶を回復させるとともに、損傷を修復するコンピュータチップのインプラントは、簡単に手に入るようになるはずだ[36]。幹細胞移植と再生治療は、脊髄損傷による機能の回復が見込める[37]。

迅速に開発された新型コロナウイルス感染症のワクチンは、多くの人にメッセンジャーRNA技術の驚異を披露した[38]。今後数十年、リサーチャーはメッセンジャーRNA医薬品の可能性を十二分に利用して、ウイルス性疾患との闘いに取り組むことになる。またCRISPR技術〔標的とする遺伝子のDNA配列を改変できるゲノム編集技術〕の急速な進歩を受けて[39]、たとえば嚢胞性線維症、多発性硬化症、さまざまな種類のがんなど非感染性疾患の根絶が視野に入ってきた。

だが、最大の賜物は、ごく一般的で治療費が高く、二一世紀の致死的な疾患である2型糖尿病、脳卒中、循環器疾患の治療だろう。これらは、世界の非感染性疾患による死亡者の多くを占めている[40]。これらの病に冒された人が、いますぐにでもライフスタイルを改善して、病状が好転する望みはほとんどない。それどころか、動向はその反対に向かっている。というわけで、窮地を救うのは専門家次第と言えるだろう。

18：絶望という名の病

ほんの少し前まで、メンタルヘルスの問題は恥ずべきものであり、何が何でも雇用者、近所の人、さらには家族からも隠し通さなければならない病気だ、と広く考えられていた。メンタルヘルスの問題はタブーだった。その話を持ち出していいのは、ロビン・ウィリアムズのような俳優やゴッホのような芸術家といった、精神を病んだ天才について話す時だけだった。ところがいまでは、メンタルヘルスについて話さないことは——とりわけパンデミックという文脈においては——ますます難しい。二〇二〇年一二月にアメリカ国勢調査局が実施した調査で、不安か抑うつの症状を訴えた人は、一〇人中四人以上にのぼったという。これは前年比一一パーセント増だった[41]。同じように、英国国家統計局（ＯＮＳ）が二〇二〇年一二月に行なった調査は、回答者の一九パーセントに抑うつ症状が見られたと報告している。この数字は、パンデミックが始まる以前のほぼ二倍だった[42]。

新型コロナウイルス感染症によって、メンタルヘルスの問題が悪化したことは間違いない。とはいえ、不安や抑うつと診断されたり、薬物乱用やアルコール依存症に陥ったり、自殺を考えたり実行したりする人の割合の増加は、何年も前から定期的にニュースのヘッドラインを飾ってきた（ＳＮＳの利用との関係を含む）。保健機関はこの問題を「絶望病」と名づけた[43]。国連の報告は、メンタルヘルス障害は社会と経済に莫大な負担をかけ、自殺は現在、一五〜二九歳の若者で二番目に多い死因だと指摘する。彼らには頼りにできる専門家がいない。世界的に見て、メンタルヘルスの専門家は人口一万人にひとりにも満たないのが現状だ。労働者が不安や抑うつを訴えることで生じる世界経済の損失は、年間一〇兆ドルを超えると推測されている[44]。

現在から二〇三八年までのあいだに、世界はメンタルヘルスの悪化にもっと注目し、より多くの資金を投入して解決策を見つけ出そうとする。メンディ〔脳を強化する訓練が行なえるヘッドセット〕やミューーズ〔脳活動を測定するヘッドバンド〕のような、ウェアラブル型脳波フィードバック・デバイスと一緒に活用できる、精緻なアプリも登場する。オンラインにせよ直接対面にせよ、セラピーは健康を維持するための標準的な手段であり、隠すべきものではないと考えられるようになる。企業は規模を問わず、支援システムの充実により真剣に取り組むことになる。多様でインクルーシブな職場を築いたり、より親密なコミュニティ感覚をつくり出したりする「従業員リソースグループ（ＥＲＧ）」の設置もそのひとつである。

19：虚偽情報時代の民主主義

政府にとって、コントロールの維持は容易なことではない。暗号通貨は勢いを増し、巨額の富はごく一部の人間の手に集中する。気候変動は深刻な影響を及ぼす。これらは国民国家の安定に、さらには生存能力に重大な脅威をもたらす。全体主義大国への道を歩み始めるか歩み続ける国もあれば、バラバラに崩壊する国もある――民族か宗教の純粋性を維持し、党派や宗派の争いを回避するために、小さな単位に分裂するのだ。

二一世紀の最初の二〇年に、私たちが世界規模で目撃してきたのは、緊急の課題を解決する民主主義の能力に対する信頼の失墜だった[45]。今後の二〇年、民主主義はもはや、国家を運営していく最善の（あるいは最もまともな）方法とはみなされないのではないだろうか。これについても、テクノロジーの影響が歴然としている。

今回のパンデミックからも明白なように、現実に対する私たちの共通認識は崩壊している。二〇年前、何かの問題について私とあなたの意見は違っていたかもしれない。だが、少なくとも、現実――

つまり基本的事実──については共通認識があった。二〇年前にも、宇宙人や秘密結社や陰謀論について少々おかしな考えの持ち主はいた。とはいえ、彼らはたいてい世間から孤立した個人か、少人数の集団のメンバーだった。ところがいまは、そして今後も、彼らのような個人や集団はオンラインで簡単に仲間を見つけ出し、数百万人規模の集団にまとまることができる。多くの現実がバーチャルで、つまり画面越しにもたらされる世の中では、彼らが選んだ情報の門番が示した、彼ら独自の「オルタナティブ・ファクト」を信じる、彼らだけの現実のなかに逃避することは充分に可能なのだ。

ディープフェイク技術の急速な発達は、オルタネイト・リアリティの進化を促す[46]。動画と音声を駆使して、真実と見分けのつかない偽の場面をつくり出す。恐ろしい虚偽でさえ、〝事実の記録〟という視覚証明のお墨つきを得て拡散してしまう。

政府や国際機関が、気候変動や種の絶滅などの重要な問題に取り組むためには、世間の支持を集める必要がある。ところが、新たな若者世代がプラスの変化を起こしているにもかかわらず、ディープフェイクの台頭のせいで、その支持を集めることがますます難しくなってしまう。しかも、国家が関与しない暗号通貨が広く採用されると、政府歳入は減少する。民主主義は暗闇のなかだけで死ぬのではない。不満と断絶のなかでも死に絶えるのだ（「民主主義は暗闇に死す」は、もともとウォーターゲート事件を暴いたジャーナリストのボブ・ウッドワードの言葉。ジェフ・ベゾスが所有する《ワシントンポスト》紙が、二〇一七年に同紙の公式スローガンに掲げ、トランプ大統領への対決姿勢を示した）。

20：母なる大陸

中国の台頭に注目が集まっているが、私たちは時々、別の大陸を見落としてしまう。その大陸は、中国、インド、欧州の大部分、海を隔てて隣り合うアメリカを合わせた面積よりも大きい。それはアフリカ大陸だ[47]。アフリカは今日、第四次産業革命のとてつもないテクノロジーの恩恵を受けている。世界経済フォーラムによれば、その革命の「特徴は、物理的、デジタル、生物学的領域の境目を曖昧にするテクノロジーの融合にある」という[48]。二〇二〇年にシンクタンクのブルッキングズ研究所が実施した調査から読みとれるのは、アフリカ全体の経済成長が、ほかの地域の経済成長を上まわり続けることである。現在のところ、急速な経済成長を遂げる世界上位一〇カ国のうちの七カ国を、アフリカの国が占めている[49]。

アフリカは長く欧州との貿易関係を築いてきたが、現在では中国との貿易が五分の一近くを占め、アジアや南米、中東諸国との関係も強化している[50]。

二〇二〇〜五〇年のあいだにアフリカの人口は二倍に増え、二〇五〇年には二五億人に達すると見られる[51]。そのうちの半数が二五歳以下だ。さらに未来に、二二世紀初めに目を向けると、地球上の三人にひとりがアフリカ人になる。世紀が変わる頃には、地球上の若者の半数近くがサハラ以南のアフリカ人ということになるのだ[52]。

ほかの大陸の都市の住民が、田舎へと誘惑する声に心惹かれるいっぽう、アフリカは反対の方向に向かい、都市化が進展する。アフリカには人口一〇〇万人超を抱える都市がすでに欧州と同じくらいあり、中国と同じくらい都市化が進んでいる[53]。二〇三〇年頃には、人口の半数が都市に暮らし[54]、生産性を押し上げ、労働人口が農業から工業、ハイテク産業、サービス業、製造業へと移動する。「ノリウッド」と呼ばれるナイジェリアの映画産業は、年間二五〇〇本の映画を製作し、その本数はすでにハリウッドを抜き、ムンバイの「ボリウッド」に次いで世界第二位を誇る[55]。二〇〇七年にケニアで創業したモバイル決済サービスの「Mペサ」は、いまではモバイル金融で世界のリーダーとみなされている。

アフリカは将来性の極めて高い大陸だ。だがインドと同じく、より近代的経済への移行がなかなか進まない。その理由には乳児死亡率の高さや短い平均寿命（二〇二一年生まれの女性は六六歳、男性は六三歳。世界の平均はそれぞれ七五歳と七一歳だ[56]）、雇用創出の鈍さ、一部の国のお粗末な統治、気候変動に対する深刻な脆弱性があげられる。

21：ラテンアメリカの未来

コンクリートで固められたように、未来が決まっている国や地域はない。運命を決めるのは、その国や地域がみずからの優位点（天然資源、交易路へのアクセスなど）をどう活用し、コントロールの及ばない外部性にどう対応するかだ。一九四〇〜五〇年代に戦争で荒廃した韓国が、今日のような裕福で教育水準の高い、テクノロジー先進国に発展すると誰が予想しただろうか。中国が二世代も経ずして、政治の混乱と貧困から、ミドルクラスの増え続ける世界第二位の経済大国に駆け上がると、一九七〇年代末にいったい誰が想像しただろうか。かつてアイスランドは北大西洋に浮かぶ、貧しく荒涼とした、わずかな人口を抱える国にすぎなかった。それが世界的な先進デジタル社会へと発展し、二〇一七年にはＩＣＴ開発指数（ＩＣＴ＝情報通信技術の指標を測定したもの）で韓国を抜いてトップに輝いた。そこには、どんな可能性があったのだろうか。[57] 同じように日本、アイルランド、ドイツ、フィンランド、シンガポールなどについても、いまの発展を「誰が予想できただろうか」。いずれにせよ、どの国も困難な状況を克服し、予想を覆したのだ。

ラテンアメリカの動向は、少なくともいまのところ反対の方向に進んでいる。二〇世紀には数十年にわたって裕福だったベネズエラは、一九八〇年代末に原油価格が急落した。経済問題が政治の混乱を招き、一九九八年にウゴ・チャベス政権が誕生した。[58] 二〇一三年にチャベスが亡くなった頃には、とりわけアメリカの制裁の影響で経済はいっそう悪化していた。モノ不足とハイパーインフレに苦しめられ、人口の一六パーセントに当たる、およそ四六〇万人のベネズエラ人が経済難民として国を脱出した。[59] ベネズエラと同じように、アルゼンチンも一世紀前は世界で最も裕福な国のひとつだったが、その後、衰退の一途をたどってきた。[60] 二一世紀になっても、政情不安、債務不履行、ハイパーインフレのサイクルは続いている。そのような苦難にもかかわらず、いまもラテンアメリカで最大の経済国のひとつであることに変わりはなく、GDPはおよそ四五〇〇億ドル超を維持し、エネルギーと農業分野で豊富な天然資源を抱えている。[61]

それなら、今日から二〇三八年のあいだに、ラテンアメリカにはどんなことが起きるだろうか。この地域は大きな国（ブラジル、アルゼンチン、メキシコ）から、比較的小さな国（エルサルバドル、コスタリカ、パナマ）まで幅が広い。さまざまな違いがあるにもかかわらず、将来に向けてどこの国も多かれ少なかれ、同じように顕著な障害を抱えている。

・政治分野：政治制度が弱く、政府に対する信頼性が低い。一般市民の政治への参加意識が低く、暴力や腐敗が蔓延している。
・経済分野：原材料の輸出に過度に依存している。生産性向上が緩やか。貯蓄率、投資率が低い。
・人材分野：教育水準もイノベーション能力も低い。

政情不安な国はもちろん、政治が安定し、市民が政治に参加する長い歴史がある国においても、民主主義がさほど強いものではないことを、近年のアメリカのできごとは証明した。もし政治システムが安定していれば、国民からの幅広い支持による正統性を享受して、利害の対立もバランスをとることができるだろう。ところが、ラテンアメリカの多くの国では、数十年にわたって、そのような安定した政治システムを維持するのは難しかった。そしてどこかの時点で、多くの国が強大な力を誇る軍事独裁者の支配下に落ちてしまった。クーデターの場合もあれば、〝民主的に〟奪取した政権が独裁政権に変わってしまった場合もある。たとえば、ファン・マリーア・ボルダベエリー（ウルグアイ）、アルフレド・ストロエスネル（パラグアイ）、カステロ・ブランコ（ブラジル）、アウグスト・ピノチェト（チリ）、ホルヘ・ラファエル・ビデラ（アルゼンチン）、レオポルド・ガルチェリ（アルゼンチン）、マヌエル・ノリエガ（パナマ）、リオス・モント（グアテマラ）などの将軍や大統領が独裁者として君臨した。ラテンアメリカの人びとにはまた、格差や怒りを悪用するポピュリストに望みを託すという前歴がある。ファン・ペロン（アルゼンチン）やウゴ・チャベス（ベネズエラ）、現在ではニコラス・マドゥロ（ベネズエラ）、ジャイール・ボルソナロ（ブラジル）などの大統領がそうだ。

全体的に見て、彼らのような独裁者や圧制者は、おもに恫喝や人権侵害によってにせよ、社会不安をうまく制御した。しかしながら、その結果、独裁者の常套手段は行き詰まる。目の前の問題に対処するために、ましてや将来に備えるために、国家が必要とする発展を彼らが促すことはない。今回のパンデミックに対する、ラテンアメリカ諸国の対応を見れば明らかだ。感染率も死亡率も世界最悪の水準を記録した。

この地域が向かっている方向を考えると、民主主義に対する一般大衆の支持は低下している。とりわけその傾向が顕著なのが、若い有権者や、あと数年で有権者になる予備軍たち、つまり一六～二四歳の若者グループだ[62]。全米民主主義基金は、ラテンアメリカの民主主義を〝絶体絶命〟のピンチと捉え、その低下に拍車をかけているのは、「伝統的なニュースメディアと専門家を含む、情報源に対する信頼の失墜だ」と指摘する[63]。

現在進行形の腐敗スキャンダル、暴力の復活、脆弱な法の支配の蔓延にもかかわらず、ほかの人と同様に私にも希望が見える。インターネットアクセスは、若者に成功への新たな道筋を示し、起業家精神はこの地域のどの国でも上昇傾向にある[64]。ビジネス界のリーダーも明らかに楽観的だ。国際的な監査・税務事務所「マザー」の「経営幹部バロメーター」によれば、ラテンアメリカで調査に応じた経営幹部の九一パーセントが、二〇二〇年の収益増を見込んでいたという。これは、世界平均の七一パーセントを上まわる数字だ[65]。ポシティブな予測の理由には、テクノロジーの進歩に加えて、かつては先進経済国だけのものだった、リモートワークのようなビジネスモデルの採用も含まれる。

22：〝マルチ〟で行こう

マルチラテラル（多面的な）。マルチナショナル（多国籍の）。マルチリンガル（多言語を操る）。マルチレイシャル（多民族から成る）。マルチプラットフォーム（複数のＯＳ／ハードウェア対応の）。マルチジェネレーショナル（多世代にわたる）など。非常に複雑なこの世界では、個人や組織が単独で問題に取り組むのは難しい。ここで思い出すのは、第二八代アメリカ大統領ウッドロウ・ウィルソンの言葉であり、私は長年にわたってことあるごとに、臆面もなくその言葉を引用してきた。「私は自分の頭脳をすべて使うだけではなく、借りられる頭脳もすべて使う」。このアプローチをあなたにも強くお勧めしたい。

特にビジネスの場面では、協業や協力がより重視されるだろう。好例をあげるなら、データ共有プラットフォームを展開する非営利業界団体の「アキュミュラスシナジー」がそうだろう。これは、バイオ医薬品企業（アムジェン、アステラス、ブリストル・マイヤーズ・スクイブ、ＧＳＫ、ヤンセンファーマ、リリー、ファイザー、ロシェ、サノフィ、タケダ）をスポンサーに集め、「医薬品のイノベーターと保健当局が連携する方法を変革して、安全で有効な医薬品を、より早くより効率的に患者に届けること」を目指している[66]。また、七〇〇社以上の企業から成る独立組織の「クライメート・コラボレーティブ」は、「天然製品業界の力を（利用して）気候変動の逆転」に取り組んでいる[67]。

二〇世紀にアポロ一一号が人類初の月面着陸に成功した時、ＧＥはＮＡＳＡとチームを組んだ。この時のように、官民協力体制の拡大を私は期待している。

全体的に見た時、今日から二〇三八年のあいだにさまざまな動向が姿を現し、徐々に強くなっていくだろう。そのような動向が物語るのは、長期にわたる生き残りへの脅威と世界とが強く結びついているという事実であり、いまの世界のあり方——人びとが働き、暮らす現在の方法——は、私たちが望む将来のかたちではない、と幅広い人が考えていることである。

ある意味、これは将来に期待が持てるのではないだろうか。どんな問題であれ、解決への第一段階は、問題が実際にあると認めることだからだ。今日、未来へと続く道がスムーズに見えると言う人はほとんどいない。数字は恐ろしい事実を示唆している。人びとは不安を覚えている。変化は目の前にある。困難な仕事が待っている。

結論――それは私に何の役に立つのか

　ここまで本書の分析と予測を読んで得た知識を、今度はあなたの置かれた状況とあなた自身の目標にどう活かすのか、について考える時が来た。まずは、目の前の光景やパターンをいつもしっかり見極めることだ。あちこちの場所と時をめぐった本書の旅から、もし学んだものがあるとするならば、本書で触れなかったか、いまはまだ文化的、社会政治的な場面にはっきりと現れていない動向にも、目を見開き、耳を澄まし続けてほしい。好奇心を持とう。難しい質問をしよう。目に見える明らかなことを、そのまま受け入れてはいけない。一時的な流行と長く続く動向を見分けるすべを身につけよう。ネガティブな発見についてよく考えよう。だが、目の前で起きているもっと素晴らしいことについても、問いかけることを忘れてはいけない。あなたが受け入れられる、楽しいことも起きている。近い将来についても遠い未来についても、あなたの考えに楽観主義をとり入れよう。そして、今日、自分に何ができるのかを決めるのだ。それが、すべての人にとって、もっと満足のいく生活を築くことにつながるのだ。

文明批評家のマーシャル・マクルーハンは、著書『グローバル・ヴィレッジ――21世紀の生とメディアの転換』（青弓社）のなかで次のように述べている。「二一世紀最大の発見は、人は光の速さで生きるために生きているのではなかった、という発見だろう」[1]。二〇二〇～二一年、世界の大部分がぱたりと停止した。そしていつものように、陰と陽の対応を解き放った。世界がスローダウンしたのはつらかったが、世界の急停止が私たちに考える時間を、新たな家庭生活をつくり出す時間を、大切なものは何かを決める時間を与えてくれたことはありがたかった。自宅で働ける者は環境の変化に苛立つとともに感謝した。家族と改めて向き合い、親しい友人とのきずなを深め、友だちだと思っていた相手とは疎遠になるのに任せた。新たな関心を見つけた。ゆっくりと呼吸をした。空を見上げて――おそらく初めて――考えた。私たちの命にはどんな意味があるのだろうか、と。そして、ワクチンを接種する人が増え、出勤制限が解かれると、〝パンデミック前〟の生活に戻る人もいれば、〝パンデミック後〟のハイブリッドな生活に適応する人もいた。

ここで最後の予測をお届けしよう。それは、二〇三八年頃には、私たちの多くにとって夢のようなシナリオは、スローライフかもしれないということだ。二〇二〇～二一年の数カ月にわたって、私たちがほんの少しだけ体験したような生活であり、その動向が始まったのは、新型コロナウイルス感染症がヘッドラインを飾るずっと前のことだった。スローフードは、もともと「スローフード」運動と呼ばれた。これは、一九八六年にローマのスペイン広場近くに開店するマクドナルドに対して、繰り広げられた反対運動がきっかけとなった。イタリア人が「ドルチェ・ファル・ニエンテ」――無為の愉しみ――を愛する国民であることを考えると、スロームーブメントが起きたのもなるほどと思える。数年後、イタリアのトスカーナ州にあるキアンティ地方で、「チッタ・スロー（スローシティ）」のネットワーク[2]が誕生する。文字通り、生活をスローダウンすることで、より良い生活の質を楽しむまちづくりを目指そうという運動だ。世界中に広まったこのチッタ・スロー運動に、いまではあちこちの市や町が参加している。[3]どこの市や町も大量生産の文化に反対し、もっとゆったりした、もっと意義のある生活を楽しむまちづくりを進めている。

競争を煽る現代のライフスタイルは、大きな重圧をもたらす。その重圧を拒否するミドルクラスの人たちが増えるのに伴い、「スロー」は世界中のスローガンになるだろう（開発途上国には貧困に喘ぎ、毎日を必死で生き延びている人たちが何億人もいる。彼らの目から見て、先進国のミドルクラスの人たちが感じる重圧は「第一世界問題」〔第二章参照〕以外の何ものでもない）。恵まれた消費者階級の人たちは、北欧の生活哲学をもとに、家族や友人とともに自分たちの生活を見直すのかもしれない。たとえば「足るを知る者は富む」、「パーフェクト・シンプル」、あるいはこのところ注目のデンマークの「ヒュッゲ」である。この言葉は「一緒に過ごす居心地のいい時間」、もしくは社会の流れの安全な場所を意味し、私たちの多くが探し求める新たな価値観になった。募る不安に対する解毒剤であり、不確かな未来へと漕ぎ出す時に、その海原をうまく漕ぎ渡れるよう案内してくれるライフボートである。特に欧州、東アジア、ラテンアメリカなど、年配者が大きな割合を占める多くの地域では、より落ち着いた、より静かな生活はまさに人びとが求める暮らしのかたちになりそうだ。[4]中国では、仕事と長時間労働への絶え間ない重圧に対する反応として、「躺平主義（タンピン）（寝そべり主義）」を選ぶ若者が増えた。[5]自分の時間を楽しむことは、多くの人が手に入れられる一種の贅沢になるだろう。

一九九〇年代、アムステルダムに住んでいた頃、私も一種の「寝そべり主義」を試したことがある。忙しく働いていないと気が済まない私のようなアメリカ人にとって、意味のある会話を交わし、深いきずなを感じながら、気の合う仲間とのんびり過ごす夜はまったく新しい体験だった。人脈づくりではない。既成概念に当てはめる必要もない。長い言葉を紡ぐ必要もない。完璧に完璧ではない人たちとのただ楽しい時間。そんな夜には不安も消えていく。あれから二五年が経つが、私はいまも真正のもの、心の平穏、人とのつながり、安定を大切にするオランダを懐かしく思う。そして、猛スピードで前へ進む世の中を泳ぎ渡ろうとしてあの頃を取り戻そうとするが、うまくいく時もあればいかない時もある。

あなたが誰であろうと、どんな信念の持ち主であろうと、あなたが夜眠りにつく時、翌朝、安全な場所で目覚めたいと願うはずだ。子どもたちにとって、あなたが大切に思う人にとって、そしてあなたを大切に思う人たちにとって安全な場所であってほしい、と。

私と共著者が、二一世紀の仕事と生活を予測した『ネクスト——近い将来のトレンド（Next: Trend for the Near Future）』（未邦訳）を執筆した時、私はオランダに住んでいた。新たな接続方法の最先端の仕事をしていた（インターネットサービス・プロバイダーの開拓者として、AOLの事業に弾みがつくように手伝っていた。AOLはその後、グローバル企業になった）。そのおかげで、私たちはデジタル経済の重要性、アメリカの覇権の終わり、多くの目に見えない分裂の悪化を正確に予測した。それは、かつて生活のさまざまな部門の輪郭を描いていた、たとえば家と職場、教育とエンターテインメント、栄養と医薬品などの分裂である。ところが、完全に見過ごしていたこともあった。それは「セルフ／自己」の台頭、もっと正確に言えば、一九七〇年代の「ミーの一〇年」でさえかすむほど、「セルフィッシュネス／利己主義」にレーザー光線のように焦点を合わせる傾向だった。

二〇一三年になる頃には、自己に夢中の文化に嫌でも気づかずにはいられなかった（「オックスフォード大学出版局」の辞典部門は、この年の言葉に「セルフィー」を選んだ[6]。二〇一五年、私はある講演で時代の言葉は「セルフ／自己」だと予言した。単独で使われるよりは、ほかの単語と組み合わせて使われる場合が多い。たとえば、セルフ・ポートレート（自画像）、セルフ・パロディ（自己風刺）、セルフ・レフェレンシャル（自己言及）、セルフ・オブセスド（自己に取り憑かれた）など。ポップカルチャーのアイコンやブロガーから、高尚な文化の守護者までの誰もが、書き言葉や話し言葉で、自己という単語をまるで運命の赤い糸のように頻繁に使っている。

「セルフ／自己」のあとに、どのような言葉でも付着する傾向があちこちで見られます、と当時の私は指摘した。今日、ポジティブな自己イメージを築くことは、誰にとっても重要とみなされている。それはつまり、自己に対する健全な量の自信や自己肯定感、自己鍛錬、自尊感情、自己愛によって、自己イメージを高めることだ。言い替えれば、自己宣伝は自己防衛の不可欠なツールになってきた。

このトレンドがいっそう顕著になったのは、類語でありながら、「セルフ／自己」よりもほんの少しだけ「自己言及」の意味合いが弱まる「パーソナル（個人的な）」という言葉を、私たちがレパートリーに加えた時だった。パーソナル・トレーナー（個人コーチ）、パーソナル・コンピュータ、パーソナル・デベロップメント（自己啓発）、パーソナル・ブランディング（個人ブランドの確立）など。どれも個人に焦点を置いている。

「セルフ／自己」という言葉のコインには裏面もある。「セルフレスネス」、無私無欲。「良い行ないをする」ことは、「良い気分になる」ことと「立派にやる」ことの重要な要素として浮上した。私たちは積極的行動主義、アライシップ（第一部参照）、利他主義を大切なものとして受け入れる。なぜなら、それらが満足とつながりを与えてくれ、事業やコミュニティにおいて私たちを前へと進めてくれるからだ。

そして、「利己主義」と「無私無欲」という、相反するふたつの要素が蔓延する。この傾向は続くだろう。しかも加速する。なぜなら、私たちがものごとをスローダウンさせたいいっぽう、絶えず接続していることは、私たちが常に何かを記録していることだからだ。だから、絶えず自分にこう訊ねることになる。私、ちゃんとやってるのかしら。僕は人の役に立つことをしてるのだろうか。誰のため？　地球上のみんなのことを考えて？　地域社会のため？　いや、本当は自分のことしか考えてないんじゃないだろうか。

このような果てしない重圧に曝され、私たちはもっと合理的なアプローチをとるようになるかもしれない。私たちは何を求めているのか。どの程度うまくやれるのか。何を受け入れられるのか——そして、これまでSFのなかでしか描かれてこなかったようなことまで、テクノロジーに許してしまうのかもしれない。二〇〇五年、発明家で未来学者のレイ・カーツワイルは、二〇三〇年代末になる頃には「マインド・アップローディング」（脳の情報や意識をコンピュータにアップロードして、人間がコンピュータのなかで生きること。人類はこのようにして不死の命を手に入れるという）が主流となり、シグナルを受け取るために、脳に「ナノマシン」を植え込む未来を思い描いた[7]。彼はまた、二〇二〇年代後半にはコンピュータが「自律的に学習し、新たな知識をつくり出せる」ようになると予言している。[8] さらに、スーパーコンピュータが多くの人の手に届くようになり、「人間の脳の一〇〇〇倍も強力な一〇〇〇ドルのパソコンが登場するだろう[9]」と述べている。

ただし、その考えに対抗する勢力が現れ、世界は二極化する。いっぽうはスローで心地よく、人間味に溢れた無私無欲の温かい世界だ。もういっぽうは、猛スピードで走り続け、自己に取り憑かれたメカニカルな世界である。

アメリカの作家、フランク・R・ストックトンの「淑女か猛虎か」が発表されたのは一八八二年だ。それからというもの、この短篇は何世代もの子どもたちに読み継がれてきた。舞台は、時に残酷で、時に思いやりのある王が治める領土である。王は正義を施す独特な方法を考え出した。罪を犯した男は、裁きを受けるアリーナに連れてこられる。目の前には扉がふたつ。どちらも防音装置が施されている。片方の扉の向こうには、その男と釣り合うと思われる女性がひとり。男がその扉を選べば、その女性と結婚できる。ところが、もう片方の扉の向こうには飢えた虎が一頭。もし男がこちらの扉を選べば、虎の餌となる。さて、結婚か餌食か。男はどちらを選ぶことになるだろうか。

この状況は現在の私たちが置かれた状況に似ている。とはいえ、ある程度までだ。私たちには、これまで積み重ねてきた歴史がある。しかも、どうやっていまの状況にたどり着いたのかもわかっている。何もわからずに、ただ幸運を祈って、扉を選ばなければならないわけではない。行動を起こして、アリーナから無事に脱出できるかどうかを試すこともできる。何より重要なことは、成功と物質的野心の定義を見直すことであり、混乱する現代生活がもたらすメンタルヘルスの問題に取り組むことである。地球との持続可能な関係を新たに築くことだ。ジェンダー、人種、富の不公平を解消し、実効性のある境界を設定して、安定性と確実性をつくり出すことだ。競争よりも協力を優先し、自己の感覚とコミュニティの感覚のバランスをとることである。やるべきことはたくさんあり、私たちの前には、まったく異なるふたつの未来が開けている。ひとつは進歩、もうひとつは破滅だ。

さて、私たちが選んだのはどちらの扉だったのか。二〇三八年には、それが明らかになるだろう。

謝辞

作家で思想家のジェシー・コーンブルースは、私にとって永遠の恩人である。このルネサンス的教養人は、私が一年以上もかけて本書を著すにあたって、指導したり、なだめたり、手伝ったりしてくれた。遠くから私に協力してくれ、二〇二一年春には一度、コネチカットの軽食レストランで長いランチを楽しんだ。ふたりとも、ワクチンを接種したすぐあとだった。知的な語り部のジェシーは、トレンドスポッティングの技術と科学的手法の話を大いに楽しんだ。ジェシーがいなければ、本書は彩りにも魅力にもカリスマ性にも欠けていただろう。

私を刺激してくれた人たちに特別な感謝を捧げたい。彼らの素晴らしい情報やアイデアは、本書の各所で見つけ出せるだろう。彼らは世界のあちこちで働く同僚や家族、友人たちだ。アイロ・アントニアドゥ（スイス）、アンジー・アーガブライト（アメリカ）、マッテオ・ベンドッティ（フランス）、ジャッキー・ブルーノ・フィンレー（アメリカ）、アーサーとメリッサ・シリア（アメリカ）、アーロン、イザベル、ルーベン・ダイヤモンド（アメリカ）、ヴィクター・フリードバーグ（アメリカ）、ローレンとスチュアート・ハリス（イングランド）、エミリー・イルガン（アメリカ）、ラトフィ・ムファリジ（レバノン）、フェルナンド・ロマノ（ブラジル）、アーロン・シェリニアン（アメリカ）、ジヨディ・スンナ（スイス）、クレア・ウッドラフ（アメリカ）。間違いや役に立たない予測はどれも私の責任だが、私は極めて運が良く、今日と未来の生活の素晴らしい観察者たちに囲まれている。ロードアイランドの「エピック・ディケード」のセス・ゴールデンバーグは、本書の執筆のどの段階においても、信じられないほど素晴らしい味方であり友人だった。寛大にもデヴィッド・ドレイク（とポール・ウィットラッチとケイティ・ベリー）を紹介してくれたことから、本書をめぐる行ったり来たりの壮大な旅が始まった。辣腕編集者である「クラウン」のポールとケイティは、観察眼を鋭くし、本文を微調整するよう、強く私を励ましてくれた。

執筆の途中で、私は三度目の脳腫瘍と診断され、みなに公表する必要があった。ボストンのブリガム&ウィメンズ病院で二〇二〇年一二月に手術を受ける予定だったが、新型コロナウイルス感染症のために、翌年三月に延期となった。優秀なオサマ・アル゠メフティ博士とワリード・イビン・エセイド博士には、とりわけ謝意を表したい。彼らに髄膜腫を切除してもらった七二時間後には、私は仕事に復帰し、パソコンを使って読み、リサーチし、文章を書いていた。

アンドレとマルガレット・カラントゾポラス、イヤツェックとアイワナ・オークザック、スザンヌ・リッチ・フォーサム、チャールズ・ベンドッティ、ディーパック・ミシュラ、グレゴワール・ヴェルドー、ネヴェナ・クルジンコ、シルカ・マンスター、ジェニファー・モトルス・スヴィジルスキー、スティーヴン・リスマン。さらに世界中の同僚やその家族がこの三年半、慰めと刺激のもとになってくれた。パンデミックのあいだ、生活の区切りがつきにくくなることは避けられず、また、たとえ仕事の大半がパソコン画面を介したものであっても、やはり楽しみと高い生産性を約束し得ることを彼らは証明してくれた。

エグゼクティブ・アシスタントを務めてくれたフレア・ドゥッセは、私の生活と仕事がうまくいくように取り計らってくれた。彼女がいなければ、途方に暮れていたに違いない。フリゾとトニ・ウエステンバーグとその家族にも、一年半にわたる友情と支援に対して特別な感謝の意を捧げる。スイスのローザンヌでオランダワッフルを味わうのは、喜びである。そしてまた、広告代理店グループのハバス、オムニコム、WPPのかつての仕事仲間にも深い感謝の気持ちを伝えたい。彼らはいつも私の多大な支援システムであり、素晴らしい相談役だ。とりわけドナ・マーフィー、シャズィア・カーン、ボブ・ジェフリー、コレット・チェスナット、ボブ・クーパーマンには礼を述べたい。

今回の出版のルーツにあるのは、トレンドについて共著した以前の著書である。アイラ・マタシアとアン・オライリーは、私をトレンドスポッター、戦略思考家として鍛えてくれた。アンの類いまれなる才能を私はいつも仕事で感じ、それはほぼ三〇年に及んだ（あれからもう三〇年も経ったなんて）。本書はまた、私の年次トレンド報告からも引用している。報告書は近年、次の人たちのおかげで、はるかに充実してきた。モイラ・ギルクリスト博士、トンマーゾ・ディ・ジョヴァンニ、ジェイソンン・ミルズ、ベシー・コカリス・ペシオ、ブライソン・ソーントン、ジュリア・シュペター、アダム・ヴィンチェンツィーニ、デヴィッド・フレイザー、コリー・ヘンリー、彼らのグローバルチーム。彼らは私の予測の正しさを、アルバニアやブルガリアから韓国、ベトナムまでで確かめてくれた。

ジョディ・スンナと当時のCNNのデジタルチームは、新型コロナウイルス感染症の最初の頃、絶好のタイミングでインタビューを設定し、私が二〇三八年について思考する道を開いてくれた（その時のぶっつけ本番の答えが、「私たちはいま、二〇〇〇年問題の影響を二〇年遅れで受けている」という仮説へと私を導いてくれるとは、思いも寄らなかった）。二〇二〇年、ジョンズ・ホプキンズ大学のオンライン講座で政治学を学んだことで、私の思考スタイルとリサーチ技術に大きな磨きがかかった。そしてまた、いまから数十年前にブラウン大学で過ごしたあの幸せで特別な場所に戻ることができた。

最後に、私を応援してくれた家族に心から感謝を伝えたい。彼らは、世界のあちこちで暮らす私の生活を受け入れてくれた。ダイヤモンド家のみなに感謝している――特にパートナーのジムに。何度も私たちと一緒に引っ越してくれたペッツィ・ジョーンズ。妹のジェイン・ジンバとその家族。スティーヴとトレイシー・カーティン、その子どもたち。彼らはアリゾナ州トゥーソンの私たちの家族になった。あなたたち家族は、私とアメリカ生活とのリンク役を務めるとともに、ハリケーンや山火事の警報や、パンデミックの時の食料品買い占め騒動など、私と実世界のさまざまな問題とのリンク役も務めてくれた。それにプレセントの要望についても。その理由は、私がつい忘れてしまうからだ。というのも、決して短くなることがないように思える「ToDoリスト」と、際限ないオンラインニュースに、私がよく没頭してしまうからである。

マリアン・ソールツマン、スイス、コネチカット、そしてクラウドのなか。

訳者あとがき

まず本書を書店で手に取るかオンライン書店で目にした時、最初に思い浮かぶのはこんな疑問ではないだろうか。「なんで二〇三八年?」。未来を予測するなら、普通は二〇三〇年とか二〇五〇年とか、いっそのこと二一〇〇年とか、キリのいい数字のはずでは? だが、そこにこそ、この本がほかの未来予測本とは一線を画す最大の特徴がある。

本書は、二〇〇〇年から二〇三八年までの約四〇年間を、観察と予測の時間枠としている。「二〇〇〇年と二〇三八年の共通点は?」と訊かれて即座に答えられる人は少ないだろうが、前者は「二〇〇〇年問題(Y2K)」が起きると恐れられた年であり、後者は「二〇三八年問題(Y2038)」が起きると懸念される年だ。そうと知った著者は、本書で扱う時間枠を二〇〇〇~三八年とし、新型コロナウイルスが猛威を振るった二〇二〇年を境に過去と未来に分け、過去をじっくり覗き込み、現在を読み解き、その深い分析をもとに未来を予測している。

著者のマリアン・ソールツマンはトレンドスポッターだ。ソールツマンによれば、この仕事で大切なのは、未来を予測するためにまずは過去を――ふたつのレンズで――覗き見ることだという。ひとつは、統計や事象などの量的なレンズ。もうひとつは質的なレンズ。後者は個人の感情的なフィルター――視点や物事の捉え方――を指す。つまり、本書で紹介する分析や未来予測には、必然的にソールツマンのパーソナリティや体験が色濃く反映されていることになる。だからというわけか、本書が取り上げるテーマには、気候変動、エネルギー問題、世界経済、政治体制、地政学的リスク、地域スタディなどの未来予測本に欠かせない話題は比較的比重が小さい。とはいえ、それらの重要な問題を軽視しているわけではない。未来予測のいわば本道ともいうべきテーマや話題については、もちろん考察している。だが、トレンドスポッターという職業と、世界のあちこちで暮らしてきた彼女自身の体験と、そしておそらく女性という立場や視点を大いに活かして、文化的、世相的テーマやこれまで見過ごされがちだった話題をより詳しく扱っている。その証拠に、第二部は「どう生きるのか」、第三部では「私たちは何者なのか」と題して、個人として、社会として、さらにはたったひとつのライフボートに乗る地球市民としての生き方、学び方、働き方、暮らし方の未来のかたちを示唆している。量的なレンズだけで覗き込んだ未来予測ではない、充実のラインナップといえるだろう。しかも、現代社会の問題を再認識するための読み物としても大変面白く、混乱の時代にあって、自分がいまどこにいて、何ができるのかを改めて自分自身に問いかけるうえでも多くの発見があるはずだ。さらに、本書の締めくくりとして第四部の「次の世界」は、三〇ページ超にわたって一〇〇の「メガトレンド」と二二の「サブトレンド」を一挙に掲載するとともに、「レーダー予測」というコラムは未来予測がトピック的に紹介されており、非常に盛りだくさんである。

著者は、現在から二〇三八年にかけて古い障壁や境界が壊れ、消滅し、パラダイムシフトが起きると同時に、その障壁や境界を必死になって維持しようという反対派が現れると予測する。国境、経済的階級、家父長制などの地理的、社会的な話だけではない。世界的に激しい論争が巻き起こっている文化的障壁や境界も含まれる。たとえばジェンダーやセクシュアリティ、性自認の問題もそうだろう。ダボス会議が毎年発表する「ジェンダー・ギャップ指数ランキング」において、二〇二三年の日本の順位は一二五位だった。もうその話は聞き飽きたと言う人もいるかもしれない。だが、この格差が日本経済にとって大きな損失であり、そこには本人の努力ではどうにもならない問題が隠されており、パンデミックのあいだ、女性には男性以上に重い負担がのしかかったこと、政治やビジネス分野において女性のリーダーが少ないこと（ガラスの天井）は紛れもない事実である。さらに本書は、内破のリスクに気づいたリーマン・ブラザーズが、責任をなすりつけるために女性を巧みに罠にはめて利用した「ガラスの崖」問題も引用している。

男性がルールを決める社会で成功するためには、女性は男性よりもはるかにうまく立ちまわる必要があるが、硬直した、あるいは揺れ動くジェンダー規範に苦しんでいるのは女性だけではない。「男の子は泣かない」といった「有害な男らしさ」を押しつけられて育ってきたにもかかわらず、成長するにつれ、今度は――つまり現代社会においては――もっと性中立的にふるまうように求められ、戸惑っている男性は多いのではないだろうか。伝統的な価値観が徐々に薄れる反面、性的指向や性自認の問題になると、障壁はそう簡単には壊れない。日本では二〇二三年二月に岸田首相が「夫婦別姓や同性婚を制度化すれば、家族観、価値観、社会が変わってしまう」という趣旨の発言をしたとして大きく報じられたが、いっぽうで人びとの価値観は――特に若い世代では――かなり変わってきている。少なくとも変化を求める人、変化を起こそうと活動を始めた人たちはたくさんいる。境界がますます曖昧になるジェンダー流動的な文化のなかで、自分の役割(ロール)を探し出すことは本当の自分自身を見つけ出すことだ、とソールツマンは述べている。

著者は、混乱は現代のニューノーマルだと定義する。そしてまた、社会全体として私たちが間違った方向に進んでいると考え、私たちが働き、暮らしている現在の方法が私たちの望んでいる未来のかたちではない、と考える人は多いと看破する。それなら、私たちはどんな未来を望んでいるのだろうか。それについて、深く考えたことはあるだろうか。具体的なイメージを描けるだろうか。望ましい未来のかたちの可能性のひとつとして著者が提案するのは、スローライフだ。二一世紀では、贅沢について大きなパラダイムシフトが起きるだろう。見かけの豪華さを競う家に住むことや、さほど欲しくもない中途半端な高額品を買うことにはもはや意味はない。二一世紀の贅沢とは一息つける時間や空間であり、もっと個人に寄り添った喜びが味わえ、幸福という概念を組み込んだものになる。二〇三八年の私たちは、もっとシンプルで、スモール――ヒューマンスケールで、本物で親密なもの――を求めるようになる。そのひとつのかたちがスローライフだ、と著者は考える。さて、あなたはどんな未来を望むだろうか。二〇三八年のあなたは、どんなアイデンティティを誇りに生きていたい／いるだろうか。どんな豊かさを実現しているだろうか。その小さな変化の積み重ねが、一人ひとりの取り組みが、私たちが望む幸せや豊かさのかたちが、二〇三八年の社会を、世界を、価値観をつくっていくのだ。

ここで、著者について少し触れておこう。マリアン・ソールツマンは、三〇年以上のキャリアを持つトレンドスポッターだ。ブラウン大学を卒業後、まっすぐマディソン・アベニューに向かい、広告業界に入った。オランダで働いたのち、ニューヨークに戻り、ちょうどテレビの人気連続ドラマ「セックス・アンド・ザ・シティ」が始まった頃、彼女自身も初めて部下を抱える立場を経験し、男性社会で働く難しさにぶつかった。二〇一〇年、弁護士の男性を人生のパートナーに選んでニューヨークを離れ、アリゾナとコネチカットに居を構えた。二〇一八年には多国籍企業のグローバル・コミュニケーションを統括する職に就いたことから、スイスのヴォー州が新たに住所に加わった。ホテルや飛行機のなかで仕事をする機会も多く、住んでいるのは「クラウドのなか」と答えることも多い。近年、三度目の脳腫瘍の手術をした時には、術後七二時間で仕事に復帰したというから、そのバイタリティと気迫には圧倒される思いだ。

グローバル化の波、テクノロジーの急速な進歩、富の不公平、ミドルクラスの消滅、不安と憎悪の時代、ポピュリストの台頭、アメリカ社会の分断、女性の活躍、ミーの時代、ジェンダー、セクシュアリティ、アイデンティティ、生き方の選択肢の広がり、文化的な障壁や境界の消滅と、伝統的な価値観の揺り戻し……。ソールツマンはさまざまな変化を身をもって体験し、乗り越え、変化とともに歩んできた。本書は、そんな彼女の経験と観察力が凝縮され、トレンドスポッティングの技術が結実した一冊と言えるだろう。

二〇二四年一月

原　注

イントロダクション――トレンドスポッティング

1. Clay Risen, "John Naisbitt, Business Guru and Author of *Megatrends*, Dies at 92," *The New York Times*, April 14, 2021.
2. 同上
3. Thomas Ling, "Starling Murmurations: Why Do They Form and How Can I See One?," *Science Focus*, March 19, 2021, sciencefocus.com/nature/starling-murmurations/.
4. Simone Ross, "Whatever Happened to the Internet's Promise?," *Techonomy*, March 1, 2017, techonomy.com/2017/03/whatever-happened-to-the-internets-promise/.
5. Miguel Niño-Zarazúa, Laurence Roope, and Finn Tarp, "Global Inequality: Relatively Lower, Absolutely Higher," *Income and Wealth* 63, no. 4 (2017): 661-84, onlinelibrary.wiley.com/doi/full/10.1111/roiw.12240.
6. Doris and John Naisbitt, *Mastering Megatrends: Understanding & Leveraging the Evolving New World* (Singapore: World Scientific, 2018), 35.
7. Zachary Laub, "Hate Speech on Social Media: Global Comparisons," Council on Foreign Relations, June 7, 2019, cfr.org/backgrounder/hate-speech-social-media-global-comparisons.
8. Martin Luther King, Jr., "Letter from Birmingham Jail" (excerpt), World History Archives, hartford-hwp.com/archives/45a/060.html.
9. Paul Bischoff, "Surveillance Camera Statistics: Which Cities Have the Most CCTV Cameras?," *Comparitech*, May 17, 2021, comparitech.com/vpn-privacy/the-worlds-most-surveilled-cities/.
10. Robin McKie, "The Vaccine Miracle: How Scientists Waged the Battle Against Covid-19," *The Guardian*,December 6, 2020.
11. "Will an mRNA Vaccine Alter My DNA?," Gavi, December 15, 2020, gavi.org/vaccineswork/will-mrna-vaccine-alter-my-dna.
12. Sarah Marsh, "Essays Reveal Stephen Hawking Predicted Race of 'Superhumans,'" *The Guardian*,October 14, 2018.
13. "Urban Population to Become the New Majority Worldwide," Population Reference Bureau, July 18, 2007, prb.org/resources/urban-population-to-become-the-new-majority-worldwide/.
14. Jeff Desjardins, "This Is What the Cities of the Future Could Look Like," World Economic Forum, January 9, 2019, weforum.org/agenda/2019/01/the-anatomy-

of-a-smart-city.
15. Samantha Schmidt, "1 in 6 Gen Z Adults Are LGBT. And This Number Could Continue to Grow," *The Washington Post*, February 24, 2021.
16. Pudgy Penguins, pudgypenguins.io/.
17. MacKenzie Sigalos, "China's War on Bitcoin Just Hit a New Level with Its Latest Crypto Crackdown," CNBC, July 7, 2021.
18. Midnight Trains, midnight-trains.com/en/home.

第１部　世界の全体像

1. "Word of the Year 2016," Oxford Languages, languages.oup.com/word-of-the-year/2016/.
2. Kendrick McDonald, "Unreliable News Sites More Than Doubled Their Share of Social Media Engagement in 2020," NewsGuard, newsguardtech.com/special-report-2020-engagement-analysis/.
3. Mark Jurkowitz and Amy Mitchell, "Early in Outbreak, Americans Cited Claims About Risk Level and Details of Coronavirus as Made-Up News," Pew Research Center, April 15, 2020, pewresearch.org/journalism/2020/04/15/early-in-outbreak-americans-cited-claims-about-risk-level-and-details-of-coronavirus-as-made-up-news.
4. Arundhati Roy, "The Pandemic Is a Portal," *Financial Times*, April 3, 2020.
5. Katie Weston et al., "Shelves Empty Across UK," *Daily Mail*,October 9, 2021.
6. Lauren Lewis, Chris Jewers, and Amie Gordon, "Energy Crisis Grips the World," *Daily Mail*,October 9, 2021.

第１章　バグとウイルス

1. "Timeline of Computer History," Computer History Museum, computerhistory.org/timeline/memory-storage/.
2. Barnaby J. Feder, "The Town Crier for the Year 2000," *The New York Times*, October 11, 1998.
3. 同上
4. "Y2K Bug," *Encyclopaedia Britannica*, britannica.com/technology/Y2K-bug.
5. Jack Schofield, "The Millennium Bug: Special Report," *The Guardian*,January 4, 2000.
6. "Y2K Bug," *National Geographic*, Resource Library, Encyclopedia, nationalgeographic.org/encyclopedia/Y2K-bug/.
7. Luke Jones, "How the UK Coped with the Millennium Bug 15 Years Ago," BBC News, December 31, 2014.
8. "What Will Happen When the Clock Strikes Midnight," Greenspun Family

Server, greenspun.com/bboard/q-and-a-fetch-msg.tcl?msg_id=00241S.
9. Kelsey Campbell-Dollaghan, "20 Years Ago, the World as We Know It Was Born," *Fast Company*, December 9, 2019.
10. *Will Y2K Snarl Global Transportation? Field Hearing Before the Special Committee on the Year 2000 Technology Problem*, 106th Cong. Rec. S344 (September 30, 1999), govinfo.gov/content/pkg/CHRG-106shrg62346/html/CHRG-106shrg62346.htm.
11. Lee Davidson, "Bennett to Lead 'Millennium Bug' Battle," *Deseret News*, April 29, 1998, deseret.com/1998/4/29/19377250/bennett-to-lead-millennium-bug-battle.
12. Daniel Patrick Moynihan, "Countdown to a Meltdown," Congressional Record Volume 142, Number 129, September 18, 1996, govinfo.gov/content/pkg/CREC-1996-09-18/html/CREC-1996-09-18-pt1-PgS10871-2.htm.
13. Betsy Hart, Scripps Howard News Service, "Christian Y2K Alarmists Irresponsible," *Deseret News*, February 12, 1999.
14. 同上
15. "Computer Doomsday Scenarios: Much Ado About Nothing?," Retro Report, July 22, 2018, retroreport.org/transcript/computer-doomsday-scenarios-much-ado-about-nothing/.
16. Jones, "How the UK Coped."
17. Marty Langley, "Cashing In on the New Millennium: How the Firearms Industry Exploits Y2K Fears to Sell More Guns," Violence Policy Center, December 1999, ojp.gov/ncjrs/virtual-library/abstracts/cashing-new-millennium-how-firearms-industry-exploits-y2k-fears.
18. Kate Snow, "FEMA Makes Y2K Recommendations," CNN, March 22, 1999.
19. Edward Yourdon and Robert A. Roskind, *The Complete Y2K Home Preparation Guide* (Hoboken, N.J.: Prentice Hall, 1999).
20. Mark Harris, *Mike Nichols: A Life* (New York: Penguin Press, 2021), 305.
21. Francine Uenuma, "20 Years Later, the Y2K Bug Seems Like a Joke—Because Those Behind the Scenes Took It Seriously," *Time*, December 30, 2019.
22. Matt Gilligan, "People Share Their Most Memorable Stories from Y2K," Did You Know?, didyouknowfacts.com/people-share-their-most-memorable-stories-from-y2k/.
23. George Takei staff, "People Recall Their Craziest Y2K Experiences," January 9, 2020, georgetakei.com/people-recall-their-craziest-y2k-experiences-2644350926/dang.
24. Gilligan, "People Share Their Most Memorable Stories from Y2K."
25. National Commission on Terrorist Attacks upon the United States, "Foresight—and Hindsight," *The 9/11 Commission Report* (U.S. Government Printing Office,

2004), 339–60, fas.org/irp/offdocs/911comm-sec11.pdf. アメリカ合衆国に対するテロリスト攻撃に関する国家委員会著『9/11 レポート——2001 年米国同時多発テロ調査委員会報告書』（住山一貞訳、ころから株式会社、2021 年 9 月）
26. Adam Shell, "13 Years After 9/11, Markets Face New Threat," *USA Today*, September 10, 2014.
27. Farhad Manjoo, "How Y2K Offers a Lesson for Fighting Climate Change," *The New York Times*, July 19, 2017.
28. "Bill Gates TED Talk Transcript from 2015: Warns of Pandemics, Epidemics," Rev, rev.com/blog/transcripts/bill-gates-ted-talk-transcript-from-2015-warns-of-pandemics-epidemics.
29. George W. Bush, "George W. Bush Warned of Not Preparing for Pandemic in 2005," ABC News, April 20, 2020, YouTube, youtube.com/watch?v=spcj6KUr4aA.
30. "Hear What Barack Obama Said in 2014 About Pandemics," *Don Lemon Tonight*, CNN video, April 10, 2010, cnn.com/videos/politics/2020/04/10/barack-obama-2014-pandemic-comments-sot-ctn-vpx.cnn.
31. Victoria Knight, "Obama Team Left Pandemic Playbook for Trump Administration, Officials Confirm," *PBS NewsHour*, May 15, 2020.
32. Nick Bryant, "The Time When America Stopped Being Great," BBC News, November 3, 2017.
33. "Jair Bolsonaro, Brazil's President, Is a Master of Social Media: But to What End?," *The Economist*, March 16, 2019.
34. Bobby Azarian, "An Analysis of Trump Supporters Has Identified 5 Key Traits," *Psychology Today*, December 31, 2017.
35. Stephan Lewandowsky, Michael Jetter, and Ullrich K. H. Ecker, "Using the President's Tweets to Understand Political Diversion in the Age of Social Media," *Nature Communications* 11 (2020), nature.com/articles/s41467-020-19644-6.
36. David Klepper, "Viral Thoughts: Why COVID-19 Conspiracy Theories Persist," AP News, April 6, 2021.
37. David M. Cutler and Lawrence H. Summers, "The COVID-19 Pandemic and the $16 Trillion Virus," *JAMA* 324, no. 15 (2020): 1495–96, jamanetwork.com/journals/jama/fullarticle/2771764.
38. James K. Jackson et al., "Global Economic Effects of COVID-19," Congressional Research Service, updated November 10, 2021, sgp.fas.org/crs/row/R46270.pdf.
39. S. O'Dea, "Forecast Number of Mobile Devices Worldwide from 2020 to 2025," Statista, September 24, 2021, statista.com/statistics/245501/multiple-mobile-device-ownership-worldwide/.
40. Susan Wojcicki, "YouTube at 15: My Personal Journey and the Road Ahead," *YouTube Official Blog*, February 14, 2020, blog.youtube/news-and-events/youtube-at-15-my-personal-journey/.

第2章 二〇〇〇～二〇一九年――じりじりと坂を滑り落ちる

1. Kris Epley, "Residents Stockpile Supplies in Fear of Y2K Chaos," *The Grand Island Independent*, August 29, 1999, theindependent.com/news/residents-stockpile-supplies-in-fear-of-y-k-chaos/article _1789cb1b-2e95-5a80-a36a-92fd93cf993e.html.
2. Duncan Green, "Of the World's Top 100 Economic Revenue Collectors, 29 Are States, 71 Are Corporates," From Poverty to Power, August 3, 2018, oxfamblogs.org/fp2p/of-the-worlds-top-100-economic-entities-29-are-states-71-are-corporates/.
3. "Facts: Global Inequality," Inequality.org, inequality.org/facts/global-inequality.
4. Noah S. Diffenbaugh, "Verification of Extreme Event Attribution: Using Out-of-Sample Observations to Assess Changes in Probabilities of Unprecedented Events," *Science Advances* 6, no. 12 (2020), advances.sciencemag.org/content/6/12/eaay2368.
5. "Obesity and Overweight," World Health Organization, June 9, 2021, who.int/news-room/fact-sheets/detail/obesity-and-overweight.
6. Eleanor Bird, "Latest Evidence on Obesity and COVID-19," *Medical News Today*, May 6, 2020, medicalnewstoday.com/articles/latest-evidence-on-obesity-and-covid-19.
7. Nicole Lyn Pesce, "This Is the Most Anti-vaxxer Country in the World," MarketWatch, June 19, 2019.
8. Leah Selim, "Measles Explained: What's Behind the Recent Outbreaks?," UNICEF, December 5, 2019, unicef.org/stories/measles-explained-whats-behind-recent-outbreaks.
9. "New Measles Surveillance Data for 2019," World Health Organization, May 15, 2019, who.int/immunization/newsroom/measles-data-2019/en/.
10. Robert Barnes, "Supreme Court Says Gay, Transgender Workers Protected by Federal Law Forbidding Discrimination," *The Washington Post*, June 15, 2020.
11. A. Tarantola, "Social Media Bots Are Damaging Our Democracy," Engadget, August 15, 2019, engadget.com/2019-08-15-social-media-bots-are-damaging-our-democracy.html.
12. "Internet/Broadband Fact Sheet," Pew Research Center, April 7, 2021, pewresearch.org/internet/fact-sheet/internet-broadband/.
13. 同上
14. Emily Sullivan, "Why Aren't Millennials Spending? They're Poorer Than Previous Generations, Fed Says," NPR, November 30, 2018.
15. Brian Pascus and Benjamin Zhang, "Here Are 11 of the Worst Commutes in the World Where Drivers Can Spend More Than 100 Hours a Year Stuck in Traffic,"

Insider, February 1, 2019.
16. "World Bank and WHO: Half the World Lacks Access to Essential Health Services," World Health Organization, December 13, 2017, who.int/news-room/detail/13-12-2017-world-bank-and-who-half-the-world-lacks-access-to-essential-health-services-100-million-still-pushed-into-extreme-poverty-because-of-health-expenses.

第3章　気候の真実

1. S. M. Enzler, "History of the Greenhouse Effect and Global Warming," Lenntech, lenntech.com/greenhouse-effect/global-warming-history.htm.
2. "Declaration of the World Climate Conference," World Meteorological Organization, February 1979, dgvn.de/fileadmin/user _upload/DOKUMENTE/WCC-3/Declaration_WCC1.pdf.
3. Hearing Before the Committee on Energy and Natural Resources U.S. Senate First Session on the Greenhouse Effect and Global Climate Change, 100th Cong. (1988) (statement of Dr. James Hansen, Director, NASA Goddard Institute for Space Studies), pulitzercenter.org/sites/default/files/june_23_1988_senate_hearing _1.pdf.
4. Philip Shabecoff, "Global Warming Has Begun, Expert Tells Senate," *The New York Times*, June 24, 1988.
5. Hamish MacPherson, "Angus Smith, a Glaswegian Pioneer of Environmental Chemistry Should Be Recognised," *The National*, February 14, 2021, thenational.scot/news/19089019.angus-smith-glaswegian-pioneer-environmental-chemistry-recognised/.
6. "Heat and Health," *The Lancet* 398, no. 10301 (August 19, 2021), thelancet.com/series/heat-and-health.
7. Xinran Wang, Anthony Leiserowitz, and Jennifer Marlon, "Explore Climate Change in the American Mind," Yale Program on Climate Change Communication, March 31, 2021, climatecommunication.yale.edu/visualizations-data/americans-climate-views/.
8. "The Peoples' Climate Vote," United Nations Development Programme, January 26, 2021, undp.org/publications/peoples-climate-vote.
9. "Confusion Is the Main Reason Europeans and Americans Underestimate Climate Crisis, Open Society Report Finds," Open Society European Policy Institute, November 20, 2020, opensocietyfoundations.org/newsroom/confusion-is-the-main-reason-europeans-and-americans-underestimate-climate-crisis-open-society-report-finds.
10. "Peoples' Climate Vote."
11. Lizzie Widdicombe, "The Moms Who Are Battling Climate Change," *The New*

Yorker, April 12, 2021.
12. 同上
13. 同上
14. Marta Rodriguez Martinez and Lillo Montalto Monella, "Extreme Weather Exiles: How Climate Change Is Turning Europeans into Migrants," Euronews, June 17, 2020, euronews.com/2020/02/26/extreme-weather-exiles-how-climate-change-is-turning-europeans-into-migrants.
15. 同上
16. 同上
17. Annie Ropeik, "Americans Are Moving to Escape Climate Impacts. Towns Expect More to Come," NPR, January 22, 2021.
18. Christiana Figueres and Tom Rivett-Carnac, "What the World Will Look Like in 2050 If We Don't Cut Carbon Emissions in Half," *Time*, April 22, 2020.
19. Philip Alston, "World Faces 'Climate Apartheid' Risk, 120 More Million in Poverty," UN News, June 25, 2019, news.un.org/en/story/2019/06/1041261.
20. Marina Romanello et al., "The 2021 Report of the *Lancet* Count down on Health and Climate Change: Code Red for a Healthy Future," *The Lancet* 398 (2021): 1619–62, thelancet.com/action/showPdf?pii=S0140-6736%2821%2901787-6.
21. "Climate Change in Bangladesh: Impact on Infectious Diseases and Mental Health," The World Bank, October 7, 2021, worldbank.org/en/news/feature/2021/10/07/climate-change-in-bangladesh-impact-on-infectious-diseases-and-mental-health.
22. Tik Root, "Earth Is Now Trapping an 'Unprecedented' Amount of Heat, NASA Says," *The Washington Post*, June 16, 2021.
23. Fiona Harvey, "'The Next Pandemic': Drought Is a Hidden Global Crisis, UN Says," *The Guardian*,June 17, 2021.
24. 同上
25. 同上
26. "Drought—September 2021," National Centers for Environmental Information, October 13, 2021, ncdc.noaa.gov/sotc/drought/202109.
27. Sarah Kaplan and Cassidy Araiza, "How America's Hottest City Will Survive Climate Change," *The Washington Post*, July 8, 2020.
28. Kirk Siegler, "Colorado River, Lifeline of the West, Sees Historic Water Shortage Declaration," *All Things Considered*, NPR, August 22, 2021.
29. "Facts + Statistics: Wildfires," Insurance Information Institute, iii.org/fact-statistic/facts-statistics-wildfires.
30. "Wildfires," California Air Resources Board, ww2.arb.ca.gov/our-work/programs/wildfires.
31. Lisa Richards, Nigel Brew, and Lizzie Smith, "2019–20 Australian Brushfires—Frequently Asked Questions: A Quick Guide," Parliament of Australia, March 12,

2020, aph.gov.au/About_Parliament/Parliamentary_Departments/Parliamentary_Library/pubs/rp/rp1920/Quick_Guides/AustralianBushfires.

32. "Australia Marks Quietest Fire Season in a Decade," CNN, March 31, 2021.

33. Christianna Silva, "Food Insecurity in the U.S. by the Numbers," NPR, September 27, 2020.

34. "The State of Food Security and Nutrition in the World 2021: The World Is at a Critical Juncture," Food and Agriculture Organization of the United Nations, fao.org/state-of-food-security-nutrition.

35. "FACT SHEET: President Biden Sets 2030 Greenhouse Gas Pollution Reduction Target Aimed at Creating Good-Paying Union Jobs and Securing U.S. Leadership on Clean Energy Technologies," White House Briefing Room, April 22, 2021, whitehouse.gov/briefing-room/statements-releases/2021/04/22/fact-sheet-president-biden-sets-2030-greenhouse-gas-pollution-reduction-target-aimed-at-creating-good-paying-union-jobs-and-securing-u-s-leadership-on-clean-energy-technologies/.

36. Fiona Harvey, "UK Vows to Outdo Other Economies with 68% Emissions Cuts by 2030," *The Guardian*,December 4, 2020.

37. Julian Wettengel, "Spelling Out the Coal Exit—Germany's Phase-Out Plan," *Clean Energy Wire*, July 3, 2020, cleanenergywire.org/factsheets/spelling-out-coal-phase-out-germanys-exit-law-draft.

38. Eloise Gibson and Olivia Wannan, "'The Government Will Not Hold Back': Jacinda Ardern on How NZ Could Go Zero Carbon," *Stuff* (NZ), January 31, 2021.

39. World Business Council for Sustainable Development, *Vision 2050: Time to Transform*, March 2021, wbcsd.org/contentwbc/download/11765/177145/1.

40. 同上

41. Timothy Puko, "Oil Company Leaders Support Carbon Pricing Plan," *The Wall Street Journal*, March 22, 2021.

42. "Our Meatless Future: How the $2.7T Global Meat Market Gets Disrupted," CB Insights, August 9, 2021, cbinsights.com/research/future-of-meat-industrial-farming/.

43. 同上

44. Anna Starostinetskaya, "Plant-Based Food Sales Surge by 27 Percent to $7 Billion in 2020," *VegNews*, April 7, 2021, vegnews.com/2021/4/plant-based-food-sales-7-billion-in-2020.

45. "Europe's Plant-Based Food Industry Shows Record-Level Growth," Community Research and Development Information Service, last updated March 30, 2021, cordis.europa.eu/article/id/429495-europe-s-plant-based-food-industry-shows-record-level-growth.

46. Mark Clements, “Strong Outlook for Plant-Based Meat Alternatives in Asia,” Wattpoultry.com, July 29, 2021, wattagnet.com/articles/43107-strong-outlook-for-asian-plant-based-meat-alternatives.
47. “Our Meatless Future.”
48. Lisa Friedman, Kendra Pierre-Louis, and Somini Sengupta, “The Meat Question, by the Numbers,” *The New York Times*, January 25, 2018.
49. “The Global Consumer: Changed for Good: June 2021 Global Consumer Insights Pulse Survey,” PwC, pwc.com/gx/en/industries/consumer-markets/consumer-insights-survey/archive/consumer-insights-survey-2021.html.
50. “New Research Shows Climate and Sustainability Still Top Concern Despite COVID-19 Pandemic,” Getty Images, October 7, 2020, press.gettyimages.com/new-research-shows-climate-and-sustainability-still-top-concern-despite-covid-19-pandemic/.
51. “The Eco-Wakening,” World Wide Fund for Nature, explore.panda.org/eco-wakening.
52. “Insights on the Ethical Fashion Global Market to 2030—Identify Growth Segments for Investment,” PR Newswire, May 25, 2021, prnewswire.com/news-releases/insights-on-the-ethical-fashion-global-market-to-2030---identify-growth-segments-for-investment-301298786.html.
53. Kevin Adler, “Global Electric Vehicle Sales Grew 41% in 2020, More Growth Coming Through Decade: IEA,” IHS Markit, May 3, 2021, ihsmarkit.com/research-analysis/global-electric-vehicle-sales-grew-41-in-2020-more-growth-comi.html.
54. “Vision: Net-Zero Carbon by 2040,” Amazon TV commerical, iSpot.tv, ispot.tv/ad/Owyn/amazon-we-do-big-renewable-energy.
55. Richard Luscombe, “Amazon’s Jeff Bezos Pledges $10bn to Save Earth’s Environment,” *The Guardian*,February 17, 2020.
56. Gary Brodeur, “Report Ranks San Bernardino County No. 1 in Ozone Pollution,” Heritage Victor Valley Medical Group, hvvmg.com/report-ranks-san-bernardino-county-no-1-in-ozone-pollution/.
57. Sam Levin, “Amazon’s Warehouse Boom Linked to Health Hazards in America’s Most Polluted Region,” *The Guardian*,April 15, 2021.

第４章　現在という混乱

1. “Mexico’s 1968 Massacre: What Really Happened?,” *All Things Considered*, NPR, December 1, 2008.
2. S. I. Rosenbaum, “The Age of Trauma,” *Harvard Public Health*, Fall 2021, hsph.harvard.edu/magazine/magazine_article/the-age-of-trauma/.
3. “Census Bureau Releases New Estimates on America’s Families and Living

Arrangements," U.S. Census Bureau press release, December 2, 2020, census.gov/newsroom/press-releases/2020/estimates-families-living-arrangements.html.
4. 同上
5. Stephanie Kramer, "U.S. Has World's Highest Rate of Children Living in Single-Parent Households," Pew Research Center, December 12, 2019.
6. Rachael Kennedy, "Which EU Countries Have the Most Marriages?," Euronews, February 14, 2019, euronews.com/2019/02/14/which-eu-countries-have-the-most-marriages.
7. "Mechanisms Supporting Single Parents Across the European Union," European Commission, July 31, 2019, ec.europa.eu/social/main.jsp?catId=738&langId=en&pubId=8234& furtherPubs=yes.
8. Shannon Schumacher and J. J. Moncus, "Economic Attitudes Improve in Many Nations Even as Pandemic Endures," Pew Research Center, July 21, 2021.
9. Matt Novak, "The Boston Globe of 1900 Imagines the Year 2000," *Smithsonian Magazine*, October 4, 2011.
10. 同上
11. Grace Hauck, "20 Predictions for 2020: Here's What People Said Would Happen by This Year," *USA Today*, December 22, 2019.
12. GoZen!, gozen.com/tysupport/.
13. "Try the 'Road to Resilience: Raising Healthy Kids' Program," Mayo Clinic, January 13, 2020, mayoclinichealthsystem.org/hometown-health/featured-topic/try-the-road-to-resilience-program.
14. Janet Borland, *Earthquake Children: Building Resilience from the Ruins of Tokyo* (Cambridge, MA: Harvard University Asia Center, 2020).
15. "Global: Amnesty Analysis Reveals over 7,000 Health Workers Have Died from COVID-19," Amnesty International, September 3, 2020, amnesty.org/en/latest/press-release/2020/09/amnesty-analysis-7000-health-workers-have-died-from-covid19/.
16. Yea-Hung Chen et al., "Excess Mortality Associated with the COVID-19 Pandemic Among Californians 18–65 Years of Age, by Occupational Sector and Occupation: March Through October 2020," medRxiv, January 22, 2021, medrxiv.org/content/10.1101/2021.01.21.21250266v1.
17. "Asian Americans and Pacific Islander Americans on the Frontlines," New American Economy Research Fund, May 21, 2020, research.newamericaneconomy.org/report/aapi-americans-on-the-frontlines/.
18. "Farm Labor," U.S. Department of Agriculture, ers.usda.gov/topics/farm-economy/farm-labor/.
19. "Family, Domestic and Sexual Violence," Australian Institute of Health and

Welfare, September 16, 2021, aihw.gov.au/reports/australias-welfare/family-domestic-and-sexual-violence.

20. "The Effect of COVID-19 on Alcohol Consumption, and Policy Responses to Prevent Harmful Alcohol Consumption," Organisation for Economic Co-operation and Development, May 19, 2021, oecd.org/coronavirus/policy-responses/the-effect-of-covid-19-on-alcohol-consumption-and-policy-responses-to-prevent-harmful-alcohol-consumption-53890024/.
21. Giulia McDonnell Nieto del Rio, Simon Romero, and Mike Baker, "Hospitals Are Reeling Under a 46 Percent Spike in Covid-19 Patients," *The New York Times*, October 27, 2020.
22. Matt Phillips, "Stocks Post Worst Day in 4 Months as Infections Rise Around the Globe," *The New York Times*, October 28, 2020.
23. Tom McTague, "The Minister of Chaos: Boris Johnson Knows Exactly What He's Doing," *The Atlantic*, June 7, 2021.
24. Rob Merrick, "Boris Johnson Welcomed Covid 'Chaos' Because It Made Him More Popular, Cummings Claims," *The Independent* (U.K.), May 26, 2021.
25. 同上
26. Paul Bischoff, "Ransomware Attacks on US Healthcare Organizations Cost $20.8bn in 2020," *Comparitech*, March 10, 2021, comparitech.com/blog/information-security/ransomware-attacks-hospitals-data/.
27. "Insurance Giant AXA Victim of Ransomware Attack," *Security*, May 19, 2021, securitymagazine.com/articles/95245-insurance-giant-axa-victim-of-ransomware-attack.
28. "The Global Risks Report 2021," World Economic Forum, January 19, 2021, weforum.org/reports/the-global-risks-report-2021.
29. 同上
30. Steve Morgan, "Cybercrime to Cost the World $10.5 Trillion Annually by 2025," Cybercrime Magazine, November 13, 2020, cybersecurityventures.com/hackerpocalypse-cybercrime-report-2016/.
31. "Watch: NYC Subway Station Floods as Downpours Wreak Havoc on Tri-State Roads," NBC 4 New York, July 8, 2021, nbcnewyork.com/news/local/watch-nyc-subway-station-floods-as-sudden-heavy-downpours-wreak-havoc-on-tri-state-roads/3146172/.
32. "China Floods: 12 Dead in Zhengzhou Train and Thousands Evacuated in Henan," BBC News, July 21, 2021.
33. Sam Courtney-Guy, "London Floods Cause Millions in Damage After 'Biblical' Storms Hit City," *Metro* (U.K.), July 13, 2021.
34. Gaia Pianigiani, "3 Arrested in Genoa Bridge Collapse Investigation," *The New York Times*, November 11, 2020.

35. Jeremy Socolovsky, "India Blackout Highlights Power Problems in Developing Countries," Voice of America, August 1, 2012, voanews.com/a/india-blackout-highlights-power-problems-in-developing-countries/1452613.html.
36. Ari Natter and Jennifer A. Dlouhy, "Texas Was Warned a Decade Ago Its Grid Was Unready for Cold," Bloomberg Green, Bloomberg, February 17, 2021.
37. Zach Despart et al., "Analysis Reveals Nearly 200 Died in Texas Cold Storm and Blackouts, Almost Double the Official Count," *Houston Chronicle*, April 1, 2021.
38. U.S. Global Change Research Program, "Infrastructure," *Third National Climate Assessment*, 2014, nca2014.globalchange.gov/highlights/report-findings/infrastructure.
39. Daniel Kurt, "The Financial Effects of a Natural Disaster," Investopedia, October 28, 2021, investopedia.com/financial-edge/0311/the-financial-effects-of-a-natural-disaster.aspx.
40. "German Flood Rebuilding to More Than 6 Bln Euros—Scholz," Reuters, August 3, 2021.
41. "Brianna Keilar Calls Out Fox News Guest's Covid-19 Misinformation," CNN Business, September 17, 2020, cnn.com/videos/business/2020/09/17/brianna-keilar-fox-news-coronavirus.cnnbusiness.
42. Chas Danner and Paola Rosa-Aquino, "What We Know About the Dangerous Delta Variant," *New York*, August 9, 2021.
43. "Coronavirus (COVID-19) Vaccinations," Our World in Data, COVID-19 Data Explorer, ourworldindata.org/covid-vaccinations?country=OWID_WRL.

第5章　アメリカ分裂

1. Dissent of Justice Hugo Black, *Johnson v. Eisentrager*, 339 U.S. 763 (1950), caselaw.findlaw.com/us-supreme-court/339/763.html.
2. Brett Goodin, "Americans Renouncing U.S. Citizenship in Record Numbers," *U.S. News & World Report*, September 9, 2020.
3. Jennifer A. Kingson, "Wealthy People Are Renouncing American Citizenship," Axios, August 5, 2021.
4. Jeffrey M. Jones, "In U.S., Record-Low 47% Extremely Proud to Be Americans," Gallup, July 2, 2018, gallup.com/poll/236420/record-low-extremely-proud-americans.aspx.
5. "Many Value Democratic Principles, but Few Think Democracy Is Working Well These Days," Associated Press NORC Center for Public Affairs Research, February 8, 2021, apnorc.org/projects/many-value-democratic-principles-but-few-think-democracy-is-working-well-these-days/.
6. Jacob Poushter, "Who's Having a 'Good' or 'Bad' Day Around the World," Pew Research Center, December 30, 2014, pewresearch.org/fact-tank/2014/12/30/

having-a-typical-day-in-2014-youre-not-alone/.
7. Charles Handy, "Tocqueville Revisited: The Meaning of American Prosperity," *Harvard Business Review* 79, no. 1 (January 2001): 57–63.
8. Alexis de Tocqueville, *Democracy in America: And Two Essays on America* (London: Penguin, 2003). トクヴィル著『アメリカのデモクラシー——第一～四巻』（松本礼二訳、岩波書店、2005年11月）など。
9. Leah Platt Boustan, Devin Bunten, and Owen Hearey, "Urbanization in the United States, 1800–2000," National Bureau of Economic Research, May 2013, scholar.princeton.edu/sites/default/files/lboustan/files/research21_urban_handbook.pdf.
10. "2020 Census Statistics Highlight Local Population Changes and Nation's Racial and Ethnic Diversity," U.S. Census Bureau press release, August 12, 2021, census.gov/newsroom/press-releases/2021/population-changes-nations-diversity.html.
11. 同上
12. "Read Hillary Clinton's 'Basket of Deplorables' Remarks About Donald Trump Supporters," *Time*, September 10, 2016.
13. Aaron Blake, "Trump Promised His Supporters 'Everything.' He Didn't Deliver on Much of It," *The Washington Post*, January 20, 2021.
14. "2020 Census Statistics."
15. Noah Millman, "America Needs to Break Up Its Biggest States," *The New York Times*, July 7, 2021.
16. Mark Mather, "Three States Account for Nearly Half of U.S. Population Growth," Population Reference Bureau, December 22, 2015, prb.org/resources/three-states-account-for-nearly-half-of-u-s-population-growth/.
17. Millman, "America Needs to Break Up."
18. 同上
19. Kaitlyn Tiffany, "How 'Karen' Became a Coronavirus Villain," *The Atlantic*, May 6, 2020.
20. Isaac Chotiner, "The Collapse of American Identity," *The New Yorker*, June 29, 2021.
21. Juliana Menasce Horowitz, Ruth Igielnik, and Rakesh Kochhar, "Trends in Income and Wealth Inequality," Pew Research Center, January 9, 2020, pewresearch.org/social-trends/2020/01/09/trends-in-income-and-wealth-inequality/.
22. 同上
23. 同上
24. 同上
25. Callie Holtermann, "Are C.E.O.s Paid Too Much?," *The New York Times*, May

11, 2021.
26. "2020 Census Statistics."
27. William H. Frey, "The Nation Is Diversifying Even Faster Than Predicted, According to New Census Data," Brookings Institution, July 1, 2020, brookings.edu/research/new-census-data-shows-the-nation-is-diversifying-even-faster-than-predicted/.
28. Jonathan Vespa, Lauren Medina, and David M. Armstrong, "Demographic Turning Points for the United States: Population Projections for 2020 to 2060," U.S. Census Bureau, March 2018, revised February 2020, census.gov/content/dam/Census/library/publications/2020/demo/p25-1144.pdf.
29. 同上
30. 同上
31. 同上
32. Deepa Shivaram and Asma Khalid, "An Indiana Town Is Wooing New Residents with On-Demand Grandparents," *Weekend Edition Sunday*, NPR, October 24, 2021.
33. "How It Works," Umbrella, theumbrella.org/how-it-works.
34. "2021 Index of Economic Freedom: Country Rankings," The Heritage Foundation, heritage.org/index/ranking.
35. Terry Miller and Kim R. Holmes, "Highlights of the 2010 Index of Economic Freedom," The Heritage Foundation, heritage.org/index/pdf/2010/index2010_highlights.pdf.
36. Elliott Davis, "Canada Ranks No. 1 in 2021 U.S. News Best Countries Ranking," *U.S. News & World Report*, April 13, 2021.
37. Sophie Ireland, "Revealed: Countries with the Best Health Care Systems, 2021," *CEOWorld Magazine*, April 27, 2021, ceoworld.biz/2021/04/27/revealed-countries-with-the-best-health-care-systems-2021.
38. "Education at a Glance: OECD Indicators 2012," Organisation for Economic Co-operation and Development, oecd.org/unitedstates/CN%20-%20United%20States.pdf.
39. "Best Countries for Women," *U.S. News & World Report*, 2021, usnews.com/news/best-countries/best-countries-for-women.
40. "Life Expectancy of the World Population," Worldometer, worldometers.info/demographics/life-expectancy/.
41. "The Things America Leads the World In: Dog and Cat Ownership," Lovemoney, June 24, 2020, lovemoney.com/galleries/70537/the-things-america-leads-the-world-in?page=18.
42. Richard Wike et al., "U.S. Image Suffers as Publics Around World Question Trump's Leadership," Pew Research Center, June 26, 2017, pewresearch.org/

global/2017/06/26/u-s-image-suffers-as-publics-around-world-question-trumps-leadership/.
43. Richard Wike et al., "America's International Image Continues to Suffer," Pew Research Center, October 1, 2018, pewresearch.org/global/2018/10/01/americas-international-image-continues-to-suffer/.
44. Julie Bosman, "A Ripple Effect of Loss: U.S. Covid Deaths Approach 500,000," *The New York Times*, February 21, 2021.
45. 同上

第6章　行動を起こす中国

1. "Mao's Long March Concludes," History, history.com/this-day-in-history/maos-long-march-concludes.
2. Edgar Snow, *Red Star over China: The Classic Account of the Birth of Chinese Communism* (New York: Grove Press, 1968). エドガー・スノー著『中国の赤い星〈上〉〈下〉』（松岡洋子訳、ちくま学芸文庫、1995年4月）
3. 同上
4. 同上
5. Martin Adams, "Long March to Mythology," *Asia Times*, October 24, 2006, web.archive.org/web/20061106235646/http://www.atimes.com/atimes/China/HJ24Ad01.html.
6. 同上
7. Yong Xiong and Pauline Lockwood, "Chinese Communist Party Passes Landmark Resolution Celebrating Leader Xi Jinping," CNN, November 12, 2021.
8. Evan Osnos, "Born Red," *The New Yorker*, March 30, 2015.
9. 同上
10. 同上
11. Samuel Yang, "China Is Repressing the Feminist Movement but Women's Voices Are Only Getting Louder," ABC News (Australia), June 7, 2021.
12. Osnos, "Born Red." Notes 267
13. Brenda Goh, "Three Hours a Week: Play Time's over for China's Young Video Gamers," Reuters, August 31, 2021.
14. Gian M. Volpicelli, "China's Sweeping Cryptocurrency Ban Was Inevitable," *Wired*, September 30, 2021.
15. Arjun Kharpal, "Alibaba Shares Dive 7% as Ant Group's Record $34.5 Billion IPO Is Suspended," CNBC, November 3, 2020.
16. Reuters, "China Passes Law to Reduce 'Twin Pressures' of Homework and Tutoring on Children," *The Guardian*,October 23, 2021.
17. Li Yuan, "'Who Are Our Enemies?' China's Bitter Youths Embrace Mao," *The New York Times*, July 8, 2021.

18. 同上
19. 同上
20. 同上
21. Rachael D'Amore, "'Yes, This Drone Is Speaking to You': How China Is Reportedly Enforcing Coronavirus Rules," *Global News*, February 11, 2020, globalnews.ca/news/6535353/china-coronavirus-drones-quarantine/.
22. "China's Response to COVID-19: A Chance for Collaboration," *The Lancet* 397, no. 10282 (2021): 1325, sciencedirect.com/science/article/pii/S0140673621008230.
23. Smriti Mallapaty, "China Is Vaccinating a Staggering 20 Million People a Day," *Nature*, October 14, 2021.
24. Yanzhong Huang, "Vaccine Diplomacy Is Paying Off for China," *Foreign Affairs*, March 11, 2021.
25. Rana Mitter, "Xi Marks the Spot," Air Mail, November 7, 2020, airmail.news/issues/2020-11-7/xi-marks-the-spot.
26. Marie Szaniszlo, "Coronavirus Is Straining Boston Hospitals' Capacity as They Brace for More Patients After the Holidays," *Boston Herald*, December 19, 2020.
27. Peter Egger, Gabriel Loumeau, and Nicole Loumeau, "Unbridled Transport Infrastructure Growth in China," VoxEU & CEPR, November 3, 2020, voxeu.org/article/unbridled-transport-infrastructure-growth-china.
28. Alexandra Ma and Katie Canales, "China's 'Social Credit' System Ranks Citizens and Punishes Them with Throttled Internet Speeds and Flight Bans If the Communist Party Deems Them Untrust-worthy," *Insider*, May 9, 2021.
29. Kendra Schaefer, "China's Corporate Social Credit System," Trivium China, November 16, 2020, uscc.gov/sites/default/files/2020-12/Chinas_Corporate_Social_Credit_System.pdf.
30. Alexandra Stevenson and Paul Mozur, "China Scores Businesses, and Low Grades Could Be a Trade-War Weapon," *The New York Times*, September 22, 2019.
31. 同上
32. Michael Standaert, "Smile for the Camera: The Dark Side of China's Emotion-Recognition Tech," *The Guardian*,March 3, 2021.
33. Dave Gershgorn, "China's 'Sharp Eyes' Program Aims to Surveil 100% of Public Space," OneZero, March 2, 2021, onezero.medium.com/chinas-sharp-eyes-program-aims-to-surveil-100-of-public-space-ddc22d63e015.
34. Sidney Fussell, "The Next Target for a Facial Recognition Ban? New York," *Wired*, January 28, 2021.
35. Yuan Yang and Nian Liu, "China Survey Shows High Concern over Facial Recognition Abuse," *Financial Times*, December 5, 2019.
36. Allied Market Research, "Emotion Detection and Recognition (EDR) Market to

Reach $33.9 Billion at a CAGR of 28.9% by 2023," GlobeNewswire, February 17, 2020, globenewswire.com/news-release/2020/02/17/1985745/0/en/Emotion-Detection-and-Recognition-EDR-Market-to-Reach-33-9-Billion-at-a-CAGR-of-28-9-by-2023-AMR.html.

37. Rachel Cheung, "Hong Kong's Arrested Protesters Now Face Years of Fear and Limbo," *Los Angeles Times*, February 5, 2021.

38. Chan Ho-him, "Hong Kong Officials Ask Schools If They Have Installed CCTV, After Some Lawmakers Called for Cameras to Be Installed in Classrooms," *South China Morning Post*, March 13, 2021.

39. Natalie Lung, Kari Soo Lindberg, and Chloe Lo, "Hong Kong Makes 100th Arrest Using National Security Law," Bloomberg, March 2, 2021.

40. 同上

41. Eva Dou, "Who Are the Uyghurs, and What's Happening to Them in China?," *The Washington Post*, February 11, 2021.

42. "Uighur Exploitation in China Slammed as 'Modern Day Slavery,'" Deutsche Welle, December 15, 2020, dw.com/en/uighur-exploitation-in-china-slammed-as-modern-day-slavery/a-55953464.

43. Li Yuan, "What China Expects from Businesses: Total Surrender," *The New York Times*, July 19, 2021.

44. "China Announces Eradication of Extreme Poverty in Last Poor Counties," Reuters, November 24, 2020.

45. Keith Bradsher, "Jobs, Houses and Cows: China's Costly Drive to Erase Extreme Poverty," *The New York Times*, December 31, 2020.

46. Asit K. Biswas and Cecilia Tortajada, "How China Eradicated Absolute Poverty," *China Daily*, April 12, 2021.

47. "Median Income by Country 2021," World Population Review, worldpopulationreview.com/country-rankings/median-income-by-country.

48. Yuan, "What China Expects."

49. Tracy Qu and Minghe Hu, "Forbes China Names Alibaba Founder Jack Ma Country's Most Generous Entrepreneur in 2020, as Tech Giants Top Charity List," *South China Morning Post*, July 21, 2021.

50. Michael Standaert, "Why Are China's Billionaires Suddenly Feeling So Generous?," Al Jazeera, July 16, 2021.

51. "99 Giving Day," Tencent Foundation, tencent.com/en-us/responsibility/99-giving-day.html.

52. Gabriel Corsetti, "Fifth Tencent 9/9 Charity Day Raises over 2.4 Billion Yuan, Smashing Last Year's Record," China Development Brief, September 11, 2019, chinadevelopmentbrief.cn/reports/fifth-tencent-99-charity-day-raises-over-2-4-billion-yuan-smashing-last-years-record/.

53. "Daryl Morey Backtracks After Hong Kong Tweet Causes Chinese Backlash," BBC News, October 7, 2019.
54. "The NBA Works 'Super Hard' to Reestablish 'Open Dialogue' in China," *The World*, November 9, 2020, theworld.org/stories/2020-11-09/nba-works-super-hard-reestablish-open-dialogue-china.
55. Benjamin Lee, "China Continues to Exert Damaging Influence on Hollywood, Report Finds," *The Guardian*,August 5, 2020.
56. 同上
57. Andrew Soergel, "Trading Silence for Access: The Cost of Doing Business in China," *U.S. News & World Report*, October 11, 2019.
58. Natasha Turak, "China's Response to NBA Hong Kong Tweet Was a 'Violation of US Sovereignty,' Condoleezza Rice Says," CNBC, November 11, 2019.
59. Emmanuel Kizito, "Biden's Plan to Rebuild U.S. Supply Chains, COVID-19 Pandemic Accelerates Reshoring," Thomas Insights, September 14, 2021, thomasnet.com/insights/biden-s-plan-to-rebuild-u-s-supply-chains-covid-19-pandemic-accelerates-reshoring/.
60. Hu Yiwei, "'Guochao': China's Younger Generation Embracing Domestic Brands," CGTN, May 10, 2021, news.cgtn.com/news/2021-05-10/-Guochao-China-s-younger-generation-embracing-domestic-brands-1062GxxNsRi/index.html.
61. 同上
62. Shirley Zhao, "Hollywood Struggles for Fans in China's Growing Film Market," Bloomberg, February 15, 2021.
63. 同上
64. Peter Hicks, "'Sleeping China' and Napoleon," Napoleon.org, napoleon.org/en/history-of-the-two-empires/articles/ava-gardner-china-and-napoleon/.
65. "Remarks by President Biden in Press Conference," White House Briefing Room, March 25, 2021, whitehouse.gov/briefing-room/speeches-remarks/2021/03/25/remarks-by-president-biden-in-press-conference/.
66. 同上
67. 同上
68. Zachery Tyson Brown, "The United States Needs a New Strategic Mindset," *Foreign Policy*, September 22, 2020.
69. Bloomberg, "China Emerges as Only Major Economy to Grow in 2020," *Fortune*, January 17, 2021.
70. Naomi Xu Elegant, "China's 2020 GDP Means It Will Overtake U.S. as World's No. 1 Economy Sooner Than Expected," *Fortune*, January 18, 2021.
71. Brendan Cole, "China Won't Overtake U.S. as World's Largest Economy: Forecast," *Newsweek*, February 19, 2021.

72. "U.S.-China 21: The Future of U.S.-China Relations Under Xi Jinping," Asia Society Policy Institute, asiasociety.org/policy-institute/us-china-21-future-us-china-relations-under-xi-jinping.
73. Zhang Jun, "Economies Need to Rein in Population Risks," *China Daily*, May 10, 2021.
74. "China Birth Rate 1950-2022," Macrotrends, macrotrends.net/countries/CHN/china/birth-rate.
75. Tsuchiya Hideo, "East Asia's Looming Demographic Crisis," Nippon, November 24, 2020, nippon.com/en/in-depth/d00639/.
76. Amy Hampton, "Population Control in China: Sacrificing Human Rights for the Greater Good," *Tulsa Journal of Comparative and International Law* 11, no. 1 (2003): 320–61, digitalcommons.law.utulsa.edu/cgi/viewcontent.cgi?referer=&httpsredir=1&article=1202&context=tjcil.
77. "China Cuts Uighur Births with IUDs, Abortion, Sterilization," AP News, June 29, 2020.
78. Andrew Mullen, "Explainer: Three-Child Policy: How Many Children Can You Have in China?," *South China Morning Post*, June 5, 2021.
79. Bloomberg News, "Why China Is Cracking Down Now on AfterSchool Tutors," *The Washington Post*, July 25, 2021.
80. Lili Pike, "Grim New Climate Report Triggers Calls on China to Slash Carbon Emissions Sooner," *Science*, August 12, 2021.
81. Jianyu Zhang, Xiaolu Zhao, and Hu Qin, "Why China Is at the Center of Our Climate Strategy," Environmental Defense Fund, edf.org/climate/why-china-center-our-climate-strategy.
82. Pike, "Grim New Climate Report."
83. "Death Toll Triples to More Than 300 in Recent China Flooding," AP News, August 2, 2021.
84. Kishore Mahbubani, *Has China Won?: The Chinese Challenge to American Primacy* (New York: Public Affairs, 2020).
85. "China Plans First Crewed Mission to Mars in 2033," Reuters, June 24, 2021.

第2部　どう生きるのか

1. "Anxiety Statistics 2021," SingleCare, March 8, 2021, singlecare.com/blog/news/anxiety-statistics/.
2. "Doomsday Clock Ticks Closer to Disaster," *Physics World*, September 2, 2020, physicsworld.com/a/doomsday-clock-ticks-closer-to-disaster/.
3. 同上
4. 同上

第7章 ライフボートに一緒に乗るのは誰か

1. Joshua Coleman, "A Shift in American Family Values Is Fueling Estrangement," *The Atlantic*, January 10, 2021.
2. Joseph Winchester Brown et al., "Transitions in Living Arrangements Among Elders in Japan: Does Health Make a Difference?," *The Journals of Gerontology: Series B*, 57, no. 4 (2002): S209–20.
3. "Rising Numbers of Elderly People Are Living Alone," editorial, *The Japan Times*, May 3, 2019.
4. Joint Center for Housing Studies of Harvard University, "Demographics of an Aging America," *Housing America's Older Adults—Meeting the Needs of an Aging Population*, September 2, 2014, jchs.harvard.edu/sites/default/files/jchs-housing_americas _older_adults_2014-ch2_0.pdf.
5. "Why *It's a Wonderful Life* Is the Nation's Favourite," BBC News, December 20, 2018.
6. "The Most Popular Christmas Movies, According to Americans," YouGovAmerica, https://today.yougov.com/topics/entertainment/articles-reports/2020/12/14/favorite-christmas-holiday-movie-poll.
7. Matthew Young and Will Hayward, "'The First Brit' Is Known as Cheddar Man and Had Dark Skin and Blue Eyes," WalesOnline, February 7, 2018, walesonline.co.uk/news/uk-news/first-brit-cheddar-man-dark-14257042.
8. Sarah Pruitt, "The Ongoing Mystery of Jesus's Face," History.com, updated March 22, 2021, history.com/news/what-did-jesus-look-like.
9. Antonio Regalado, "More Than 26 Million People Have Taken an At-Home Ancestry Test," *MIT Technology Review*, February 11, 2019, technologyreview.com/2019/02/11/103446/more-than-26-million-people-have-taken-an-at-home-ancestry-test/.
10. Heather Saul, "Craig Cobb: White Supremacist Told He Is 14% African in Televised DNA Test," *The Independent* (U.K.), November 12, 2013.
11. Ruth Padawer, "Sigrid Johnson Was Black. A DNA Test Said She Wasn't," *The New York Times*, November 19, 2018.
12. Saul, "Craig Cobb: White Supremacist."
13. "Multikulti Berlin," *The New York Times*, archive.nytimes.com/www.nytimes.com/fodors/top/features/travel/destinations/europe/germany/berlin/fdrs_feat_28_6.html?n=Top%25252FFeatures%25252FTravel%25252FDestinations%25252FEurope %25252FGermany%25252FBerlin.
14. 同上
15. David Goodhart, "Discomfort of Strangers," *The Guardian*,February 24, 2004.
16. Yasemin El-Menouar, "How Do Germans Deal with Cultural Diversity?,"

Bertelsmann Stiftung Foundation, bertelsmann-stiftung.de/en/our-projects/religion-monitor/projektnachrichten/how-do-germans-deal-with-cultural-diversity.
17. “Figures at a Glance: How Many Refugees Are There Around the World?,” UN Refugee Agency, June 10, 2021, unhcr.org/en-us/figures-at-a-glance.html#:~:text=How%20many%20refugees%20are%20there,under%20the%20age%20of%2018.
18. Jada Yuan, “New York's Patron Saint of PPE Went $600,000 in Debt to Outfit Workers—and Hospitals Keep Turning Her Down,” *The Washington Post*, May 5, 2020.
19. “COVID-19: Hospitalization and Death by Race/Ethnicity,” Centers for Disease Control and Prevention, September 9, 2021, cdc.gov/coronavirus/2019-ncov/covid-data/investigations-discovery/hospitalization-death-by-race-ethnicity.html.
20. Savannah Smith, Jiachuan Wu, and Joe Murphy, “Map: George Floyd Protests Around the World,” NBC News, June 9, 2020, nbcnews.com/news/world/map-george-floyd-protests-countries-worldwide-n1228391.

第8章 境界を越える。境界をリセットする

1. Rob Evans, “Half of England's Property Is Owned by Less Than 1% of the Population,” *The Guardian*,April 17, 2019.
2. “1824: Charles Dickens Begins Working at Warren's Blacking Factory,” World History Project, worldhistoryproject.org/1824/charles-dickens-begins-working-at-warrens-blacking-factory.
3. Russell McCutcheon, “Stars Upon Thars,” *Culture on the Edge*, March 31, 2014, edge.ua.edu/russell-mccutcheon/stars-upon-thars/.
4. Amber Phillips, “‘They're Rapists.’ President Trump's Campaign Launch Speech Two Years Later, Annotated,” *The Washington Post*, June 16, 2017.
5. Lara Jakes, “Pompeo's Parting Message as Secretary of State: Multiculturalism Is ‘Not Who America Is,’” *The New York Times*, January 19, 2021.
6. Ellie Harrison, “‘I Was Much Older and She Was an Adopted Kid’: Woody Allen Admits His Relationship with Wife Soon-Yi Previn ‘Looked Exploitative,’” *The Independent* (U.K.), May 26, 2020.
7. Andrea Leadsom, “‘I Want to Guide Britain to the Sunlit Uplands’—Full Text of Andrea Leadsom's Leadership Speech,” *The Spectator* (U.K.), July 3, 2016.
8. Jon Stone, “Brexit Lies: The Demonstrably False Claims of the Referendum Campaign,” *The Independent* (U.K.), December 17, 2017.
9. Chris Giles, “Covid Pandemic Masks Brexit Impact on UK Economy,” *Financial Times*, July 1, 2021.
10. Chris Giles, “Coronavirus Sparks Exodus of Foreign-Born People from UK,”

Financial Times, January 14, 2021.
11. Pan Pylas, "UK Job Vacancies Hit Record High amid Worker Shortages," AP News, October 12, 2021.
12. Holly Ellyatt, "After Causing Chaos in the UK, Truck Driver Shortages Could Soon Hit the Rest of Europe," CNBC, October 4, 2021.
13. Kate Holton, "'It's a Catastrophe': Scottish Fishermen Halt Exports Due to Brexit Red Tape," Reuters, January 8, 2021.
14. Lisa O'Carroll, "'A Multiple Pile-Up in the Fog': Wine Agent's Fury at Brexit Red Tape," *The Guardian*,January 18, 2021.
15. Nick Craven et al., "Now They're Taking Our Muesli! Gloating Dutch Customs Staff Reveal MORE Food Seized from Britons Entering the Country After Brexit—but It Includes Spanish Oranges and American Orange Juice," *Daily Mail*, January 12, 2021.
16. Austa Somvichian-Clausen, "The History of Racist Halloween Costumes, and the Progress We've Made in Saying Goodbye to Them," *The Hill*, October 30, 2020.
17. 同上
18. Marian Chia-Ming Liu, "A Culture, Not a Costume," *The Washington Post*, October 30, 2019.
19. Somvichian-Clausen, "The History of Racist Halloween Costumes."
20. Ellie Krupnick, "Zendaya Just Said the One Sentence About Cultural Appropriation Everyone Needs," Mic, August 2, 2015.
21. "Amandla Stenberg: Don't Cash Crop on My Cornrows," *Hype Hair Magazine*, YouTube, April 15, 2015, youtube.com/watch?v=O1KJRRSB_XA.
22. 同上
23. Shing Yin Khor, "Just Eat It: A Comic About Food and Cultural Appropriation," Bitch Media, February 18, 2014, bitchmedia.org/post/a-comic-about-food-and-cultural-appropriation.
24. "1926, May 01: Ford Factory Workers Get 40-Hour Week," This Day in History, November 13, 2009, history.com/this-day-in-history/ford-factory-workers-get-40-hour-week.
25. Amanda Dixon, "68% of Americans Have Skipped Recreational Activities in the Past Year Because of Cost," Bankrate, August 14, 2019, bankrate.com/surveys/recreational-spending-survey-august-2019/.
26. "The Swedish Cottage Remains Loved, Generation After Generation," Swedish Institute, June 1, 2021, sweden.se/culture-traditions/the-swedish-summer-house-a-love-affair/.
27. 同上

第9章　スモールはニュービッグ

1. Barry Schwartz, *The Paradox of Choice* (New York: Harper Perennial, 2004). バリー・シュワルツ著『新装版　なぜ選ぶたびに後悔するのか ――オプション過剰時代の賢い選択術』（瑞穂のりこ訳、武田ランダムハウスジャパン、2012年10月）
2. Pete Edwards, "How Big Is the Universe . . . Compared with a Grain of Sand?," *The Guardian*,YouTube, February 12, 2013, youtube.com/watch?v=AC7yFDb1zOA.
3. Stephanie Crets, "Online US Home Goods Sales Grow 51.8% in 2020," Digital Commerce 360, September 20, 2021, digitalcommerce360.com/article/online-home-goods-sales/.
4. Technavio,"$82.32 Billion Growth in Global Online Home Decor Market 2020–2024 | Growth in Construction Industry to Drive Market," PR Newswire, March 23, 2021, prnewswire.com/news-releases/-82-32-billion-growth-in-global-online-home-decor-market-2020-2024--growth-in-construction-industry-to-drive-market--technavio-301251230.html.
5. Matt Noltemeyer, "Pandemic-Era Home Bakers Used Yeast in Four Categories on Average," *Food Business News*, October 29, 2021, foodbusinessnews.net/articles/19934-pandemic-era-home-bakers-used-yeast-in-four-categories-on-average.
6. "The McMansion Hell Yearbook: 1981," *McMansion Hell*, November 9, 2021, mcmansionhell.com/post/667428216873664512/the-mcmansion-hell-yearbook-1981.
7. Kerry A. Dolan,"Forbes' 35th Annual World's Billionaires List: Facts and Figures 2021," *Forbes*, April 6, 2021.
8. Miriam Kramer, "Billionaires Are the New Face of the Final Frontier," Axios, July 13, 2021.
9. Ric G., "Do Not Allow Jeff Bezos to Return to Earth," Change.org, change.org/p/the-proletariat-do-not-allow-jeff-bezos-to-return-to-earth.
10. Dylan Byers and Leticia Miranda, "Jeff Bezos Steps Down as Amazon CEO," NBC News, February 2, 2021.
11. Jenna Romaine, "'SNL' Cast Members Who Object to Elon Musk Won't Be Forced to Appear on Show with Him," *The Hill*, April 30, 2021.
12. Sophie Dweck, "Elon Musk Now Lives in a $50,000 Prefab Tiny House in Texas," *Architectural Digest*, July 8, 2021.
13. Cameron Sperance, "Despite Pandemic and Close Quarters, Tiny Homes Are More Popular Than Ever," RealEstate, Boston.com, March 24, 2021, realestate.boston.com/buying/2021/03/24/despite-pandemic-tiny-homes-more-popular.
14. Thomas Gryta, Theo Francis, and Drew FitzGerald, "General Electric, AT&T Investors Reject CEO Pay Plans," *The Wall Street Journal*, May 4, 2021.

15. "Facts: Wealth Inequality in the United States," Inequality.org, inequality.org/facts/wealth-inequality/.
16. Adam Hadhazy, "The 31 Tallest Buildings in the World," *Popular Mechanics*, June 15, 2021.
17. Jake Powell, "Top 5 World's Biggest Mining Dump Trucks," iseekplant, April 29, 2020, blog.iseekplant.com.au/blog/worlds-biggest-dump-trucks.
18. Dana G. Smith, "Why Do We Think Tiny Things Are Cute?," *Popular Science*, August 28, 2018.
19. "Etsy Shopper Stats: March 2021," Etsy, March 3, 2021, etsy.com/seller-handbook/article/etsy-shopper-stats-march-2021/1030540287389.
20. Ciara McQuillan, "This Irish Baker Sold $1M Worth of Her Scones in 24 Hours. Now She Just Has to Make Them," *The Irish Times*, August 16, 2021.
21. "Our History," Scott Bader, scottbader.com/about-us/history/.
22. 同上
23. John Simkin, "Ernest Bader," Spartacus Educational, September 1997, spartacus-educational.com/JbaderE.htm.
24. "Annual Report 2018," Scott Bader, scottbader.com/wp-content/uploads/Annual-Report-2018.pdf.
25. Simkin, "Ernest Bader."
26. "Ernst Friedrich Schumacher," Schumacher Center for New Economics, centerforneweconomics.org/envision/legacy/ernst-friedrich-schumacher/.
27. E. F. Schumacher, "Buddhist Economics," Schumacher Center for New Economics, centerforneweconomics.org/publications/buddhist-economics/.
28. 同上
29. 同上
30. Peter Yeung, "How '15-Minute Cities' Will Change the Way We Socialise," BBC, January 4, 2021.
31. Antonia Cundy, "What Would a City Designed by Women Look Like?," *Financial Times*, October 6, 2020.
32. Oscar Holland, "Plans Unveiled for High-Tech '10-Minute City' in Seoul," CNN, November 10, 2021.
33. "US States Overlaid on Areas of Europe with Equal Population," MoverDB.com, February 16, 2017, moverdb.com/us-states-europe-population/.
34. "Netherlands—Location, Size, and Extent," Nations Encyclopedia, nationsencyclopedia.com/Europe/Netherlands-LOCATION-SIZE-AND-EXTENT.html.
35. "The Dutch Way of Life," *Lonely Planet*, lonelyplanet.com/the-netherlands/background/other-features/f0bf185d-fd7a-449f-9d20-5c3154326386/a/nar/f0bf185d-fd7a-449f-9d20-5c3154326386/360838.

36. "Homomonument," Wikipedia, en.wikipedia.org/wiki/Homomonument.
37. "LGBT Rights in the Netherlands," Wikipedia, en.wikipedia.org/wiki/LGBT_rights_in_the_Netherlands.
38. "Euthanasia, Assisted Suicide and Non-resuscitation on Request," Government of the Netherlands, government.nl/topics/euthanasia/euthanasia-assisted-suicide-and-non-resuscitation-on-request.
39. Duncan Robinson, "Dutch Parliament Votes to Permit Cannabis Cultivation," *Financial Times*, February 21, 2017.
40. Alyse Messmer, "Calling Code Red, Dutch Official Says Country Faces Climate Change Extremes," *Newsweek*, October 15, 2021.
41. "The Most Common Bathroom Sizes and Dimensions," Badeloft, April 27, 2020, badeloftusa.com/buying-guides/the-most-common-bathroom-sizes-and-dimensions/.
42. "People Living Alone," Statistics Japan, November 13, 2010, stats-japan.com/t/kiji/11902.
43. Bryan Lufkin, "The Rise of Japan's 'Super Solo' Culture," BBC Worklife, January 14, 2020.
44. Lilit Marcus, "Hitori: The Tokyo Bar for Solo Drinkers Only," CNN Travel, November 19, 2019.
45. Lufkin, "Rise of Japan's 'Super Solo' Culture."
46. Varpu, "50 Cultural Facts on Finland That Help You Understand Finns," Her Finland, herfinland.com/facts-on-finland/.
47. Theresa Christine, "What It's Like to Live in Finland, the Happiest Country in the World," *Insider*, March 31, 2021.
48. Karoliina Korhonen, *Finnish Nightmares: An Irreverent Guide to Life's Awkward Moments* (New York: Ten Speed Press, 2019).
49. "30 Top Facts," Backpackerboard, backpackerboard.co.nz/guide/facts-new-zealand/.
50. Chris Weller and Melissa Wiley, "Americans Are Googling How to Move to New Zealand. Here's a Step-By-Step Guide to Becoming a Kiwi After the Pandemic," *Insider*, November 5, 2020.
51. Melia Robinson, "Buying a House in New Zealand Is Silicon Valley Code for Getting 'Apocalypse Insurance,'" *Insider*, February 1, 2017.
52. Mark Broatch, Eleanor Ainge Roy, and Harriet Sherwood, "Thinking Big: New Zealand's Growing Pains as Population Nears 5 Million," *The Guardian*, November 3, 2019.
53. Ross Chapin, *Pocket Neighborhoods: Creating Small-Scale Community in a Large-Scale World* (Newtown, Connecticut: Taunton Press, 2011).
54. Michael Kolomatsky, "The Incredible Shrinking Apartment," *The New York*

Times, December 6, 2018.
55. Leanna Garfield, "America's Oldest Shopping Mall Has Been Turned into Beautiful Micro-Apartments—Take a Look Inside," *Insider*, October 10, 2016.
56. Keith Eldridge, "Conestoga Huts for the Homeless a Solution for the Northwest?," Komo News, February 27, 2019, komonews.com/news/local/huts-for-the-homeless-catching-on-in-the-northwest.
57. Tim Levin, "These Custom Sleeper Cabs Are Like Luxurious Tiny Homes for Long-Haul Truckers—See Inside," *Insider*, December 30, 2020.
58. Ken Wells, "Travelers Turn to Tiny Homes During Covid-19," *The Wall Street Journal*, November 11, 2020.
59. 同上
60. Janet Eastman, "Portland Builder Brings a Tiny Extra House to You for Temporary, Safe Distancing," *The Oregonian*, November 25, 2020.
61. James Morris, "Tesla's $25,000 Electric Car Means Game Over for Gas and Oil," *Forbes*, September 26, 2020.
62. Britany Robinson, "It's Not That Hard to Buy Nothing," *The New York Times*, December 28, 2020.
63. Scott Galloway, "The Great Dispersion," *No Mercy / No Malice*, December 4, 2020, profgalloway.com/the-great-dispersion/.
64. "Why I'm Betting on Airbnb, Walmart, Robinhood, and Bitcoin to Win Big in 2020," *Insider*, January 9, 2021.

第10章　自由と時間は現代の贅沢品

1. Hillary Hoffower, "Hollywood Billionaire David Geffen Has Been Self-Isolating on His Superyacht in the Caribbean During the Coronavirus Pandemic. Take a Look at the $590 Million Yacht," *Insider*, April 1, 2020.
2. "Coronavirus Updates from March 31, 2020," CBS News, last updated April 2, 2020.
3. Sydney Jennings, "COVID-19 Updated: Global Confirmed Cases as of March 31, 2020," Patient Care, March 31, 2020, patientcareonline.com/view/covid-19-update-global-confirmed-cases-march-31-2020.
4. Robby Starbuck (@robbystarbuck), Twitter, March 28, 2020, twitter.com/robbystarbuck/status/1243912330645209088.
5. "Real-Time Billionaires: #197 David Geffen," *Forbes*, as on January 10, 2022, forbes.com/profile/david-geffen/?list=rtb/&sh=7a44d8fd17e0.
6. Thomas Lester, "High Design: Luxury Market Forced to Rethink Discretionary Spending," Home Accents Today, October 16, 2020, homeaccentstoday.com/retailers/high-design-luxury-market-forced-to-rethink-discretionary-spending/.
7. J. Clara Chan, "David Geffen Takes Instagram Private After Tone-Deaf Post

About Self-Isolating on His Yacht," Yahoo! Entertainment, March 28, 2020.
8. "An Insight into the State of Luxury Branding Today," EHL Insights, hospitalityinsights.ehl.edu/an-insight-into-the-state-of-luxury-branding-today.
9. Jesse Kornbluth, "Serious Money," *Vanity Fair*, November 1988.
10. Public (press conference), "Ian Schrager Relaunches His Transformative New Brand Public for a New Beginning for Both the Hotel and New York City," PR Newswire, June 7, 2021, prnewswire.com/news-releases/ian-schrager-relaunches-his-transformative-new-brand-public-for-a-new-beginning-for-both-the-hotel-and-new-york-city-301306164.html.
11. 同上
12. "Choose Your Bike Package," Peloton, onepeloton.com/shop/bike.
13. Elizabeth Gravier, "The Average Millennial Has over $4,000 in Credit Card Debt—Other Generations Have More," CNBC, September 20, 2021.
14. Bridie Pearson-Jones, "Sales of Luxury Goods Such as Chanel Handbags, Designer Trainers and Fine Wine Are at an 'All-Time High' Despite the Pandemic Because They're a 'Safer' Investment Than Gold or Stocks," *Daily Mail*,April 24, 2020.
15. Paul Sullivan, "Can't Afford a Birkin Bag or a Racehorse? You Can Invest in One," *The New York Times*, July 31, 2020.
16. Vanessa Friedman, "The Once and Future Handbag," *The New York Times*, December 10, 2020.
17. Pamela Druckerman, "Why Rich People Make the French Squirm," *The New York Times*, July 8, 2016.
18. 同上
19. "Hunterdon Medical Center Gave COVID-19 Vaccine to Donors, Relatives of Top Hospital Executives, Report Says," CBS3 Philly, January 28, 2021.
20. Josh Dawsey, Amy Brittain, and Sarah Ellison, "Andrew Cuomo's Family Members Were Given Special Access to Covid Testing, According to People Familiar with the Arrangement," *The Washington Post*, March 24, 2021.
21. "Steve Jobs' 2005 Stanford Commencement Address," Stanford News, June 14, 2005, news.stanford.edu/2005/06/14/jobs-061505/.
22. "Post-1980s Generation the Major Consumers of Luxury Goods in China," *China Daily*, May 6, 2019.
23. Aimee Kim, Lan Luan, and Daniel Zipser, "The Chinese Luxury Consumer," *McKinsey Quarterly*, August 12, 2019, mckinsey.com/featured-insights/china/the-chinese-luxury-consumer.
24. Ashley Rodriguez, "'Crazy Rich Asians' Is the Top-Grossing Romantic Comedy in 10 Years," *Quartz*, October 1, 2018.
25. Vanessa Friedman, "The Glorious Absurdity of Paris Fashion," *The New York*

Times, October 7, 2020.
26. "Chanel Pre-owned 1997 Logo Printed T-shirt," Farfetch, farfetch.com/shopping/women/chanel-pre-owned-1997-logo-printed-t-shirt-item-16229862.aspx.
27. "Balenciaga Men's Leaf Logo Crewneck T-shirt," Neiman Marcus, neimanmarcus.com/p/balenciaga-mens-leaf-logo-crewneck-t-shirt-prod224220499?childItemId=NMN6H39.
28. Mark Ellwood, "Me-Documentaries Are the New Status Symbol," Air Mail, January 30, 2021, airmail.news/issues/2021-1-30/me-documentaries-are-the-new-status-symbol.
29. "High Time to End Legacy Admissions," *The Harvard Crimson*, October 28, 2021, thecrimson.com/article/2021/10/28/high-time-to-end-legacy-admissions/.
30. "Knowledge Is Power (Quotation)," Monticello, monticello.org/site/research-and-collections/knowledge-power-quotation.
31. Monica Hesse, "No, More Sex Is Not the Answer to the Country's Problems," *The Washington Post*, January 29, 2021.
32. Steve Almasy and Amanda Watts, "Ethan Couch, Who Killed Four People in 'Affluenza' Case, Arrested Again in Texas," CNN, January 2, 2020.
33. Jordan Baker and Kirsty Needham, "A Serious Bout of Affluenza," *The Sydney Morning Herald*, May 28, 2005.
34. Daniel Langer, "Many Luxury Brands Shouldn't Panic About 2022. They Should Be in Shock," *Jing Daily*, November 29, 2021.

第11章　富の不公平

1. "World Poverty Facts," FINCA, finca.org/campaign/world-poverty/?gclid=Cj0KCQjwrJOMBhCZARIsAGEd4VFcLhE-9DatTyPJ7Ccb7ujuCSsEGXDF897T4V8mRJbBPGiCx7vapXsa Ag8EEALw_wcB.
2. Department of Economic and Social Affairs, "First-Ever United Nations Resolution on Homelessness," United Nations, March 9, 2020, un.org/development/desa/dspd/2020/03/resolution-homelessness/.
3. Niall McCarthy, "1.7 Billion Adults Worldwide Do Not Have Access to a Bank Account [Infographic]," *Forbes*, June 8, 2018, forbes.com/sites/niallmccarthy/2018/06/08/1-7-billion-adults-worldwide-do-not-have-access-to-a-bank-account-infographic/?sh=21e70e724b01.
4. Bryan Taylor, "A Billion Dollars Just Ain't What It Used to Be," Global Financial Data, November 7, 2018, globalfinancialdata.com/a-billion-dollars-just-aint-what-it-used-to-be.
5. "Measuring Poverty," The World Bank, April 16, 2021, worldbank.org/en/topic/measuringpoverty#1.

6. Office of the Assistant Secretary for Planning and Evaluation, "U.S. Federal Poverty Guidelines Used to Determine Financial Eligibility for Certain Federal Programs," U.S. Department of Health and Human Services, February 1, 2021, aspe.hhs.gov/topics/poverty-economic-mobility/poverty-guidelines/prior-hhs-poverty-guidelines-federal-register-references/2021-poverty-guidelines.
7. Dolan,"Forbes' 35th Annual World's Billionaires List."
8. 同上
9. Michela Tindera, "These Billionaire Donors Spent the Most Money on the 2020 Election," *Forbes*, February 25, 2021.
10. Christopher Ingraham, "The Richest 1 Percent Now Owns More of the Country's Wealth Than at Any Time in the Past 50 Years," *The Washington Post*, December 6, 2017.
11. Greg Sargent, "Opinion: The Massive Triumph of the Rich, Illustrated by Stunning New Data," *The Washington Post*, December 9, 2019.
12. 同上
13. Madeline Darmawangsa, "The Duality of the Dutch Economy," UWEB, April 11, 2021, uweb.berkeley.edu/2021/04/11/the-duality-of-the-dutch-economy/.
14. Shaun Walker, "Unequal Russia: Is Anger Stirring in the Global Capital of Inequality?," *The Guardian*,April 25, 2017.
15. "Brazil: Extreme Inequality in Numbers," Oxfam, oxfam.org/en/brazil-extreme-inequality-numbers.
16. "Asia's 20 Richest Families Control $463 Billion," Bloomberg News, November 28, 2020.
17. Bargaining for the Common Good, Institute for Policy Studies, and United for Respect, "Billionaire Wealth vs. Community Health: Protecting Essential Workers from Pandemic Profiteers," Inequality.org, November 2020, inequality.org/wp-content/uploads/2020/11/Report-Billionaires-EssentialWorkers-FINAL.pdf.
18. Rob Picheta, "Rich People Are Staying Healthy for Almost a Decade Longer Than Poor People," CNN, January 15, 2020.
19. Allison Aubrey, "The Pandemic Led to the Biggest Drop in U.S. Life Expectancy Since WWII, Study Finds," *Morning Edition*, NPR, June 23, 2021.
20. Ruth Batchelor and Bob Roberts, "King of the Whole Wide World," azlyrics.com/lyrics/elvispresley/kingofthewholewideworld.html.
21. Bruce Springsteen, "Badlands," genius.com/Bruce-springsteen-badlands-lyrics.
22. Mark Twain, *Mark Twain on the Damned Human Race*, ed. Janet Smith (New York: Hill and Wang, 1962).
23. Daniel Kahneman and Angus Deaton, "High Income Improves Evaluation of Life but Not Emotional Well-Being," *PNAS* 107, no. 38 (September 21, 2010):

16489–93, doi.org/10.1073/pnas .1011492107.
24. Richard Brody, “The Women,” *The New Yorker*, November 11, 2009.
25. Abigail Disney, “It’s Time to Call Out Disney—and Anyone Else Rich off Their Workers’ Backs,” *The Washington Post*, April 23, 2019.
26. Leena Rao, “The 2009 List of Tech Billionaires and How Much They Lost,” Tech Crunch, March 13, 2009.
27. Tom Huddleston, Jr., “These 5 Billionaires Added the Most to Their Net Worths in 2020,” CNBC, December 21, 2020.
28. Willis Wee, “Mark Zuckerberg in Forbes 400 Richest Americans 2009,” Tech in Asia, October 2, 2009, techinasia.com/mark-zuckerberg-in-forbes-400-richest-americans-2009.
29. Huddleston, Jr., “These 5 Billionaires Added the Most to Their Net Worths in 2020.”
30. “Grasping Large Numbers,” The Endowment for Human Development, ehd.org/science_technology_largenumbers.php.
31. Robert Reich, “Trickle-Down Economics Doesn’t Work but BuildUp Does—Is Biden Listening?,” *The Guardian*,December 20, 2020.
32. “Extreme Carbon Inequality,” Oxfam, December 2, 2015, oi-files-d8-prod.s3.eu-west-2.amazonaws.com/s3fs-public/file_attachments/mb-extreme-carbon-inequality-021215-en.pdf.
33. Associated Press, “Memorable Quotes from Global Climate Change Conference,” ABC News, November 1, 2021.
34. 同上
35. “Sāntideva: Quotes,” Good Reads, goodreads.com/author/quotes/29132._ntideva.
36. Chance the Rapper (@chancetherapper), Twitter, January 3, 2015, twitter.com/chancetherapper/status/551568052530450433.
37. “A Commitment to Philanthropy,” Giving Pledge, givingpledge.org.
38. “The Rockefellers, Part 1,” *The Rockefellers*, PBS, 2000, cosmolearning.org/documentaries/the-rockefellers-397/3/.
39. Samuel Bowles, Herbert Gintis, and Melissa Osborne Groves, “Unequal Chances: Family Background and Economic Success,” Research Gate, January 2005, researchgate.net/publication/24117936_Unequal_Chances_Family_Background_and _Economic_Success.
40. Zoë Beery, “The Rich Kids Who Want to Tear Down Capitalism,” *The New York Times*, November 27, 2020.
41. Jonah E. Bromwich and Alexandra Alter, “Who Is MacKenzie Scott?,” *The New York Times*, January 12, 2019.
42. Nicholas Kulish, “MacKenzie Scott Announces $4.2 Billion More in Charitable

Giving," *The New York Times*, December 15, 2020.
43. Ellie French, "Billionaire MacKenzie Scott Gifts Vermont Foodbank $9 Million, Largest Donation in Its History," VTDigger, December 18, 2020, vtdigger.org/2020/12/18/billionaire-mackenzie-scott-gifts-vermont-foodbank-9-million-largest-donation-in-its-history.
44. "Morgan State University Receives Historic Gift of $40M from Philanthropist MacKenzie Scott," Morgan State University, December 15, 2020, news.morgan.edu/40m-gift-from-mackenzie-scott/.
45. "Howard University Receives Transformative Gift from Philanthropist MacKenzie Scott," Howard University, July 28, 2020, newsroom.howard.edu/newsroom/article/12951/howard-university-receives-transformative-gift-philanthropist-mackenzie-scott.
46. Belinda Luscombe, "MacKenzie Scott Gave Away $6 Billion Last Year. It's Not as Easy as It Sounds," *Time*, May 25, 2021.
47. 同上
48. Jasmine Ng, "More Than a Third of the Earth's Population Faces Malnutrition Due to Covid," Bloomberg, July 19, 2021.
49. Laura J. Colker, "The Word Gap: The Early Years Make the Difference," *Teaching Young Children* 7, no. 3 (February–March 2014), naeyc.org/resources/pubs/tyc/feb2014/the-word-gap.
50. Jessica Dickler, "Virtual School Resulted in 'Significant' Academic Learning Loss, Study Finds," CNBC, March 30, 2021.
51. Emma Dorn, Bryan Hancock, Jimmy Sarakatsannis, and Ellen Viruleg, "COVID-19 and Learning Loss—Disparities Grow and Students Need Help," McKinsey & Company, December 8, 2020, mckinsey.com/industries/public-and-social-sector/our-insights/covid-19-and-learning-loss-disparities-grow-and-students-need-help.
52. 同上
53. Emma Dorn, Bryan Hancock, Jimmy Sarakatsannis, and Ellen Viruleg, "COVID-19 and Student Learning in the United States: The Hurt Could Last a Lifetime," McKinsey & Company, June 1, 2020, mckinsey.com/industries/public-and-social-sector/our-insights/covid-19-and-student-learning-in-the-united-states-the-hurt-could-last-a-lifetime.
54. United States Census Bureau, "QuickFacts," https://www.census.gov/quickfacts/fact/table/tucsoncityarizona,newcanaancdp connecticut,newcanaantownfairfieldcountyconnecticut/INC 110219.
55. Ursula K. Le Guin, *The Wind's Twelve Quarters* (New York: Harper & Row, 1975), 275-84. アーシュラ・K・ル・グィン著「オメラスから歩み去る人々」（『風の十二方位』［小尾芙佐、浅倉久志、佐藤高子訳、ハヤカワ文庫SF、1980年7月］

ほか所収）
56. "Tesco Halts Production at Chinese Factory over Alleged 'Forced' Labour," BBC News, December 22, 2019.
57. Jesse Kornbluth, "If I Were President . . . ," *The New York Times*, August 20, 2021.
58. Brandon Presser, "The Gated Family in the Age of Coronavirus," *Avenue*, November 18, 2020, avenuemagazine.com/private-clubs-luxury-covid-safety-gated-families/.
59. Christopher Cameron, "Rich People Are Buying Homes Just for a Place to Park Their Yachts," *New York Post*, October 26, 2020.
60. Presser, "Gated Family in the Age of Coronavirus."
61. Saahil Desai, "The Pandemic Really Did Change How We Tip," *The Atlantic*, June 29, 2021.
62. GoFundMe, "The Data Behind Donations During the COVID-19 Pandemic," September 24, 2020, medium.com/gofundme-stories/the-data-behind-donations-during-the-covid-19-pandemic-c40e0f690bfa.
63. "Risk of Severe Illness or Death from COVID-19: Racial and Ethnic Health Disparities," Centers for Disease Control and Prevention, December 10, 2020, cdc.gov/coronavirus/2019-ncov/community/health-equity/racial-ethnic-disparities/disparities-illness.html.
64. "Covid Vaccines: Widening Inequality and Millions Vulnerable," UN News, September 19, 2021, news.un.org/en/story/2021/09/1100192.
65. "Coronavirus (COVID-19) Vaccinations," Our World in Data, ourworldindata.org/covid-vaccinations?country=IRQ.
66. Hillary Hoffower and Juliana Kaplan, "*Sex and the City*'s Newest Accessory Says a Lot About How Status Symbols Have Changed over the Past 20 Years," *Insider*, July 20, 2021.

第３部　私たちは何者なのか

1. "10 Trends for 2001," Young & Rubicam Department of the Future, November 2000.

第 12 章　未来は本当に女性のものか

1. Margaret Talbot, "Joni Mitchell's Youthful Artistry," *The New Yorker*, November 29, 2020.
2. Robert Longley, "Profile of Women in the United States in 2000," Thought Co., March 3, 2021, thoughtco.com/women-in-the-us-in-2000-3988512.
3. Anneli Miettinen et al., "Increasing Childlessness in Europe: Time Trends and

Country Differences," Families and Societies Working Paper Series, 2015, http://www.familiesandsocieties.eu/wp-content/uploads/2015/03/WP33MiettinenEtAl2015.pdf.

4. Maya Oppenheim, "Unmarried, Childless Women Are Happiest People of All, Says Expert," *The Independent* (U.K.), May 28, 2019.
5. Nancy Weiss Malkiel, *Keep the Damned Women Out: The Struggle for Coeducation* (Princeton, NJ: Princeton University Press, 2018), 87.
6. 同上, 185.
7. Richard V. Reeves and Ember Smith, "The Male College Crisis Is Not Just in Enrollment, but Completion," Brookings Institution, October 8, 2021, brookings.edu/blog/up-front/2021/10/08/the-male-college-crisis-is-not-just-in-enrollment-but-completion/.
8. Zhang Zhouxiang, "More Women in Higher Education," *China Daily*, December 24, 2020, global.chinadaily.com.cn/a/202012/24/WS5fe3dcb7a31024ad0ba9de9a.html.
9. "Regional Percentage of People Aged Between 30 and 34 Years with University Education in Italy in 2018, by Gender," Statista, February 8, 2021, statista.com/statistics/777040/people-aged-30-34-with-university-education-by-gender-italy/.
10. "Girls' Education," The World Bank, worldbank.org/en/topic/girlseducation#1.
11. "The Data on Women Leaders," Pew Research Center, September 13, 2018, pewsocialtrends.org/fact-sheet/the-data-on-women-leaders/.
12. Emily Jane Fox, "Ex-Lehman Exec Says Dick Fuld Finally Apologized in New Memoir," *Vanity Fair*, March 23, 2016.
13. Andrew Clark, "Lehman Brothers' Golden Girl, Erin Callan: Through the Glass Ceiling—and off the Glass Cliff," *The Guardian*,March 19, 2010.
14. Raakhee Mirchandani, "The 50 Most Powerful Women in NYC," *New York Post*, June 1, 2008.
15. Dominic Elliott, "Ex-CFO's Book Reveals Why Lehman Failed," CNBC, March 31, 2016.
16. 同上
17. "Factbox: Examiner's Findings of Claims Against Lehman Board," Reuters, March 11, 2020, reuters.com/article/us-lehman-examiner-factbox/factbox-examiners-findings-of-claims-against-lehman-board-idUSTRE62A5NU20100311.
18. Clark, "Lehman Brothers' Golden Girl, Erin Callan."
19. Elisabeth Grant, "New Catalyst Report: Senior Women 3 Times More Likely to Lose Job than Senior Men," The Glass Hammer, February 25, 2010, theglasshammer.com/2010/02/new-catalyst-report-senior-women-3-times-more-likely-to-lose-job-than-senior-men/.
20. Sheryl Sandberg, "On Mother's Day, we celebrate all moms," Facebook, May 6,

2016, facebook.com/sheryl/posts/1015681955 3860177.
21. Scott Carlson, "CBS to Pay $8 Million to Settle Sex Discrimination Lawsuit," Knight Ridder/Tribune News Service, October 25, 2000, web.archive.org/web/20160911033207/https://www.highbeam.com/doc/1G1-72470958.html.
22. Elizabeth Chuck, "Fox News Host Gretchen Carlson Sues CEO Roger Ailes for Sexual Harassment," NBC News, July 6, 2016.
23. Emma Brown, "The Uncovering of Sexual Assault Scandals: #MeToo and the Netherlands," *Dutch Review*, November 11, 2017, dutchreview.com/featured/sexual-assault-scandals-metoo-and-the-netherlands/.
24. "#MeToo Revelations Rock the Dutch Art World," E-Flux Conversations, December 2020, conversations.e-flux.com/t/metoo-revelations-rock-the-dutch-art-world/10180.
25. 同上
26. Jason Horowitz, "In Italy, #MeToo Is More Like 'Meh,'" *The New York Times*, December 16, 2017.
27. Molly Ball, "Donald Trump Didn't Really Win 52% of White Women in 2016," *Time*, October 18, 2018.
28. Todd Franko, "Meet Ohio's Director of Health; Not the Story You Would Expect," *Cincinnati Herald*, April 5, 2020.
29. Paige Williams, "How America Can Avoid Dual Cataclysms," *The New Yorker*, November 1, 2020.
30. "Dr. Amy Acton Inspires the Next Generation of Heroes," Governor Mike DeWine, March 30, 2020, YouTube, youtube.com/watch?v=M9YFuM0ZAhU.
31. Associated Press and Mike Foley, "Duwve Withdrew Name from Consideration to Protect Family from Harassment Acton Faced," WCBE, September 11, 2020, wcbe.org/post/duwve-withdrew-name-consideration-protect-family-harassment-acton-faced.
32. "Amy Acton Named Director of Kind Columbus," The Columbus Foundation, August 4, 2020, columbusfoundation.org/news-reports/news/amy-acton-named-director-of-kind-columbus.
33. Ailsa Chang, Noah Caldwell, and Courtney Dorning, "Investigation Lays Out Plot to Kidnap Michigan's Governor," *All Things Considered*, NPR, July 28, 2021.
34. "Quotation of the Day: Whitmer Said to Be Targeted in Kidnap Plot," *The New York Times*, October 8, 2020.
35. Kathleen Walsh, "The Gretchen Whitmer Abduction Plot Is a Window into American Misogyny," *The Week*, October 9, 2020.
36. Anna North, "'The Woman in Michigan': How Gretchen Whitmer Became a Target of Right-wing Hate," *Vox*, October 9, 2020.
37. 同上

38. United Nations, "From the Field: The Women Fighting for Generation Equality," UN News, March 7, 2021, news.un.org/en/story/2021/03/1086552.
39. Allyson Bear and Roselle Agner, "Why More Countries Need Female Leaders," *U.S. News & World Report*, March 8, 2021.
40. Luca Coscieme et al., "Women in Power: Female Leadership and Public Health Outcomes During the COVID-19 Pandemic," medRxiv, July 16, 2020, doi.org/10.1101/2020.07.13.20152397.
41. Dina Kesbeh, "New Zealand Prime Minister's Baby Makes History at U.N. General Assembly," NPR, September 25, 2018.
42. Shibani Mahtani, "New Zealand Passes Law Banning Most Semiautomatic Weapons, Less Than a Month After Mosque Massacres," *The Washington Post*, April 10, 2019.
43. Guardian staff, "Jacinda Ardern on the Christchurch Shooting: 'One of New Zealand's Darkest Days,'" *The Guardian*, March 15, 2019.
44. Uri Friedman, "New Zealand's Prime Minister May Be the Most Effective Leader on the Planet," *The Atlantic*, April 19, 2020.
45. "Jacinda Ardern Holds Coronavirus Q&A from Home as New Zealand Lockdown Begins," Bloomberg Quicktake: Now, March 26, 2020, YouTube, youtube.com/watch?v=CNGqEA jasOo.
46. Alexander Smith, "New Zealand's Jacinda Ardern Wins Big After World-Leading Covid-19 Response," NBC News, October 20, 2020.
47. Marisa Peñaloza, "New Zealand Declares Victory over Coronavirus Again, Lifts Auckland Restrictions," NPR, October 7, 2020.
48. Martin Abel, "Women Bosses Face More Discrimination (from Both Men and Women)," *Fast Company*, October 18, 2019.
49. Sophia Rahman, "Why Men Treat Female Bosses Differently Than Their Male Counterparts," *Vice*, April 11, 2017.
50. 同上
51. 同上
52. Jack Zenger and Joseph Folkman, "Research: Women Score Higher Than Men in Most Leadership Skills," *Harvard Business Review*, June 25, 2019.
53. "Global Gender Gap Report 2020," World Economic Forum, December 16, 2019, weforum.org/reports/gender-gap-2020-report-100-years-pay-equality.
54. "Pandemic Leads 1 in 4 U.S. Women to Consider Career Change; 2 in 5 Considering STEM," MetLife, October 28, 2020, metlife.com/about-us/newsroom/2020/october/pandemic-leads-1-in-4-us-women-to-consider-career-change-2-in-5-considering-stem/.
55. "Women in the Workplace 2021," McKinsey & Company, September 27, 2021, mckinsey.com/featured-insights/diversity-and-inclusion/women-in-the-

workplace.
56. Claire Cain Miller, "The Pandemic Created a Child-Care Crisis. Mothers Bore the Burden," *The New York Times*, May 17, 2021.
57. "Women in the Workplace 2021."
58. "Seven Charts That Show COVID-19's Impact on Women's Employment," McKinsey & Company, March 8, 2021, mckinsey.com/featured-insights/diversity-and-inclusion/seven-charts-that-show-covid-19s-impact-on-womens-employment.
59. Maddy Savage, "How Covid-19 Is Changing Women's Lives," BBC, June 30, 2020.
60. Miller, "Pandemic Created a Child-Care Crisis."
61. 同上
62. Kelli Rogers, "The Future of Women at Work Is Alarming—and Promising, New Report Shows," Devex, June 4, 2019, devex.com/news/the-future-of-women-at-work-is-alarming-and-promising-new-report-shows-95041.
63. "Rise of the Modern FeMEnist—Latest Netmums Survey Results," Netmums, https://www.netmums.com/coffeehouse/other-chat-514/news-12/836486-rise-modern-femenist-latest-netmums-survey-results.html.
64. Caroline Simon, "Not Your Mother's (or Grandmother's) Feminism: How Young Women View the Fight for Equality," *USA Today*, March 16, 2017.
65. Kimberlé Crenshaw, "The Urgency of Intersectionality," TED Women 2016, accessed December 2, 2020, ted.com/talks/kimberle _crenshaw_the_urgency_of_intersectionality/transcript.
66. "Gender Equality, the Status of Women and the 2020 Elections," Supermajority/PerryUndem National Survey, August 19, 2019, int.nyt.com/data/documenthelper/1647-supermajority-survey-on-women/429aa78e37ebdf2fe686/optimized/full.pdf#page=1.
67. 同上
68. "Woman Get Back in the Kitchen T-Shirt," Zazzle, zazzle.com/woman_get_back_in_the_kitchen_t_shirt-235612024899574859.
69. Alistair Potter, "Topman Pulls T-shirts with 'Sexist and Offensive' Slogans from UK Stores," *Metro* (U.K.), September 14, 2011.
70. Laura Bates, *Everyday Sexism* (London: Simon & Schuster, 2014).
71. Associated Press, "Female Boxers Furious After Sporting Body Says It May Force Women Fighters to Wear Skirts in the Ring," *Daily Mail*,November 8, 2011.
72. Jenny Gross, "Women's Handball Players Are Fined for Rejecting Bikini Uniforms," *The New York Times*, July 20, 2021.
73. Andrew McMurtry and AFP, "Women Fined $2409 for Wearing Shorts Instead

of Bikini Bottoms During Beach Handball Game at European Championships," News.com.au, July 21, 2021, news.com.au/sport/more-sports/bikini-drama-overshadows-beach-handball-european-championships/news-story/0f3710004fc48453799032733b79fb0b.
74. Katelyn Ohashi, "Young Gymnasts Are Taught That Their Bodies Are Not Their Own. Simone Biles Refused to Accept That," *Time*, July 28, 2021.
75. Ashlie D. Stevens, "'Framing Britney Spears' Makes Viewers Reflect on How Everyone Accepted the Abusive Sexism She Faced," *Salon*, February 9, 2021.
76. Anastasia Tsioulcas, "Britney Spears' Conservatorship Has Finally Ended," NPR, November 12, 2021.

第 13 章　男性の問題

1. FCA, "All-New 2021 Ram 1500 TRX: Quickest, Fastest and Most Powerful Mass-Produced Truck in the World with 702-Horsepower 6.2-Liter Supercharged HEMI V-8 Engine," press release, PR Newswire, August 17, 2020, prnewswire.com/news-releases/all-new-2021-ram-1500-trx-quickest-fastest-and-most-powerful-mass-produced-truck-in-the-world-with-702-horsepower-6-2-liter-supercharged-hemi-v-8-engine-301112769.html.
2. Rita DeMichiel, "The 2021 Ram 1500 TRX Is Simply the Best Looking Truck Out," Motor Biscuit, January 31, 2021, motorbiscuit.com/the-2021-ram-1500-trx-is-simply-the-best-looking-truck-out/.
3. 同上
4. Timothy Cain, "Dodge Ram/Ram Pickup Sales Figures," Good Car Bad Car, goodcarbadcar.net/dodge-ram-sales-figures/.
5. "Pickup Truck Owner Demographics: Who Buys Pickup Trucks?," Hedges & Company, hedgescompany.com/blog/2018/10/pickup-truck-owner-demographics/.
6. Ian Bremmer, "The 'Strongmen Era' Is Here. Here's What It Means for You," *Time*, May 3, 2018.
7. "Number of Mass Shootings in the United States Between 1982 and May 2021, by Shooter's Gender," Statista, November 25, 2021, statista.com/statistics/476445/mass-shootings-in-the-us-by-shooter-s-gender/.
8. Nicole M. Fortin, Philip Oreopoulos, and Shelley Phipps, "Leaving Boys Behind: Gender Disparities in High Academic Achievement," National Bureau of Economic Research, Working Paper 19331, August 2013, nber.org/system/files/working_papers/w19331/w19331.pdf.
9. Chloe Taylor, "Firms with a Female CEO Have a Better Stock Price Performance, New Research Says," CNBC, October 18, 2019.
10. Michael Baggs, "Body Image Affects Half of Men's Mental Health, New Study

Shows," BBC News, April 28, 2021.
11. Tarik Carroll, "Every Man," EveryMAN, theeverymanproject.com/about.
12. "Changing the Face of What It Means to Be a Man," Humen, wearehumen.org/about.
13. "Discover What's Missing," Evryman, evryman.com/.
14. "Our Story," The Man Cave, themancave.life/our-story/.
15. Jennifer Medina, "The Macho Appeal of Donald Trump," *The New York Times*, October 14, 2020.
16. Jeva Lange, "61 Things Donald Trump Has Said About Women," *The Week*, October 16, 2018.
17. Andrew Kaczynski and Megan Apper, "Donald Trump Thinks Men Who Change Diapers Are Acting 'Like the Wife,'" BuzzFeed, April 24, 2016.
18. "'Harmful' Gender Stereotypes in Adverts Banned," BBC, June 14, 2019.
19. "We Heal, Inspire, Educate and Celebrate Black Fathers," Dope Black Dads, dopeblack.org/dopeblackdads.
20. "The World According to Slater," *Harvard Magazine*, March–April 2013, harvardmagazine.com/2013/03/the-world-according-to-slater.
21. 同上
22. Associated Press, "Canadian Incel Found Guilty in Van Attack That Killed 10 People, Mostly Women, in Toronto," *USA Today*, March 3, 2021.
23. Jennifer Wright, "Why Incels Hate Women," *Harper's Bazaar*, April 27, 2018.

第14章　ジェンダーとシスジェンダーからの解放

1. Alyssa Rosenberg, "Madison Cawthorn Accidentally Trolls His Way into a Great Point About Men and Work-Life Balance," *The Washington Post*, May 24, 2021.
2. Stephen Whittle, "A Brief History of Transgender Issues," *The Guardian*,June 2, 2010.
3. *Lawrence v. Texas*, 529 US 558 (2003), oyez.org/cases/2002/02-102.
4. Corinne Segal, "David Bowie Made Androgyny Cool, and It Was About Time," *PBS NewsHour*, January 11, 2016.
5. Kristin Anderson, "The New York Dolls's Sylvain Sylvain on the Band's Groundbreaking Style and His Clothing Line," *Vogue*, November 19, 2015.
6. Koh Mochizuki, "Ohio School Officials Shut Down Outraged Parents After Lesbian Couple Crowned Prom King and Queen," Comic Sands, May 4, 2021, comicsands.com/ohio-school-lesbian-couple-prom-2652863402.html.
7. Russell Goldman, "Here's a List of 58 Gender Options for Facebook Users," ABC News, February 13, 2014.
8. Dennis Baron, "Pronoun Backlash," *The Web of Language*, October 4, 2020, blogs.illinois.edu/view/25/49786652#image-11.

9. "How a Review Changed Both Sarah Silverman and Our Critic," *The New York Times*, May 19, 2021.
10. Lily Wakefield, "Railway Firm Apologises to Non-binary Passenger for 'Ladies and Gentlemen' Announcement," Pink News, May 14, 2021, pinknews.co.uk/2021/05/14/non-binary-train-london-north-eastern-railway-ladies-gentlemen/.
11. Sara Kettler, "How Ellen DeGeneres' Historic Coming-Out Episode Changed Television," Biography, April 14, 2020, biography.com/news/ellen-degeneres-sitcom-coming-out-episode.
12. David Bauder, "Ellen DeGeneres Mad at ABC's Warning for 'Ellen,'" Associated Press, October 8, 1997.
13. Samantha Grossman, "Ellen DeGeneres Addresses Anti-gay 'One Million Moms' Group," *Time*, February 8, 2012.
14. Trish Bendix, "Backlash: What Happened to Ellen DeGeneres *After* She Came Out?," New Now Next, April 27, 2017, newnownext.com/backlash-what-happened-to-ellen-degeneres-after-she-came-out/04/2017/.
15. J. K. Rowling (@jk_rowling), Twitter, June 6, 2020, twitter.com/jk_rowling/status/1269382518362509313.
16. Jennifer O'Connell, "There Are No Winners in Trans-Rights Culture War," *The Irish Times*, June 13, 2020.
17. Schmidt, "1 in 6 Gen Z Adults Are LGBT."
18. 同上
19. Gwen Aviles, "'I'm Not Male or Female': Sam Smith Comes Out as Gender Nonbinary," NBC News, March 18, 2019.
20. Josie Fischels and Sarah McCammon, "2021 Miss Nevada Will Be the First Openly Transgender Miss USA Contestant," *All Things Considered*, NPR, July 3, 2021.
21. Camp Aranu'tiq, camparanutiq.org.
22. Associated Press, "'Bathroom Bill' to Cost North Carolina $3.76 Billion," CNBC, March 27, 2017.
23. Yuki Noguchi, "He, She, They: Workplaces Adjust as Gender Identity Norms Change," *Morning Edition*, NPR, October 16, 2019.
24. "Swimwear for You," Humankind, humankindswim.com/pages/our-story.
25. "Levi's, Now Without the Labels," Levi's, levi.com/GB/en_GB/features/unlabeled.
26. "Beauty of Becoming," Levi's, January 2021, levi.com/US/en_US/blog/article/beauty-of-becoming/.
27. Mattel (@Mattel), Twitter, September 25, 2019, twitter.com/Mattel/status/1176726868294135808.

28. Eric R. Varner, "Transcending Gender: Assimilation, Identity, and Roman Imperial Portraits," *Memoirs of the American Academy in Rome. Supplementary Volumes* 7 (2008): 185–205, jstor.org/stable/40379354.
29. Cecily Hilleary, "Native American Two-Spirits Look to Reclaim Lost Heritage," Voice of America, June 15, 2018, voanews.com/usa/native-american-two-spirits-look-reclaim-lost-heritage.

第15章　ミー、マイセルフ、アイ

1. Alex Williams, "How the Selfie Conquered the World," *The New York Times*, March 2, 2018.
2. "Mason Cooley," brainyquote.com/quotes/mason_cooley _395737.
3. Mollie A. Ruben et al., "Is Technology Enhancing or Hindering Interpersonal Communication? A Framework and Preliminary Results to Examine the Relationship Between Technology Use and Nonverbal Decoding Skill," *Frontiers in Psychology*, January 15, 2021, doi.org/10.3389/fpsyg.2020.611670.
4. Vanessa Romo, "Whistleblower's Testimony Has Resurfaced Facebook's Instagram Problem," NPR, October 5, 2021.
5. Alicia Phaneuf, "The Number of Health and Fitness App Users Increased 27% from Last Year," eMarketer, July 20, 2020, emarketer.com/content/number-of-health-fitness-app-users-increased-27-last-year.
6. Dave Chaffey, "Global Social Media Statistics Research Summary 2022," Smart Insights, October 26, 2021, smartinsights.com/social-media-marketing/social-media-strategy/new-global-social-media-research/.
7. Greg Iacurci, "The Gig Economy Has Ballooned by 6 Million People Since 2010. Financial Worries May Follow," CNBC, February 4, 2020.
8. Tina Brown, "The Gig Economy," The Daily Beast, January 12, 2009.
9. Tyler Horvath, "What Is a Solopreneur?," Solopreneur Institute, solopreneurinstitute.com/what-is-solopreneur/.
10. David G. Blanchflower, Andrew Oswald, and Alois Stutzer, "Latent Entrepreneurship Across Nations," August 27, 2000, downloaded from Cite Seer X, hosted by Pennsylvania State University, citeseerx.ist.psu.edu/viewdoc/download?doi=10.1.1.503.7501& rep=rep1&type=pdf.
11. Robert Putnam, *Bowling Alone: The Collapse and Revival of American Community* (New York: Simon & Schuster, 2000). ロバート・D・パットナム著『孤独なボウリング――米国コミュニティの崩壊と再生』（柴内康文訳、柏書房、2006年4月）
12. Dawne Gee, "Know Thy Neighbor? Survey Shows Many Don't Know Their Neighbors by Name," WAVE 3 News, March 3, 2021, wave3.com/2021/03/04/know-thy-neighbor-survey-shows-many-dont-know-their-neighbors-by-name/.

13. Grand View Research, Inc., "Smart Home Security Camera Market Size Worth $11.89 Billion by 2027," press release, PR Newswire, November 25, 2020, prnewswire.com/news-releases/smart-home-security-camera-market-size-worth-11-89-billion-by-2027-grand-view-research-inc-301180410.html.
14. Elizabeth Segran, "Social Clubs Died Out in America. Now, Venture Capital Is Bringing Them Back," *Fast Company*, May 28, 2019.
15. Ben Bromley, "In Depth: Shrinking Service Clubs Try to Reach Millennials," *Baraboo News Republic*, May 10, 2019, wiscnews.com/baraboonewsrepublic/news/local/in-depth-shrinking-service-clubs-try-to-reach-millennials/article_99763e68-f425-5253-875c-d6603a0c9dd9.html.
16. Jeffrey M. Jones, "U.S. Church Membership Falls Below Majority for First Time," Gallup, March 29, 2021, news.gallup.com/poll/341963/church-membership-falls-below-majority-first-time.aspx.
17. Shabnam Berry-Khan, "The Cultural Experience of Loneliness: Why South Asians Need to Take Heed During the Coronavirus Pandemic," Global Indian Series, January 11, 2021, globalindianseries.com/the-cultural-experience-and-neuroscience-of-loneliness-why-south-asians-need-to-take-heed-during-the-coronavirus-pandemic/.
18. Department for Digital, Culture, Media and Sport; Office for Civil Society; and Baroness Barran, "Loneliness Minister: 'It's More Important Than Ever to Take Action," Gov.UK, press release, June 17, 2021, gov.uk/government/news/loneliness-minister-its-more-important-than-ever-to-take-action.
19. "How Lonely Are Europeans?," EU Science Hub, European Commission, June 12, 2019, ec.europa.eu/jrc/en/news/how-lonely-are-europeans.
20. Eric Klinenberg, *Going Solo: The Extraordinary Rise and Surprising Appeal of Living Alone* (New York: Penguin, 2013), 3.
21. "People Living Alone," Statistics Japan, November 13, 2010, stats-japan.com/t/kiji/11902.
22. "People Living Alone to Account for 40% of Japanese Households in 2040," *The Jakarta Post*, January 15, 2018, thejakarta post.com/life/2018/01/15/people-living-alone-to-account-for-40-of-japanese-households-in-2040.html.
23. "Over Half of Sweden's Households Made Up of One Person," Eurostat, September 5, 2017, ec.europa.eu/eurostat/web/products-eurostat-news/-/DDN-20170905-1?inheritRedirect=true.
24. Jeff Smith, "Cities with the Most Adults Living Alone," *Self*, self.inc/blog/adults-living-alone.
25. 同上
26. Albert Esteve et al., "Living Alone over the Life Course: Cross-National Variations on an Emerging Issue," *Population and Development Review* 46, no. 1

(March 2020): 169–89, https://doi.org/10.1111/padr.12311.
27. Esteban Ortiz-Ospina, "The Rise of Living Alone: How One-Person Households Are Becoming Increasingly Common Around the World," Our World in Data, December 10, 2019, ourworldindata.org/living-alone.
28. Evan L. Ardiel and Catharine H. Rankin, "The Importance of Touch in Development," *Paediatrics Child Health* 15, no. 3 (March 2010): 153-56, doi.org/10.1093%2Fpch%2F15.3.153.
29. Sheldon Cohen, Denise Janicki-Deverts, Ronald B. Turner, and William J. Doyle, "Does Hugging Provide Stress-Buffering Social Support? A Study of Susceptibility to Upper Respiratory Infection and Illness," *Psychological Science* 26, no. 2 (February 2015): 135-47, doi.org/10.1177%2F0956797614559284.
30. Cuddle Party, cuddleparty.com.
31. Scott Simon, "Opinion: The Comfort of Cow Cuddles," *Weekend Edition Saturday*, NPR, March 13, 2021.
32. "New Report of Global Weighted Blanket (Gravity Blanket) Market Overview, Manufacturing Cost Structure Analysis, Growth Opportunities 2021 to 2026," *Market Watch*, November 15, 2021.
33. Serena Gove, "How Calming Compression Clothing Can Be Beneficial (for Adults and Children)," Caring Clothing, April 12, 2019, caringclothing.com.au/blogs/adaptive-clothing-disabled/how-calming-compression-clothing-can-be-beneficial-for-adults-children.
34. "SAC Releases Report Comparing 3 Years of COVID-19's Effect on US Animal Shelters," Shelter Animals Count, shelteranimalscount.org/blog.
35. Jeffery Ho, Sabir Hussain, and Olivier Sparagano, "Did the COVID-19 Pandemic Spark a Public Interest in Pet Adoption?," *Frontiers in Veterinary Science*, May 7, 2021, doi.org/10.3389/fvets.2021.647308.
36. L. F. Carver, "How the Coronavirus Pet Adoption Boom Is Reducing Stress," The Conversation, May 24, 2020, theconversation.com/how-the-coronavirus-pet-adoption-boom-is-reducing-stress-138074.
37. National Service Animal Registry, nsarco.com.
38. Anna Burke, "What Is a Crisis Response Dog? Comfort Dogs vs. Therapy Dogs," American Kennel Club, May 12, 2021, akc.org/expert-advice/training/what-is-a-crisis-response-dog/.
39. "Smart Speaker Market Revenue Worldwide from 2014 to 2025," Statista, April 7, 2021, statista.com/statistics/1022823/worldwide-smart-speaker-market-revenue/.
40. "iLife: Perceptions and Expectations Regarding Technology," Havas, havas.cz/en/meaningful-difference-en/ilife-perceptions-and-expectations-regarding-technology/.

41. Scott Dewing, "Rise of the Sexbots," Medium, June 20, 2021, medium.com/predict/rise-of-the-sexbots-550c93f4d310.
42. 同上
43. Maureen Dowd, "A.I. Is Not A-OK," *The New York Times*, October 30, 2021.
44. 同上
45. Tamara Bhandari, "Stroke-Recovery Device Using Brain-Computer Interface Receives FDA Market Authorization," Washington University School of Medicine in St. Louis, April 27, 2021, medicine.wustl.edu/news/stroke-recovery-device-using-brain-computer-interface-receives-fda-market-authorization/.
46. Eillie Anzilotti, "Watch This Device Translate Silent Thoughts into Speech," MIT Media Lab, May 16, 2019, media.mit.edu/articles/watch-this-device-translate-silent-thoughts-into-speech/.
47. "Saturday Night Passover Featuring Dan Levy, Finn Wolfhard, Billy Porter, Idina Menzel and More," Tasty, April 11, 2020, YouTube, youtube.com/watch?v=QGRsH2Qti_Q.
48. Carol Glatz, "Vatican Registers High Growth, Engagement Online for Holy Week, Easter," *Crux*, April 14, 2020.
49. Rosie Murphy, "Local Consumer Review Survey 2020," Bright Ideas, December 9, 2020, brightlocal.com/research/local-consumer-review-survey/.

第４部　次の世界

1. Tom Gillespie, "COVID-19: In Charts—One Year Since the Coronavirus Outbreak Was Declared a Global Pandemic," Sky News, March 11, 2021, news.sky.com/story/covid-19-in-charts-one-year-since-the-coronavirus-outbreak-was-declared-a-global-pandemic-12242044.
2. Jack Goodman and Flora Carmichael, "Coronavirus: Bill Gates 'Microchip' Conspiracy Theory and Other Vaccine Claims Fact-Checked," BBC, May 20, 2020.
3. RedNewspaper, "Vaccinated People Are Walking Time Bombs and a Threat to Society," Foreign Affairs Intelligence Council, April 8, 2021, web.archive.org/web/20210421183422/https://foreignaffairsintelligencecouncil.wordpress.com/2021/04/08/vaccinated-people-are-walking-biological-time-bombs-and-a-threat-to-society/.
4. 同上
5. Mark Zuckerberg, "Bringing the World Closer Together," Facebook, m.facebook.com/nt/screen/?params=%7B%22note_id%22%3A393134628500376%7D&path=%2Fnotes%2Fnote%2F& _rdr.
6. Stephen Loiaconi, "'Avalanche' of Allegations Against Facebook Raises New

Questions," ABC 4 News, October 25, 2021, abcnews4.com/news/nation-world/avalanche-of-allegations-against-facebook-raises-new-questions.
7. Eliza Mackintosh, "Facebook Knew It Was Being Used to Incite Violence in Ethiopia. It Did Little to Stop the Spread, Documents Show," CNN, October 25, 2021.
8. Clare Duffy, "Facebook Has Known It Has a Human Trafficking Problem for Years. It Still Hasn't Fully Fixed It," CNN, October 25, 2021.
9. Craig Timberg, Elizabeth Dwoskin, and Reed Albergotti, "Inside Facebook, Jan. 6 Violence Fueled Anger, Regret over Missed Warning Signs," *The Washington Post*, October 22, 2021.
10. Jonathan Rothwell and Sonal Desai, "How Misinformation Is Distorting COVID Policies and Behaviors," Brookings Institution, December 22, 2020, brookings.edu/research/how-misinformation-is-distorting-covid-policies-and-behaviors/.
11. Julia Manchester, "Analyst Says US Is Most Divided Since Civil War," *The Hill*, October 3, 2018.
12. Jon Henley, "Europeans' Confidence in EU Hit by Coronavirus Response," *The Guardian*,June 8, 2021.
13. Kat Devlin, Moira Fagan, and Aidan Connaughton, "People in Advanced Economies Say Their Society Is More Divided than Before Pandemic," Pew Research Center, June 23, 2021, pewresearch.org/global/2021/06/23/people-in-advanced-economies-say-their-society-is-more-divided-than-before-pandemic/.
14. Wai Lin, "XFS Patches for Linux 5.10 Delays the Year 2038 Problem to 2486," Linux Reviews, October 17, 2020, linuxreviews.org/XFS_Patches_For_Linux_5.10_Delays_The _Year_2038_Problem_To_2486.
15. Vishal Thakur, "What Is the 2038 Problem?," Science ABC, November 13, 2021, scienceabc.com/innovation/what-is-the-2038-problem.html.
16. Conspiracy Theory Trivia Board Game, Neddy Games, shopneddy.com/products/conspiracy-theory-trivia-board-game.
17. Ian GraberStiehl, "To Study Swarming Cicadas, It Takes a Crowd," *Science*, June 1, 2021.
18. Ian Frazier, "When Bob Dylan Heard the Cicadas," *The New Yorker*, June 2, 2021.
19. "Well . . . This Is the Million Dollar Question. And One That's Very Hard to Answer," World Wildlife Federation, wwf.panda.org/discover/our_focus/biodiversity/biodiversity/.
20. 同上

第16章　二〇三八年の世界

1. John Harris, "What Does Tech Take from Us? Meet the Writer Who Has

Counted 100 Big Losses," *The Guardian*,November 3, 2021.
2. 同上
3. Jackie Salo, "China Using 'Emotion Recognition Technology' for Surveillance," *New York Post*, March 4, 2021.
4. Thomas Humphry Ward, ed., *The English Poets*, vol. 4,*Wordsworth to Rossetti* (London: Macmillan, 1919).
5. Ron Baker, "The (Modern) Father of the Billable Hour and Timesheet," VeraSage Institute, verasage.com/verasage-institute/blog/the_modern_father_of_the_billable_hour_and_timesheet.
6. Charlie Svensson, "6-Hour Workdays in Sweden Boost Productivity, Energy, and Happiness," Daily Scandinavian, January 25, 2021, dailyscandinavian.com/6-hour-workdays-in-sweden-boost-productivity-energy-and-happiness/.
7. Simon Kemp, "Digital 2021: 60 Percent of the World's Population Is Now Online," We Are Social, April 22, 2021, wearesocial.com/blog/2021/04/60-percent-of-the-worlds-population-is-now-online/.
8. Tyler Cowen, "Cryptocurrency Is Not Necessarily the Future," Bloomberg, December 29, 2020.
9. Stephen Johnson, "'The Time Is Now' for Cryptocurrencies, PayPal CEO Says," Big Think, December 4, 2020, bigthink.com/technology-innovation/future-of-cryptocurrency?rebelltitem=3.
10. Luke Conway, "10 Important Cryptocurrencies Other Than Bitcoin," Investopedia, November 19, 2021, investopedia.com/tech/most-important-cryptocurrencies-other-than-bitcoin/.
11. James McWhinney, "Why Governments Are Wary of Bitcoin," Investopedia, September 21, 2021, investopedia.com/articles/forex/042015/why-governments-are-afraid-bitcoin.asp.
12. Rupert Neate, "SpaceX Could Make Elon Musk the World's First Trillionaire, Says Morgan Stanley," *The Guardian*,October 20, 2021.
13. Chris Taylor, "The Future of Free Money," Mashable, 2020, mashable.com/feature/universal-basic-income-future/.
14. "What Is Digital Fabrication," IGI Global, igi-global.com/dictionary/digital-fabrication/53850.
15. Emma Newberger and Adam Jeffery, "Photos Show Impact of Temporary Air Pollution Drops Across the World from Coronavirus Lockdown," CNBC, April 23, 2020.
16. Erik Stokstad, "The Pandemic Stilled Human Activity. What Did This 'Anthropause' Mean for Wildlife?," *Science*, August 13, 2020.
17. Damian Carrington, "New Super-Enzyme Eats Plastic Bottles Six Times Faster," *The Guardian*,September 28, 2020.

18. Jordan Davidson, "Scientists Find Bacteria That Eats Plastic," EcoWatch, March 27, 2020, ecowatch.com/scientists-find-bacteria-that-eats-plastic-2645582039.html.
19. Frank Jordans, "Germany Is First Major Economy to Phase Out Coal and Nuclear," AP News, July 3, 2020.
20. "Finland Approves Ban on Coal for Energy Use from 2029," Reuters, February 28, 2019.
21. "Fact Sheet: President Biden Sets 2030 Greenhouse Gas Pollution Reduction Target Aimed at Creating Good-Paying Union Jobs and Securing U.S. Leadership on Clean Energy Technologies," White House Briefing Room, April 22, 2021, whitehouse.gov/briefing-room/statements-releases/2021/04/22/fact-sheet-president-biden-sets-2030-greenhouse-gas-pollution-reduction-target-aimed-at-creating-good-paying-union-jobs-and-securing-u-s-leadership-on-clean-energy-technologies/.
22. Dan Gearino, "What Germany Can Teach the US About Quitting Coal," Inside Climate News, October 15, 2020, insideclimatenews.org/news/15102020/germany-coal-transition/.
23. "Renewable Heat Incentive," Energy Saving Trust, energysavingtrust.org.uk/grants-and-loans/renewable-heat-incentive/.
24. "Smart Export Guarantee," Energy Saving Trust, energysavingtrust.org.uk/advice/smart-export-guarantee/.
25. Sara Schonhardt, "U.K. Will Stop Using Coal in Just Three Years," E&E News, *Scientific American*, July 1, 2021.
26. "18 Surprising Projections About the Future of Water," Seametrics, seametrics.com/blog/future-water/.
27. Sandy Milne, "How Water Shortages Are Brewing Wars," BBC Future, August 16, 2021.
28. Meaghan O'Neill, "The World's Tallest Timber-Framed Building Finally Opens Its Doors," *Architectural Digest*, March 22, 2019, architecturaldigest.com/story/worlds-tallest-timber-framed-building-finally-opens-doors.
29. "Wooden Satellite Due for Launch by End of 2021," Engineering and Technology, April 23, 2021, eandt.theiet.org/content/articles/2021/04/selfie-stick-wielding-wooden-satellite-to-launch-by-end-of-2021/.
30. Kim Severson, "How Will Americans Eat in 2022? The Food Forecaster Speaks," *The New York Times*, December 28, 2021.
31. "Exploring the Green Canopy in Cities Around the World," Treepedia, senseable.mit.edu/treepedia.
32. City of Melbourne, "Urban Forest Strategy," https://www.melbourne.vic.gov.au/community/greening-the-city/urban-forest/Pages/urban-forest-strategy.

aspx.
33. University of Wisconsin–Madison, "Trees Are Crucial to the Future of Cities," *Science News*, March 25, 2019.
34. Qing Li, "'Forest Bathing' Is Great for Your Health. Here's How to Do It," *Time*, May 1, 2018.
35. Chris Taylor, "The Future's Getting Smarter," Mashable, 2019, mashable.com/feature/smart-drugs-future-brain/.
36. "Brain Implants to Restore Lost Memories," Future Timeline.net, futuretimeline.net/21stcentury/2023.htm#memory-chip-brain-implant.
37. Hiroyuki Katoh, Kazuya Yokota, and Michael G. Fehlings, "Regeneration of Spinal Cord Connectivity Through Stem Cell Transplantation and Biomaterial Scaffolds," *Frontiers in Cellular Neuroscience*, June 6, 2019, doi.org/10.3389/fncel.2019 .00248.
38. Anthony L. Komaroff, "Why Are mRNA Vaccines So Exciting?," Harvard Health Publishing, November 1, 2021, health.harvard.edu/blog/why-are-mrna-vaccines-so-exciting-2020121021599.
39. Aparna Vidyasagar and Nicoletta Lanese, "What Is CRISPR?," Live Science, October 20, 2021, livescience.com/58790-crispr-explained.html.
40. "Noncommunicable Diseases," World Health Organization, April 13, 2021, who.int/news-room/fact-sheets/detail/noncommunicable-diseases.
41. Alison Abbott, "COVID's Mental-Health Toll: How Scientists Are Tracking a Surge in Depression," *Nature*, February 3, 2021.
42. 同上
43. Yasemin Saplakoglu, "'Diseases of Despair' on the Rise Across the US," Live Science, November 10, 2020, livescience.com/diseases-despair-rising-us.html.
44. "Policy Brief: COVID-19 and the Need for Action on Mental Health," United Nations, May 13, 2020, un.org/sites/un2.un.org/files/un_policy_brief-covid_and_mental_health_final.pdf.
45. Yascha Mounk and Roberto Stefan Foa, "This Is How Democracy Dies," *The Atlantic*, January 29, 2020.
46. Rob Toews, "Deepfakes Are Going to Wreak Havoc on Society. We Are Not Prepared," *Forbes*, May 25, 2020.
47. Mark Fischetti, "Africa Is Way Bigger Than You Think," *Scientific American*, June 16, 2015, blogs.scientificamerican.com/observations/africa-is-way-bigger-than-you-think/.
48. Klaus Schwab, "The Fourth Industrial Revolution: What It Means, How to Respond," World Economic Forum, January 14, 2016, weforum.org/agenda/2016/01/the-fourth-industrial-revolution-what-it-means-and-how-to-respond/.

49. "Foresight Africa: Top Priorities for the Continent 2020–2030," Brookings Institution, January 8, 2020, brookings.edu/multi-chapter-report/foresight-africa-top-priorities-for-the-continent-in-2020/.
50. "Africa Growth," Future Agenda, futureagenda.org/foresights/africa-growth/.
51. "Forecast of the Total Population of Africa from 2020 to 2050," Statista, August 10, 2021, statista.com/statistics/1224205/forecast-of-the-total-population-of-africa/.
52. "The Future Is African," Council on Foreign Relations, December 11, 2020, cfr.org/podcasts/future-african.
53. "Africa Growth."
54. 同上
55. Alyssa Maio, "What Is Nollywood and How Did It Become the 2nd Largest Film Industry?," Studio Binder, December 5, 2019, studiobinder.com/blog/what-is-nollywood/.
56. Simon Varrella, "Life Expectancy in Africa 2021," Statista, August 12, 2021, statista.com/statistics/274511/life-expectancy-in-africa/#:~:text=For%20those%20born%20in%202021,for%20females%20in%20mid%2D2021.
57. "Iceland Has Most Developed Information Society Worldwide, According to UN Report," *Iceland Magazine*, November 21, 2017, icelandmag.is/article/iceland-has-most-developed-information-society-worldwide-according-un-report.
58. Patrick J. Kiger, "How Venezuela Fell from the Richest Country in South America into Crisis," History, May 9, 2019, history.com/news/venezuela-chavez-maduro-crisis.
59. Dany Bahar and Meagan Dooley, "Venezuela Refugee Crisis to Become the Largest and Most Underfunded in Modern History," Brookings Institution, December 9, 2019, brookings.edu/blog/up-front/2019/12/09/venezuela-refugee-crisis-to-become-the-largest-and-most-underfunded-in-modern-history/.
60. "A Century of Decline: The Tragedy of Argentina," *The Economist*, February 15, 2014.
61. "The World Bank in Argentina: Overview," The World Bank, October 4, 2021, worldbank.org/en/country/argentina/overview.
62. "Democracy in Post-Pandemic Latin America: Enhanced Vulnerabilities," National Endowment for Democracy, Democracy Digest, December 9, 2020, demdigest.org/democracy-in-post-pandemic-latin-america-enhanced-vulnerabilities/.
63. "Back to Basics: Getting Serious About Advancing Democracy," National Endowment for Democracy, Democracy Digest, December 4, 2020, demdigest.org/get-serious-about-advancing-democracy/.
64. Craig Dempsey, "The Rise of Entrepreneurship in Latin America," Data Driven

Investor, February 9, 2019, medium.datadriveninvestor.com/the-rise-of-entrepreneurship-in-latin-america-18370c0f30ed.
65. "Latin America Most Optimistic Region—According to C-Suite Barometer," Mazars, mazars.com/Home/Insights/Latest-insights/C-suite-Latam-most-optimistic-region.
66. "Welcome to Accumulus Synergy," accumulus.org.
67. "Commit. Act. Impact.," climatecollaborative.com/about.

結論——それは私に何の役に立つのか

1. Marshall McLuhan and Bruce R. Powers, *The Global Village: Transformations in World Life and Media in the 21st Century* (New York: Oxford University Press, 1989). マーシャル・マクルーハン、ブルース・R・パワーズ著『グローバル・ヴィレッジ——21世紀の生とメディアの転換』（浅見克彦訳、青弓社、2003年9月）
2. Città Slow, citta-slow.com.
3. "International Network of Cities Where Living Is Good," Città Slow International, cittaslow.org.
4. Neil Ruiz, Luis Noe-Bustamante, and Nadya Saber, "Coming of Age," *Finance & Development* 57, no. 1 (March 2020), imf.org/external/pubs/ft/fandd/2020/03/infographic-global-population-trends-picture.htm.
5. Sophie Jeong, "Exhausted and Without Hope, East Asian Youth Are 'Lying Flat,'" CNN Business, August 29, 2021.
6. "'Selfie' Named by Oxford Dictionaries as Word of 2013," BBC, November 19, 2013.
7. Ray Kurzweil, "The Dawn of the Singularity, a Visual Timeline of Ray Kurzweil's Predictions," Futurism, October 13, 2015, kurzweilai.net/futurism-the-dawn-of-the-singularity-a-visual-timeline-of-ray-kurzweils-predictions#!prettyPhoto.
8. 同上
9. 同上

2038年(ねん)のパラダイムシフト
人生・社会・技術

2024年2月20日　初版印刷
2024年2月25日　初版発行

＊

著　者　マリアン・ソールツマン
訳　者　江口泰子(えぐちたいこ)
発行者　早川　浩

＊

印刷所　中央精版印刷株式会社
製本所　中央精版印刷株式会社

＊

発行所　株式会社　早川書房
東京都千代田区神田多町2－2
電話　03-3252-3111
振替　00160-3-47799
https://www.hayakawa-online.co.jp
定価はカバーに表示してあります
ISBN978-4-15-210312-3　C0030
Printed and bound in Japan
乱丁・落丁本は小社制作部宛お送り下さい。
送料小社負担にてお取りかえいたします。